LA NUIT ROUGE

Jean-François Coatmeur est né à Pouldavid-sur-Mer, près de Douarnenez (Finistère). Il vit actuellement à Brest. Licence ès lettres. Diplôme d'études supérieures de lettres. C.A.E.C. lettres classiques. Professeur dans divers établissements de France et à Abidjan (Côte-d'Ivoire). Il a écrit une quinzaine de romans dont Les Sirènes de minuit *(Grand Prix de Littérature policière) et* La Bavure *(Prix Mystère de la Critique).*

Brest. Le cadavre d'un étudiant marocain de vingt-quatre ans, Djamel Bougataya, a été découvert à l'aplomb de la balustrade du pont du Bouguen.
Suicide, a conclu la police. « Un moment de folie » dit Marie-Marthe, la compagne de Djamel.
Mais Karim, le frère de Djamel, qui revient du Maroc, n'arrive pas à croire à cette thèse. Il décide de mener sa propre enquête. Une jeune aristocrate, Aude, semble vouloir l'aider. Mais est-elle sincère ?
Prenant des risques qui mettront sa vie en danger, sa quête de la vérité va plonger Karim dans un monde dur et cruel, dans l'envers angoissant d'un trop respectable décor, alors que règne sur la ville une atmosphère de violence sourde à vous faire froid dans le dos.
« L'auteur passe avec aisance de la notation poétique au réalisme le plus cru, de la violence exacerbée à la douceur attendrie, de l'étude psychologique au suspens haletant » (M.-B. Endrèbe).
La Nuit rouge confirme J.-F. Coatmeur comme l'un des maîtres du thriller à la française.

Paru dans Le Livre de Poche :

LA BAVURE.

JEAN-FRANÇOIS COATMEUR

La Nuit rouge

ROMAN

ALBIN MICHEL

Hormis le cadre géographique, cette histoire a été inventée de A à Z. La fiction, comme on sait, rejoignant parfois la vie, une éventuelle ressemblance de tel ou tel personnage avec un être réel n'est pas inimaginable, mais ne pourrait être que l'effet d'une coïncidence.

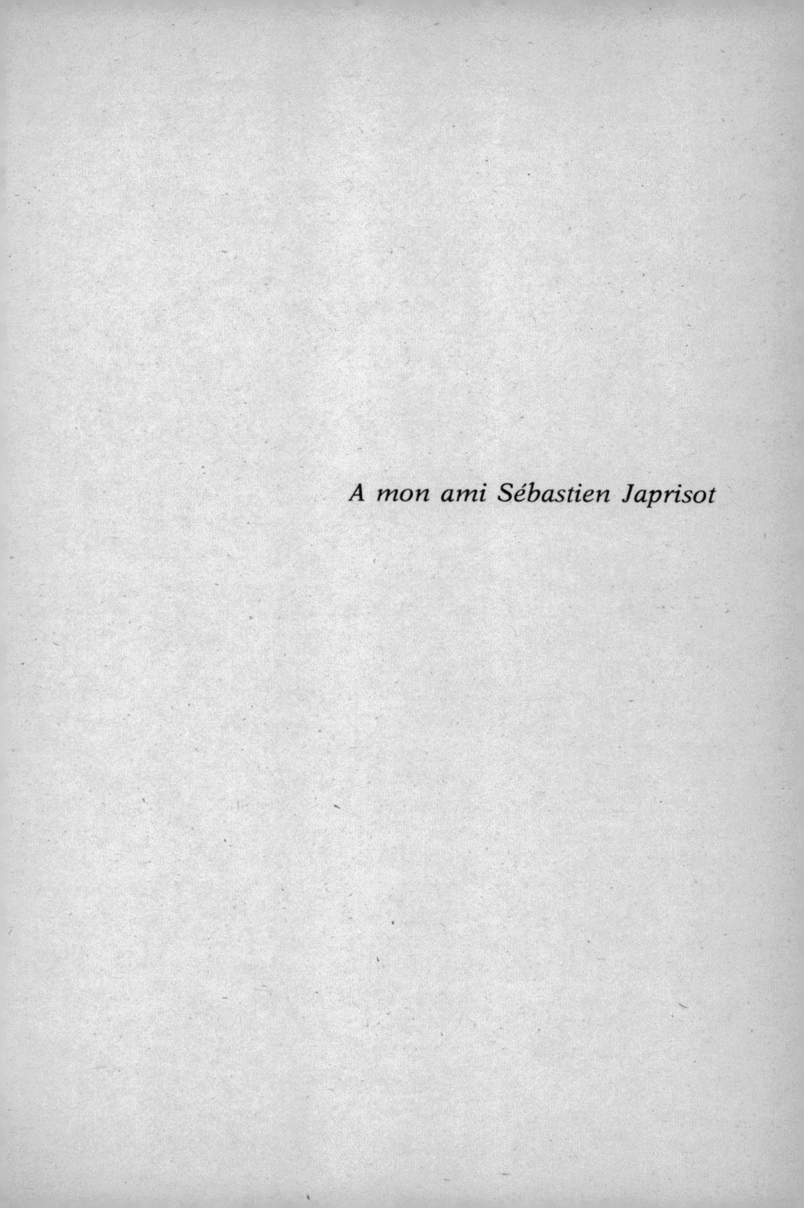

A mon ami Sébastien Japrisot

Huit mois plus tôt

LA pluie chantait une drôle de petite chanson sur la tôle lépreuse de la vieille Panhard. Pic, poc, tuc, bamm... Zidore ronflait comme un réacteur. Mais P'tit Gall, qui ne dormait pas, écoutait et ça lui évoquait quelque chose cette musique, une image très ancienne et très lointaine : Ouagadougou, en Haute-Volta, au temps où il faisait ses classes. Un grand gaillard de Nègre en boubou canari, accroupi en tailleur dans la terre rouge et qui tapait avec des baguettes noires sur un jeu de lamelles de bois. Pic, pic, bamm, poc, tuc... L'Afrique, soleil, crudité des couleurs et des parfums, torpeur. Il avait vingt ans.

P'tit Gall soupira, toussa longuement, eut l'impression qu'une griffe d'acier lacérait ses poumons. La crève. L'humidité ambiante le pénétrait jusqu'aux os. Des filets d'air glacé s'infiltraient par vingt fissures et se croisaient dans l'habitacle. L'antique carrosserie s'en allait de partout, dévorée de chancres. A sa gauche, l'eau suintait du plafond et gouttait dans un verre Amora, ploc, ploc.

Urgent qu'on lève l'ancre, songea P'tit Gall, et qu'on dégote un chalet moins pourri. Dommage, car le coin était chouette, autant dire en plein centre, juste au-dessous de la cantine des étudiants. Lui et le collègue ils y allaient tous les jours chiner à la popote et l'un dans l'autre ça payait, ils faisaient même, des fois, de sacrées affaires. Oui, question bouffe, on était bien placés. Dommage.

Il se racla la gorge, cracha au jugé vers la périphérie de la turne. Il suivit un moment avec une vague envie le nasillement puissant de son voisin de misère. Une santé pas croyable, ce type, pas une trace de rhume de tout l'hiver, toujours d'attaque! Pas très futé, le frère, c'était sûr, un petit pois dans la calebasse, mais les soucis il connaissait pas, le Zidore.

P'tit Gall soupira derechef. Ritournelle de la pluie, pic, pic, bamm, tuc... Ouaga, la face d'ébène luisante de sueur et les doigts effilés qui promenaient les deux tiges noires. Il toussa une nouvelle fois, se lamenta, oui, larguer vite fait cette putain de carrée de merde.

Il s'enroula jusqu'au nez dans la couverture mitée et sursauta. La plainte dehors, interminable. Il se redressa.

« Zidore, t'as entendu? »

L'autre ne bronchait pas et P'tit Gall dut le secouer à deux mains, rudement. Zidore émergea enfin, ahuri, et articula, la voix pâteuse :

« Qu'est-ce qui se passe? Y a le feu?

– Quelqu'un a crié, dit P'tit Gall. Ce n'était pas un cri normal. »

Ils écoutèrent. Rien, le tambourinement de l'averse sur la carrosserie.

« Tu veux dire..., commença Zidore.

– Ouais. Allez, on y va. »

P'tit Gall alluma un briquet, se leva, chaussa des savates. A son tour, Zidore se mit debout en se grattant les aisselles. Il enfila des brodequins éculés, une longue pèlerine à capuchon.

Ils sortirent. La pluie qui tombait droite et drue

éteignit aussitôt la flamme du briquet. Patiemment, P'tit Gall battit la molette, tandis que Zidore se vidait les narines entre pouce et index.

Sans hésiter, P'tit Gall avait pris la direction du pont. Il était triste, il songeait : encore un pauvre paumé qu'a pas pu supporter la chiennerie de la vie. Là-bas, la masse du pont Malchance, noyée dans le tamis livide de la pluie. Très loin dans les hauteurs, un roulement de voiture, impalpable, irréel.

Zidore suivait mollement, en traînant les pieds. Il fit halte pour pisser contre l'épave éventrée d'une gazinière, qui trônait dans un fourré. Devant lui, la flamme du briquet n'arrêtait pas de s'éteindre et de se rallumer comme un fanal sur la mer.

P'tit Gall soudain poussa un juron, appela :

« Ho? Amène-toi! »

Zidore se secoua gauchement de ses phalanges engourdies et repartit en reboutonnant sa braguette vers la luciole, maintenant figée au ras du sol.

0 heure 45

La DS venait de s'immobiliser sur le parking. Il avait éteint les lanternes, mais le moteur continuait de tourner. Les essuie-glaces usés grattaient le verre avec un gémissement de bête blessée. La pluie pétaradait sur la toiture et balançait contre les vitres de grosses pelletées grésillantes.

Diallo Joseph gardait l'œil fixé sur le rétroviseur intérieur. L'éclairage public ne fonctionnait plus, la nuit cernait la voiture, hostile, secouée de reflets blêmes. Il les avait perdus de vue au moment où il se jetait à corps perdu dans la rampe d'accès à Bellevue. Durant plusieurs minutes, il avait erré dans le labyrinthe du nouveau quartier sans les repérer. Il devait les avoir semés pour de bon.

Une heure moins dix. Il s'accorda une marge de

sécurité et coupa le contact. Il sortit de la DS, harcelé aussitôt par les gifles hargneuses de l'averse. Il verrouilla les portières, releva le col de son veston de toile beige, vissa la tête dans les épaules et courut vers le grand immeuble endormi. Il pénétra dans le hall. L'ascenseur était à pied d'œuvre et l'emporta au 12e, où il avait son studio. Il s'y enferma, donna deux tours de clef, poussa la targette de sûreté.

Il resta quelques instants à la porte, le cœur battant. Il se domina, entra dans la salle, alluma, se débarrassa du veston mouillé. Il passa dans le cabinet de toilette. Une très fine fumée montait de son visage huileux, les gouttes scintillaient dans les frisettes de sa chevelure comme des perles. Il se frictionna énergiquement, revint dans le séjour, tourna le bouton du transistor en réglant le son au plus bas.

Il s'assit au bord du lit. La pluie se rongeait les dents sur les larges volets de fer. Il se trouvait bien maintenant. Le studio moderne perdu entre ciel et terre était comme un phare douillet et sûr. « Bon Dieu, se disait-il, qu'est-ce qui t'a pris? C'est ce film, mon vieux, que tu viens de voir au Siam! Il n'y a jamais eu de types sérieusement à tes trousses. Pourquoi tu serais visé? »

Non, il ne voyait pas. Il était Diallo Joseph, citoyen congolais, un garçon rangé et sans histoires. Un papa commerçant à Brazza, qui subvenait à ses besoins très régulièrement, pas de politique, pas d'ennemis, les études d'abord, une sortie de temps à autre avec son ami Ouattara, comme ce soir. Alors cette bagnole...

Il était redevenu tout à fait paisible, il pouvait repasser dans sa tête, froidement, le film des événements. Il avait raccompagné son copain, qui logeait à la Cité universitaire du Bouguen, après le pont, ils avaient bavardé quelques minutes à la porte, dans la DS. C'est en repartant, sa manœuvre effectuée devant la grille de la Fac des sciences, qu'une voiture qui stationnait sur le parking du R.U. avait démarré et s'était portée dans son sillage. Malgré plusieurs tentatives pour s'en décramponner, elle était restée collée à la DS comme une sangsue tout au long de l'avenue Le-Gorgeu. Il avait essayé d'identifier ses poursuivants, mais la buée poissait les vitres et la visibilité dehors était médiocre. Une Renault 30, lui avait-il semblé, occupée par deux hommes à l'avant. Une mauvaise blague ? Les journaux étaient pleins de faits divers rapportant des farces de ce genre qui quelquefois avaient mal tourné. La filature en tout cas avait été cassée dès qu'il avait abandonné l'avenue pour sillonner Bellevue. Oui, des plaisantins en goguette, ça ne pouvait être que cela.

L'ascenseur grondait doucement. Diallo Joseph écouta, le cœur un peu serré. Allons, mon vieux, pourquoi veux-tu... L'appareil était arrivé à destination, la porte s'ouvrait. La porte de l'étage. Diallo Joseph se redressa, roula des prunelles, chercha autour de lui, saisi de panique. Sentiment d'être pris dans une nasse. Le vide, dehors. Douze étages d'abîme et de nuit. Il sauta sur le transistor, coupa le son, il éteignit la lampe de chevet. Sur la pointe des pieds, il gagna le hall. Des pas piétinaient devant sa porte. Et les deux notes de la sonnerie vibrèrent, lui vrillant les tympans. Il sursauta, s'accota à la cloison, mordit dans sa respiration. « Tu gardes ton sang-froid, mon vieux, tu restes bien calme. » Des propos chuchotés derrière le panneau, un craquement de chaussures. Le carillon chanta à nouveau, plusieurs fois d'affilée.

Diallo Joseph ne bougeait pas, comme incorporé à la muraille, ses paumes collées à la tapisserie par la sueur. Les pas s'éloignaient. Grincement léger de la porte de verre, ronflement de la machine, qui décroissait et mourait.

Il revint dans le séjour, les jambes comme de la flanelle, il sifflotait. « Putain! se dit-il tout haut. Mon vieux, c'est plus de la rigolade! » Il ralluma. La glace du cabinet de toilette lui renvoyait un visage gris, ciré de transpiration. Il se bouchonna, se lava les dents. Deux types. Qu'est-ce qu'ils lui voulaient? Il ne pouvait plus s'agir d'une farce? Il chercha un bon moment, ne trouva aucune réponse correcte. Il finit par se déshabiller, il se coucha, éteignit.

Le téléphone glapit à son oreille. Diallo Joseph eut un soubresaut de frayeur. Il ralluma sa lampe, décrocha en tremblant.

« Allô! »

Une voix d'homme, tranchante, dure :

« Ecoute bien, négro. T'as rien vu ce soir, tu piges? Rien de rien. Et ton copain kif-kif. Alors on tient sa gueule, O.K.? Ou tu peux commander les cercueils! »

On coupa. Diallo Joseph demeurait assis sur le lit, le combiné en main, stupide. « T'as rien vu ce soir... » Qu'est-ce qu'il voulait dire? Il éplucha ses faits et gestes de la soirée, s'énerva, n'aboutit à rien. « Je préviens Ouattara. » Il fit le numéro de la Cité universitaire. Pas de réponse. « Bien sûr, se dit-il avec dépit, je devrais pourtant le savoir : personne au standard après vingt-trois heures. » S'il y allait? Non. Qu'est-ce qui lui garantissait que les deux types... Il frissonna. « Je l'appelle demain matin, dès l'ouverture. A nous deux, on comprendra peut-être. »

Il ne se décidait plus à éteindre. Il restait assis dans le lit, le cerveau en feu, tremblant par saccades, convulsivement. Dehors, le vent durcissait encore et l'averse crépitait avec un bruit de castagnettes contre les persiennes métalliques.

Procès-verbal

« Le 21 novembre 198., à 0 heure 38, étant de garde à l'Hôtel de Police, nous avons reçu un appel téléphonique nous informant qu'un homme venait de se jeter du pont Robert-Schuman, communément appelé pont du Bouguen. Après avoir requis l'assistance du docteur Guyader, médecin généraliste, rue Sully, nous nous sommes rendus sur les lieux et avons constaté la présence d'un individu de sexe masculin étendu sur le ventre en bordure de la rue du Moulin-à-Poudre, à l'aplomb de la balustrade sud du pont, le sommet du crâne se situant à une distance de 15,65 mètres du socle du pilier ouest. Le docteur Guyader a examiné le corps et constaté le décès. Les pièces d'identité relevées sur le cadavre nous ont permis de l'identifier. Il s'agit de BOUGATAYA Djamel, 24 ans, de nationalité marocaine, étudiant, résidant 12, place Salvador-Allende à Brest. Nous avons effectué les vérifications d'usage et recueilli la déclaration des deux personnes ayant découvert le corps, soit : MARCHADOUR Isidore, 54 ans, et LE GALL Corentin, dit P'TIT GALL, 48 ans, l'un et l'autre sans profession ni domicile fixe. A 0 heure 59, nous trouvant sur place, il nous a été signalé qu'une automobile, de marque Volkswagen, immatriculée : 4548 QT 29, avait été abandonnée sur le pont, feux de détresse en action, à la perpendiculaire approximative du point d'impact du corps. L'examen de divers papiers découverts dans la voiture nous a appris que le véhicule appartenait à Mme LAUTROU Marie-Marthe, domiciliée à l'adresse susmentionnée. A 1 heure 35, nous nous y sommes transportés et avons avisé des faits la femme LAUTROU Marie-Marthe, auxiliaire enseignante, laquelle nous a déclaré être la concubine du défunt, dont elle a eu un enfant, prénommé Samy, âgé de trois mois.

Communication adressée ce jour à Madame le Procureur de la République des premières pièces de l'enquête préliminaire. La minute des témoignages enregistrés par nous-mêmes figure en annexe à ce procès-verbal. »

Brest, le 21 novembre 198.

Hervé GUICHAOUA — Ludovic FILOCHE
Officier de police judiciaire — Inspecteur stagiaire

Annexe – Extrait de la minute de l'enquête préliminaire.

Déclaration de M. DIALLO Joseph, 47, rue du Vermandois, Brest. « Samedi 21 novembre 198., vers 0 heure 30, je rentrais en voiture avec mon compatriote, M. ATTEBI Ouattara Ambroise, quand j'ai aperçu les feux de détresse d'une automobile stationnée sur le pont Robert-Schuman, à gauche, côté plateau du Bouguen. M'étant porté à sa hauteur et m'étant arrêté, j'ai entrevu un homme courbé sous le volant et qui paraissait très absorbé. J'ai abaissé ma vitre et je lui ai proposé notre assistance. Il s'est redressé et m'a fait comprendre de la main qu'il n'avait besoin de rien. Je suis donc reparti, j'ai déposé mon camarade à la Cité universitaire du Bouguen et j'ai regagné mon domicile. »

PREMIÈRE PARTIE

Le pont Malchance

1

Dimanche 11 juillet

AUDE

J'irai pas. Ils sont tous en bas dans le grand salon, à guetter mon apparition comme à Lourdes. Mais j'irai pas. Je me suis étendue sur le ventre en travers de mon lit à crosse, la figure dans l'oreiller. Ma robe va être dans un état! la merveilleuse robe taille basse de chez « Béatrice », offerte par mon fiancé. Deux mille balles au bas mot qu'il a dû cracher, Augusto!

Le transistor japonais est posé au bord du chevet près de mon oreille. Simon et Garfunkel chantent : *The Sound of silence.* Je suis tombée dessus par hasard, ça doit être Radio-Paradis, j'aime ce qu'ils passent, en général, ça repose du boum-boum-boum de série. Je suis bien, ici, dans ma chambre, avec ma musique, seule. Qu'on me laisse seule aujourd'hui! Et ça m'indiffère qu'on soit dimanche et que ce 11 juillet Mademoiselle Aude Beau de Malestroit fête ses dix-huit printemps. L'an dernier, oui, j'avais le calendrier en point de mire, et je leur disais : « Quand j'aurai dix-huit ans, vous verrez, vous verrez... » Ça n'a plus d'importance. Alors qu'ils me fichent la paix!

Ma main à l'aveuglette atteint le bouton du transistor, renforce le son :

Hear my words that I might teach you,
Take my arms that I might reach you.

On monte l'escalier. « On », c'est-à-dire gouvernante : ce pas énorme qui écrase, je le sélectionnerais entre mille. Elle hale sa graisse fatiguée en tirant sur la rampe de cuivre, accède au palier, met de l'ordre dans sa respiration. Ses chaussures plates font chuit, chuit, chuit sur le parquet de chêne. Elle est derrière la porte, elle frappe, la poignée de laiton doré oscille. Non, elle n'entrera pas, j'ai fermé à clef. En désespoir de cause, elle crachote dans la serrure :

« Aude? Voyons, ma chérie, vous descendez? Augusto est arrivé, savez-vous? Tout le monde se languit de ne pas vous voir! »

Je grogne :

« Oui, je viens. »

Et dès qu'elle a tourné les talons, chuit, chuit, je trépigne, je mords avec rage l'oreiller, zut, zut et puis zut! J'irai pas.

En bas, ça prend du volume, on dirait, le suspense euphorique. Au-dessus du brouhaha, la haute-contre ridicule de Truchaud, le beau-frère, un instant surnage :

« C'est vraiment très cool, je vous assure! »

Cet animal depuis peu s'amuse à jargonner comme au *Nouvel Obs*!

J'éteins le transistor, je m'assois au bord du lit, je passe mélancoliquement les doigts dans mon brushing. Interrogation maussade à la glace du mini-cabinet de toilette. C'est moi ça? Je me lève avec un gros soupir pour me plaindre. Dix-huit ans, la sacro-sainte corvée, on n'y coupera pas, ma belle! La fenêtre grande ouverte découpe, à travers le moutonnement poussiéreux des marronniers, un large morceau de rade, avec tout plein de voiliers piquant l'écharpe bleu tendre. L'été, la fête. Tout ce froid dans mon cœur.

J'ai fait quelques pas dans la chambre, et puis j'ai eu une idée. Sur l'un des fauteuils j'ai attrapé les deux coussins et je les ai glissés sous la robe taille basse, je les ai bloqués en serrant la ceinture. Dans le miroir, je m'inspecte, face et profil, le ventre tout tendu, tout rond, énorme. Je m'entraîne à mon nouvel état, je marche, alourdie et cambrée, en soufflant avec des airs épuisés. Toute gosse, je me rappelle, ça m'arrivait déjà de jouer à être enceinte. Pour une ultime touche d'authenticité, je me plante devant la glace, je pioche parmi les fards – j'en ai des tapées, Augusto aime que je m'en barbouille, des fois, ça dépend de son vice du moment – et je me fabrique un masque de grossesse fabuleux. Je m'admire en rigolant tout bas. Parée. Je m'extrais de mon nid d'aigle, je descends majestueusement l'escalier superbe, carrare et lourdes balustres de fer forgé, en évoquant un travelling avec Gloria Swanson dans *Sunset Boulevard*.

Le grand salon au-dessous de moi offre à l'enfant prodigue une ovation de rêve. Ils ne sont que cinq au garde-à-vous, mais ils y mettent du cœur, les chéris, à se meurtrir les paluches. Gouvernante s'est assise devant le vénérable Erard (quatre générations de Malestroit) et attaque *Happy birthday to you!*, accompagnée par l'assistance unanime.

Moi je passe le coude de la rampe, j'efface les dernières marches et je m'avance vers eux avec un sourire pâle, les mains soutenant mon ventre.

Ce silence soudain, cette désolation palpable, cette tension électrique... Je m'immobilise. Quelqu'un – ça ne peut être que mon idiot de beau-frère – tente un petit rire de diversion et le ravale aussitôt. Le piano s'est tu. Comme dans un songe j'entrevois gouvernante dont les larges fesses virent lentement sur le siège canné et qui dit :

« Aude, qu'est-ce que ça signifie? »

Le charme est brisé. Y a père qui gueule : « Tonnerre de Brest! » et barytonne outrageusement, y a Lucie, ma sœur, qui bondit comme une hyène, me tombe sur le râble, me secoue, m'accouche au forceps de mon fruit postiche, qu'elle balance avec rage à travers la pièce.

« Petite crétine! »

Je regarde les deux coussins étalés sur le kirman et je dis tristement, dans le grand silence :

« Mon bébé, tu as tué mon bébé... »

Père, un instant pris de court, réagit avec autorité.

« Cette momerie est intolérable! Tu vas me faire le plaisir de présenter sur-le-champ tes excuses à...

– Mais laissez donc, intervient doucement Augusto. Ce n'est qu'un jeu. »

Gouvernante s'approche alors et m'entoure de ses bras; en dépit de la gaine Exciting, la cellulite ondule en bourrelets sous la robe.

« Allons, allons, ma chérie... »

Je la repousse brutalement.

« Foutez-moi la paix! »

Et je sens qu'une larme malgré moi roule sur ma joue trop maquillée. Mais je ne veux pas qu'ils se régalent du spectacle. Je pivote, je traverse en courant le séjour et le hall, je sors.

Il y eut dans la pièce quelques secondes d'indécision.

« Palsambleu, dit le général, qu'est-ce qui lui prend? »

Davila s'était avancé jusqu'à une des fenêtres et regardait en bas, dans le jardinet. Il s'exclama :

« Foutre! Mais elle se taille avec ma bagnole! »

On entendit le rugissement d'un moteur maltraité.

« Et sans permis! dit le général. Augusto, vous devriez...

– Oui, dit Davila, passez-moi vos clefs, je vais essayer de la rattraper. Avant qu'elle ne fasse d'autres conneries. »

Il prit le trousseau, jeta son cigare dans le foyer et partit au pas gymnastique.

KARIM

Karim verrouilla la voiture, une 4 L vert amande, qu'il avait louée dans une agence de Bordeaux, et se dirigea vers le groupe d'immeubles, tenant en main la petite valise de carton bouilli rouge, son seul bagage.

Le quartier, en ce dimanche après-midi, était désert, la placette Salvador-Allende paraissait endormie entre les cubes de béton granité jaune anémique. Il s'arrêta. Il retrouvait tous ses souvenirs : les rangées de linge, comme des banderoles, tendues sur cinq hauteurs dans les séchoirs, le toboggan et les bacs de sable sale, le massif avec sa paire de forsythias et sa couronne de pétunias poudreux. Rien n'avait changé : la boutique de la fleuriste bossue sur sa droite, l'auto-école et sa vitrine enluminée de grimoires, l'étal de Césario, l'épicier maltais qui leur faisait crédit.

Là-haut, à l'avant-dernier étage, l'appartement de Marie-Marthe. Les fenêtres étaient closes. Elle s'y trouvait pourtant, il lui avait téléphoné qu'il arriverait en début d'après-midi. Le balcon de ciment était nu. Naguère on y voyait des fleurs, un transat, des chaises de plage, ils y traînaient des heures. Les images du passé affluaient : Djamel débouchant du porche, un bibi américain sur le crâne, Djamel, le soir, appuyé au balcon, disant un poème de Joubrane Khalil Joubrane...

Il regardait le balcon vide. Dans sa tête tintait le message de Marie-Marthe : « Il faut que tu reviennes, Karim. » Ce S.O.S. qu'il n'avait pas eu le droit d'entendre.

Il reprit sa progression vers l'entrée principale.

Il ne l'avait pas remarqué tout de suite. Il était là pourtant, en boubou blanc, assis contre la muraille sur un pliant de toile rayée rouge et blanc, à son exacte place à gauche de la porte, comme s'il n'en avait pas bougé depuis ces deux années, pareil à un bas-relief baroque, Nathanaël, le vieux Noir aveugle.

Karim tendit la main, saisit la spatule dure où saillaient des cordes bleues.

« Tu ne me reconnais pas, Nathanaël? C'est Karim. »

Le Noir dirigeait sur lui ses prunelles liquides.

« Karim! Tu es revenu, mon fils! Que Dieu te garde le cœur en paix! »

Il n'avait pas lâché sa main. Karim sentait la pression chaude, le battement du sang sous la peau flasque.

« Mais tu n'as pas la paix, Karim. Pourquoi? Réagis, mon fils. Il faut mordre dans la vie! »

Karim se libéra, murmura un merci troublé et s'engagea dans l'immeuble.

Marie-Marthe vint aussitôt lui ouvrir, elle l'attendait. Ils s'étreignirent, se tinrent un moment écartés au bout des bras, pour mieux se contempler, s'embrassèrent de plus belle.

Il la garda longtemps contre sa poitrine. Elle

pleurait sans un mot, les mots n'étaient pas nécessaires. Ils se séparèrent.

« Viens t'asseoir, dit Marie-Marthe. Tu dois être fatigué. Tu veux prendre quelque chose?

– Montre-le-moi d'abord. »

Il la suivit dans la chambre, il se pencha audessus du nid. Le petit bonhomme dormait, ventre à l'air, rond et brun, une rosée de sueur au menton – Samy, l'enfant de son frère.

Karim avait toujours la valise à la main. Il l'ouvrit sur un siège, prit un paquet.

« Pour le petit. Je l'ai acheté à Bordeaux en partant. »

Il défit l'emballage, tendit le jouet, un canard de caoutchouc jaune.

« Ça ira? Je n'étais pas très sûr pour l'âge. »

Elle le posa sur l'oreiller.

« Il est adorable. Samy va être heureux. Viens, Karim. »

Ils passèrent dans la salle, Marie-Marthe ouvrit la fenêtre sur le balcon, il s'assit.

« Eh bien, Marie-Marthe, comment ça va? Tu t'en tires? Ton boulot? »

Elle eut un geste désinvolte.

« Je n'ai plus mon demi-service au collège : trop compliqué, à cause de Samy. Il devient accaparant, tu sais! Je touche les Assedic, je déniche de petits jobs à domicile, de temps à autre. Je ne me plains pas. »

Elle lui versa un jus d'orange, s'assit aussi, alluma une gauloise. Et elle parla de Djamel, de Samy, de Djamel encore. Il écoutait, il la regardait, identique dans sa mémoire, quelques hachures d'argent pourtant dans la toison noir mat taillée court, et les traits vieillis aussi, un sillon dur au coin de la lèvre inférieure, un visage trop sérieux derrière les lunettes rondes de secrétaire modèle. Cette blessure qui saignait encore, le mort incrusté dans sa chair, le mort encombrant dont la présence se manifestait par vingt signes : ces photos de plage sur le téléviseur portatif, la pipe autrichienne au fond d'un cendrier, la guitare couchée sur le bahut.

« Et toi, Karim? Parle-moi de toi. Comment ça s'est passé là-bas? »

Il lui obéit, avec ennui. Il n'aimait pas épiloguer sur ses misères. Il lui semblait indécent de s'apitoyer sur son propre sort, alors que Djamel était mort. Il ne dit rien du bagne de Tazmamart, résuma en quelques phrases la captivité à Kenitra, fut plus disert quand il raconta l'élargissement survenu au bout de dix-neuf mois de claustration, sa mise à l'épreuve, les tracasseries policières incessantes et comment il était passé clandestinement en France par Ceuta et l'Espagne, sans papiers, hormis un passeport dépourvu de visas.

Il dit aussi le soutien tant moral que matériel apporté par le camarade de Bordeaux.

« Driss, tu te rappelles? Il m'a accueilli en frère. »

Voilà. Et maintenant il était là, et il n'avait qu'un désir, qu'elle lui reparle de Djamel. Il connaissait les grandes lignes du drame : Driss était encore à Brest huit mois plus tôt, au moment des faits, il lui avait relaté les circonstances de la mort, le suicide du haut du pont du Bouguen, la Coccinelle, qu'on avait découverte sur la voie, ses warnings allumés, le cri entendu par les deux clochards. Karim savait tout, et tout lui échappait.

« Comment est-ce que c'est arrivé? »

Il enregistra l'expression de contrariété. Marie-Marthe secoua la tête.

« Djamel traversait une mauvaise passe. Il avait raté ses partiels en juin, et puis... »

Elle tira sur la cigarette, sèchement.

« Il devenait nerveux, susceptible, irritable. Ce soir-là, justement, on s'était un peu accrochés, pour trois fois rien, oui, des bêtises. Il est parti en colère, vers les 8 heures...

– Et il n'est pas revenu?

– Non. Un court moment de folie. Sinon, comment imaginer... Il aimait la vie! Et son gosse, hein, il ne l'aurait pas quitté comme ça! »

Elle se mit debout.

« Tu n'as pas déjeuné, je pense? Tu veux que je te prépare quelque chose? »

Karim vida son orangeade, se leva lui aussi.

« Non, merci, j'ai grignoté en route. »

Il interrogea sa montre.

« 2 heures 10. Je voudrais y aller tout de suite. C'est à Lambézellec?

– Non, à Kerfautras. Il paraît que le règlement l'exige pour un étranger. »

Elle lui fournit les renseignements dont il avait besoin.

« Autre chose, Marie-Marthe. Est-ce que tu sais où je pourrais toucher les deux Noirs?

– Les deux Noirs? »

Il la regarda, surpris.

« Ceux qui ont été les derniers à voir Djamel vivant. Enfin, tu es au courant? »

C'est Driss, à Bordeaux, qui lui avait donné les noms des deux Africains.

« Oui, dit-elle, les policiers m'en ont parlé.

– Tu ne les as pas rencontrés?

– Non. »

Elle avait une expression fermée. Il n'insista pas.

« A tout de suite. »

Il sortit aussitôt.

La tombe n'était qu'un tertre dépouillé. Sur une plaque de marbre noir, une inscription en lettres dorées :

BOUGATAYA Djamel
13 mars 195.-21 novembre 198.

A la tête du tumulus, était enfoncé un pot de bégonias blancs, et, posée à même la plaque funéraire, une rose pourpre, si fraîche qu'on l'aurait crue cueillie la minute d'avant.

Karim regardait la fleur, ému. Il se rappelait une réflexion de Djamel enfant. « Quand je serai grand, disait le gosse, j'habiterai une belle ville au bord de l'océan. Les jardins descendront en terrasses jusqu'à la mer et il y aura des tonnelles de rosiers partout. »

Reflux vers les souvenirs, fulgurances du passé, images, parfums. Ce jasmin qui courait au-dessus de la fontaine commune, dans leur village de Zelagha... Et à l'orée d'un autre champ nu de glèbe ocre, la pierre blanche barbelée d'épineux qui gardait la trace mortelle de leur père... Et voici que Djamel avait échoué ici, banni sans espoir de retour! Pitié, remords. Djamel, le petit, si fragile, et qu'il avait abandonné. Cette plainte d'agonie durant les secondes immenses où il tombait, le mystère de ce cri, cet appel au secours pour personne, qui continuait à lui traverser le cœur comme une épée.

Il sortit du cimetière, reprit sa voiture. Après le pont du Bouguen, il quitta l'avenue, arrêta la 4 L sur le parking du Restaurant universitaire. Il remonta sur le pont, fit quelques pas sur le trottoir, se pencha au-dessus du vide. Le pont Malchance, la dernière escale de tant de désespérés, des jeunes gens pour la plupart, pour qui la vie avait été trop marâtre. Et Djamel lui aussi avait eu ici rendez-vous avec la mort. Il avait allumé les feux de détresse, et puis il avait sauté. « Un moment de folie », avait dit Marie-Marthe.

Une exclamation derrière l'arracha à sa méditation.

« Karim! »

L'homme qui l'interpellait était un cycliste. Il coupait la chaussée, calait contre le trottoir du pont, au mépris des règlements, son vélo, une antique machine noire de style anglais, guidon surélevé, freins à tambour et porte-bagages grandioses. Il accourait, les bras ouverts. Ce grand escogriffe en ensemble de jean délavé, chevelure hirsute et barbe de fleuve étalée sur la poitrine...

« Le Vigan! »

Ils se serrèrent la main avec chaleur. Karim avait bien connu à l'Université Erwan Le Vigan, anarchiste et bohème au cœur pur, disponible pour toutes les causes perdues. Ensemble, ils avaient mené plusieurs combats fraternels. Un très brave gars.

« Je te croyais loin, au fond d'une geôle!

– Il fallait que j'en sorte », dit Karim.

Il fit un signe imperceptible vers la rambarde du pont.

« Bien sûr, dit Le Vigan. Mon pauvre vieux... »

Il souleva son vélo, le posa sur le trottoir.

« Tu es à pied?

– Non, j'ai garé la bagnole devant le R.U.

– Je t'accompagne. »

Ils marchèrent de conserve.

« J'ai appris ce qui s'était passé pour toi. Ils t'en ont fait baver, hein, les salauds!

– Laisse, dit Karim, c'est du passé. Et toi?

– Moi, j'ai brillamment passé ma maîtrise d'histoire... et pris un abonnement à l'A.N.P.E. Depuis l'été, je fais des piges à *Ouest-France* et assure une chronique « politique » à Radio-Aurore. Le Pérou, quoi! Je pense que je vais pouvoir bientôt changer de voiture! »

Il désigna la vieille bécane avec un rire muet qui fit courir une houle dans sa barbe de patriarche. Ses petits yeux noirs au fond des orbites creuses avaient quelque chose d'un peu fou.

Ils étaient parvenus à la 4 L.

« Tu es où?

– Pour le moment nulle part : j'arrive. J'ai laissé mon bagage chez Marie-Marthe, la femme de mon frère.

– Oui. Tu lui feras la bise. Tu comptes rester à Brest?

– Je ne sais pas encore. Peut-être, oui. Ah! tu ne vois pas où je pourrais dénicher les deux Noirs qui ont parlé à Djamel quelques instants avant sa mort?

– Ah! non, dit le Vigan. Tu sais, depuis un an, j'ai un peu perdu le contact avec la Fac! Mais écoute, puisqu'on est à deux pas de la Cité (il montrait du menton le grand bâtiment crème en face)... Il y a cinquante chances sur cent qu'ils y crèchent. Tu devrais y aller.

– Oui, merci, Erwan. »

Le Vigan tendit la main.

« Alors, vieux, à bientôt peut-être?

– C'est cela, à bientôt. »

La concierge écrivit les deux noms soigneusement, réfléchit, dit qu'elle ne connaissait pas de Diallo Joseph.

« Attebi Ouattara, oui, loge ici. Je vais appeler. »

Elle décrocha le téléphone, se ravisa aussitôt.

« Non, il n'est pas là. Il est allé dans le Roussillon pour la cueillette des abricots.

– Il y sera longtemps?
– Tout le mois sans doute.
– Mais il doit revenir?
– Bien sûr. Toutes ses affaires sont dans sa chambre. Mais quand?... Venez voir de temps à autre.
– Merci, madame. »
Il rentra à Bellevue. Samy s'était réveillé et sourit sans réserve au nouveau venu qui se courbait sur lui. Karim raconta sa visite à Kerfautras, signala la rose pourpre sur la plaque.
« Ce n'est pas la première fois, dit Marie-Marthe. Toujours rouge. Non, je n'y suis pour rien. Un camarade discret, je pense, quelqu'un en tout cas qui le connaissait bien : Djamel aimait beaucoup les roses. »
Ils suivirent un moment leurs pensées.
« Tiens, dit Karim, j'ai rencontré Le Vigan. Tu te rappelles Erwan Le Vigan?
– Oui, très bien.
– Il t'envoie ses amitiés. Il travaille à *Ouest-France*. Un chic type.
– Oui. Il était là quand on a enterré Djamel. »
Elle alluma une gauloise – il nota qu'elle ne fumait pas autrefois – et elle revint d'elle-même sur les événements de cette nuit dramatique, tandis qu'à quelques mètres Samy bavardait avec son canard au fond de la nacelle rose. Elle raconta la longue attente, jusqu'à l'arrivée des inspecteurs qui l'avaient officiellement informée du malheur, les questions des deux policiers, leur curiosité blessante. Pis encore, son désarroi à leur départ, quand elle s'était retrouvée seule avec le bébé. Les autres? Marie-Marthe n'accusait pas, mais il était clair que ses relations ne lui avaient pas été d'un grand secours.
« Vois-tu, Karim, le suicide, j'ai compris ça, c'est une malédiction, un peu comme une maladie

contagieuse, qui fait peur. Quelques mots de compassion, et on se met à l'abri. Je te parlais de Le Vigan tout à l'heure. Il y avait peu de monde aux obsèques, tu sais, très peu de monde...

– Et ta famille?

– Ma famille n'était pas à l'enterrement. Personne. Mes parents n'ont jamais accepté ma liaison avec Djamel. Tu penses, pour la fille aînée d'un ostréiculteur léonard vivre à la colle avec un Marocain! Mon père est pourtant venu, peu après. Il n'avait jamais vu Samy. Il l'a jaugé et soupesé des yeux, il ne l'a pas embrassé. Et des discours, ça oui, des flots de moralité! Je crois qu'il me plaignait, du fond du cœur. Il m'a invitée à rentrer dans le rang. Il avait une place pour moi dans ses bureaux, et pour le gosse... Il connaissait l'établissement adéquat, il voulait bien banquer. »

Elle s'exprimait en remuant à peine les lèvres, sans lâcher la cigarette, les yeux vides. Karim la regardait avec intensité. Marie-Marthe, la dynamique, l'opiniâtre, la généreuse... Marie-Marthe inhalant mécaniquement sa fumée, et pas une fois son visage ne s'était décrispé. Il songea qu'elle aussi peut-être était déjà morte.

Il reposa la question essentielle, car rien encore n'avait été dit qui lui parût être une réponse :

« Pourquoi a-t-il fait cela? »

Elle dit qu'elle ne comprenait pas, répéta que Djamel n'était plus tout à fait le même, beaucoup plus renfermé, la tête ailleurs.

« Depuis quand, Marie-Marthe? Depuis mon départ?

– Oui, je crois que ça a correspondu à peu près.

– Il te parlait de moi?

– Très souvent. L'idée que tu moisissais en prison l'obsédait, il aurait voulu t'être utile. »

Karim réfléchissait.

« Marie-Marthe, est-ce que tu crois qu'il aurait pu se jeter dans quelque chose de... de dangereux, je veux dire de politiquement dangereux? »

Elle soutint son regard.

« Dangereux?

– Il aurait pu avoir affaire à des provocateurs, se trouver manipulé à son insu? »

Il se passionna un peu :

« Ils sont partout. Ils ont leurs réseaux, des indics bien infiltrés, dans le milieu étudiant tout particulièrement, des relais efficaces auprès de certains bureaux de l'administration française. Et l'Amicale, hein, la fameuse Amicale, tu devines à quoi elle peut aussi servir! »

Il s'arrêta, conscient qu'il était en train de décoller du réel. Comment imaginer Djamel devenu gênant au point d'intéresser des agents de services spéciaux?

« Marie-Marthe, tu n'as pas pensé qu'on aurait pu... que quelqu'un aurait pu... »

Le mot l'effrayait.

« L'assassiner? dit Marie-Marthe. Oui, ça m'a effleurée, dans le premier choc. C'était tellement incroyable, ce qui arrivait. Je suis passée par beaucoup de paliers, le refus, la révolte...

– Et maintenant? »

Elle hocha la tête.

« Ce n'était pas raisonnable. J'ai compris que j'avais tort de m'accrocher à un songe. »

Elle posa sa gauloise, se leva, alla prendre le bébé, et elle le berça en caressant l'avant-bras brun potelé. La cigarette, dans l'encoche du cendrier, étirait une écharpe grise. Pour la seconde fois, Karim remarqua les fils blancs épars dans la chevelure sombre, et il eut une brusque envie de la prendre dans ses bras, de l'étouffer de baisers, de lui dire... Il sentit la chaleur à ses joues, se cala contre le dossier du siège dans un geste de recul, alarmé à l'idée qu'elle aurait pu remarquer quelque chose. Ces tisons enterrés en lui qui s'embrasaient si vite! Cet amour dont elle ne saurait jamais rien...

... Un après-midi de mai gorgé de soleil, deux ans plus tôt. Ils sont ensemble, Marie-Marthe, Djamel et lui, ils pique-niquent sur la côte nord, dans les dunes de Sainte-Marguerite. Karim est radieux : il a auprès de lui les deux êtres qui lui sont le plus chers, son frère et Marie-Marthe. Entre Marie-Marthe et lui-même il ne s'est encore rien passé, mais Karim sait qu'elle lui porte intérêt : tel geste affectueux, telle réflexion... Est-ce qu'elle a vraiment été coquette à son égard? Mystère de l'amour qui sélectionne et décrypte à travers sa propre grille. Karim n'est pas fébrile ni impatient, il attend ce qui doit arriver, la journée est merveilleusement belle, ils sont bien ensemble tous les trois...

Il a pataugé seul dans les rochers. Il rentre tranquillement en longeant le bord de mer. Et il les aperçoit, Djamel et Marie-Marthe, enlacés dans un creux de la dune. Ils n'ont même pas remarqué sa présence, ils ne voient personne.

Karim n'a rien dit, il a pris un livre, il est allé s'étendre sur le sable, à l'écart. Après...

Ils venaient dans le soleil, main dans la main, deux enfants heureux, et ils voulaient qu'il fût heureux lui aussi de ce bonheur neuf qu'ils lui annonçaient...

C'est quelques mois plus tard que Karim était reparti pour le Maroc. Et cela, il ne se le pardonnerait jamais.

L'après-midi basculait sur sa pente. Ils ne se parlaient plus, ils goûtaient la douceur fragile d'être à nouveau côte à côte, à communier dans le culte de l'absent, dont l'enfant assis entre eux était le signe vivant.

Il y eut les cris rauques d'un oiseau, des battements d'ailes.

« Voici Gertrude, dit Marie-Marthe. Viens voir. »

De la porte de la cuisine, ils assistèrent à la scène. Une mouette s'était posée sur le rebord de la fenêtre et ingurgitait des croûtons de pain. Parfois, elle tendait le col et ils admiraient les yeux altiers et le vaste bec incurvé comme une pointe de harpon.

« Gertrude est une habituée, dit Marie-Marthe. Deux fois par jour, elle accourt de la mer. »

L'oiseau acheva son repas et s'envola vers l'ouest, ses ailes rosies par le soleil déclinant.

Alors qu'ils réintégraient le séjour, Karim doucement dit :

« Cette lettre que tu m'avais écrite... »

Il ferma à demi les yeux, se récita les mots gravés dans sa mémoire : « Karim, il faut que tu reviennes. Nous avons besoin de toi... »

« C'était pour lui?

– Il y a si longtemps! dit Marie-Marthe. Oui, il s'agissait de Djamel. C'est vrai, il avait besoin de toi. »

Paroles qui le crucifiaient. Il croupissait alors dans sa cellule de Kenitra, il n'avait eu connaissance de la missive que bien plus tard. Et Djamel entre-temps était mort.

Il se leva, dit qu'il lui fallait songer à dénicher une chambre à l'hôtel.

« J'aurai sans doute quelque chose pour toi, dit Marie-Marthe. Et maintenant, Karim?

– Maintenant?

– Qu'est-ce que tu comptes faire? »

Il lut de l'appréhension dans son regard : certaines de ses réflexions tout à l'heure l'avaient évidemment troublée.

« Je ne sais pas très bien encore.

– Tu devrais régulariser sans plus tarder. Imagine un contrôle policier de routine. Tu risques gros.

– Oui, je vais y penser.

– Pourquoi ne reprendrais-tu pas tes études de droit à la rentrée? »

Il dit oui, peut-être, pourquoi pas.

« Cet hôtel dont tu me parlais?

– Ça se trouve au centre, rue d'Aiguillon. C'est très propre, d'un prix raisonnable, et les propriétaires sont accueillants. Ça s'appelle Le Tonkinois. Tu trouveras facilement.

– Merci.

– Tu n'as besoin de rien? Si je peux te dépanner...

– Je te remercie, mais ça va pour le moment. Driss m'a bien aidé. »

Il reprit la valise de carton rouge.

« Alors au revoir, Marie-Marthe.

– Tu aurais pu rester. On aurait dîné ensemble.

– Pas ce soir. Je vais me coucher tôt. Six cent cinquante bornes d'affilée, je suis plutôt flapi. Une autre fois. »

Il l'embrassa, ressortit.

En arrivant à la 4 L, il découvrit le papier glissé sous l'essuie-glace gauche. Il pensa, une contredanse, je me serai mal garé. La poisse. Lui qui ne souhaitait pas se frotter aux flics dans l'immédiat!

Mais il ne s'agissait pas de la police. Sur le feuillet d'agenda qu'il déplia il lut quelques mots griffonnés à la pointe bille : « J'aimerais vous parler de votre frère. Je vous attendrai ce soir, 23 heures, dans le jardin au-dessous du Monument américain, avenue

Franklin-Roosevelt. Rendez-vous à droite de l'escalier. Venez seul. »

Pas de signature. Il éplucha les alentours, ne releva aucune présence insolite. Deux gosses glissaient sur le toboggan, une jeune femme, de dos, poussait lentement un landau coiffé d'un parasol à franges. Nathanaël? Le vieux prophète noir était reparti. Comme chaque soir le « frère » qui l'hébergeait était venu, lui avait pris le bras, avait ramassé le pliant rayé, ils étaient remontés à leur garni sous les toits. Et puis un aveugle! Ça n'avait pas de sens.

Karim s'assit dans la voiture. La rose rouge sur la tombe, et à présent cet étonnant message... Il envisagea de retourner chez Marie-Marthe, ne put s'y résoudre. Non, affaire strictement personnelle, ne pas la mêler à ça pour le moment. Il mit en route.

Le Tonkinois ne payait pas de mine. Trois étages étriqués et grisâtres, une entrée banale, écrasée entre la devanture d'un marchand de biens et la vitrine d'un vidéoclub.

La réceptionniste, qui était aussi la gérante, était une petite personne sans âge au cheveu étique et au buste luxuriant, affable et volubile. Au premier coup d'œil, elle avait photographié la mise modeste du client, son bagage minable et, bien que Karim fût très peu typé (seul le nez, sans doute, légèrement busqué, pouvait rappeler l'ascendance nord-africaine), sa qualité d'étranger. Chose inouïe, elle sembla tirer de ce constat un surcroît de prévenance : elle lui trouva une chambre fort honnête au second, un peu bruyante dans la journée, prévint-elle, mais la nuit ça allait, cette artère transversale n'était pas passante.

Il s'y installa, se rafraîchit le visage, but au robinet. De la valise il retira un reste de pain au jambon et il mangea devant la fenêtre entrebâillée. Rumeur de la rue de Siam voisine, que le soir enfiévrait. Respiration vigoureuse de l'hôtel : une radio mal réglée quelque part, des conversations résonnant dans le couloir, un rire perlé de femme, le tam-tam des canalisations.

Karim songeait en mastiquant son sandwich. Cette rose rouge, et puis ce billet. Il continuait d'associer les deux faits, sans motif rationnel, d'instinct. Mais qui? Il détailla son emploi du temps à partir de la seconde où il avait passé le panneau d'entrée de la ville en début d'après-midi : le bref échange avec Nathanaël, Marie-Marthe, la visite solitaire au cimetière de Kerfautras, la rencontre de Le Vigan sur le pont, à nouveau Marie-Marthe. « J'aimerais vous parler de votre frère. » Qui donc pouvait avoir deviné qu'il était revenu aussi pour comprendre? Ce long cri de Djamel dans la nuit pluvieuse de novembre...

Il s'entêta à discerner le joint, en pure perte. Il termina le sandwich, picora les miettes tombées sur son pantalon, s'essuya les lèvres, se leva, rebut au robinet.

Il revint vers la fenêtre, observa le mouvement de la rue d'Aiguillon. Des couples déambulaient sur le trottoir, s'attardaient devant les vitrines. Les tenues étaient claires, les femmes avaient le dos et les épaules nus et bronzés. L'été. Le jour battait en retraite, la rue prenait un coup de vieux, mais la verrière d'un entrepôt en face flamboyait sous un rayon perdu. Tristesse pesante de l'instant.

Il referma la fenêtre, s'allongea sur le lit. Il abaissa les paupières. Et d'un battement d'ailes il s'envola, très loin dans le temps et l'espace. Leur village de Zelagha. Djamel et lui, toujours ensemble, la fine équipe, le nœud indéfaisable. Leurs jeux de gosses, et quand on cherchait noise au « petit », lui aussitôt s'interposant, agressif et teigneux, le grand frère justicier... Ce jasmin qui courait le long du muret de la fontaine. « Quand je serai grand, disait l'enfant, j'habiterai une belle villa au bord de l'eau. » Et maintenant la rose de sang qui se fanait sur une plaque de marbre noir.

20 heures 20. La rue chuchotait les mots du crépuscule. Dans la chambre un papillon égaré se meurtrissait les ailes contre la fenêtre claire. Il alla le libérer, le regarda qui s'enfuyait d'un vol cassé. Il referma, s'enroula derechef dans sa rêverie.

D'autres images, récentes. Le sinistre cachot de Tazmamart, sa première résidence, les pas sonores des geôliers apportant la ration des prisonniers, la boule de pain gris qu'on leur jetait comme à des chiens affamés, ses deux codétenus qui se précipitaient et dévoraient, lui immobile dans l'angle gluant de la cellule, étouffant la révolte de son estomac, se forçant à choisir son temps, à demeurer digne, puisant la force de résister dans la foi qui le brûlait : « Un jour il faudra bien qu'ils me relâchent, et la terre entière saura... »

La terre entière... Il avait recouvré la liberté et il constatait que pas plus son élargissement que sa captivité n'avaient affecté le train-train du monde. Les princes qui gouvernaient continuaient de se faire risette, la roue de la vie tournait, à son rythme immuable, écrasant les sanglots des suppliciés. Qui entendait le cri des morts-vivants, ses camarades, oubliés dans les pourrissoirs du désert ?

La vie... Cette femme dans une chambre voisine qui jouissait, sa plainte heureuse, comme un vagissement. Des rires jeunes dehors. Il revit les dos nus et hâlés, les robes de soleil. Eté, plaisir, vacances. Djamel tout seul là-bas, dans la terre froide. Et Marie-Marthe, son deuxième amour, qui ne saurait jamais... 21 heures. Attendre. « J'aimerais vous parler de votre frère. » La rose rouge. Attendre.

Vers 22 heures

Kef admirait le beau mec dans la glace du cabinet de toilette. Oui, un beau gosse, sans conteste. Il suivit d'un index ravi la fine moustache de séducteur, donna d'une caresse un rien de flou aux volutes de son épaisse chevelure noire, impeccablement dessinées la veille par Jean-Paul, le coiffeur du centre ville. Une giclée de Jacomo, « l'eau de toilette des vedettes ». Il gonfla le torse, fit jouer ses biceps puissants sous la chemisette de lin aux manches retroussées. Sacrédieu, elle en aurait pour son argent, la petite Sylvaine! Sûr qu'elle s'en souviendrait de sa soirée!

Il marcha dans le studio, roula des épaules, guigna de loin dans la glace les évolutions de la superbe bête d'amour. Il ne se lassait jamais de se regarder. Il hocha la tête avec reconnaissance. Folles, elles étaient toutes folles de lui, les nanas. Etait-ce sa faute? Il se pointait, et hop! les voilà qui se pâmaient et fondaient. Un don mystérieux qu'il détenait, une sorte de fluide, quoi.

Il alla à la fenêtre, observa la bagnole dans la rue maigrement éclairée, capot vaste, pare-chocs massifs, calandre cossue. Quand Sylvaine le verrait débarquer...

10 heures. Il était temps qu'il y aille. Il se détacha de la fenêtre. Le téléphone sonna. Il décrocha, le regard attaché à l'Apollon qui lui souriait dans le miroir, et dit : « Allô? » en faisant rouler les muscles de ses maxillaires.

« C'est toi, Kef? »

Il reconnut la voix.

« Tiens, bonsoir, patron. Ça va? Qu'est-ce qui me vaut...

– Un petit boulot, dit le type. T'es libre?
– C'est-à-dire que... Tout de suite?
– Oui, une formalité, bien arrosée : cinquante sacs!
– J'avais un rendez-vous ce soir et...
– Sacré Kef! Tu l'auras, mon gars, ton rancard, ça sera pas long, je te jure! On se retrouve derrière le « P.A.C. », disons dans un quart d'heure, ça boume? Je t'expliquerai sur place. Viens avec ta bagnole, O.K.? »

Il dit O.K., on raccrocha.

Kef traversa le studio, songeur. 10 heures 5, fallait qu'il avise Sylvaine du contretemps. Il liquidait l'affaire, il filait au rendez-vous, il s'envoyait la môme. Tout dans la foulée, le turbin et le plaisir! Et pour la bagnole... Ben quoi, la bagnole? Au placard les scrupules! Personne d'ailleurs ne saurait rien. Standing avant tout. Bon Dieu, cinquante mille balles par les temps qui couraient y avait pas à cracher dessus! Toutes ces petites, mine de rien, lui coûtaient la peau des fesses!

Donc prévenir Sylvaine du léger accroc au programme. Il revint vers le téléphone.

KARIM

22 heures 55

Karim, qui descendait en voiture de la place du Château, longea lentement le jardinet. Celui-ci était éclairé indirectement par les lampadaires plantés de l'autre côté de l'avenue Franklin-Roosevelt. Quelques grands arbres aux feuillages touffus y ménageaient des zones d'ombre. Il ne vit personne.

Le stationnement étant strictement interdit dans ce secteur, il se laissa glisser jusqu'au port de commerce tout proche et gara la 4 L au petit parking de la SOCETAM. Il remonta à pied la rampe, traversa l'avenue déserte et pénétra dans le jardin.

Il remonta l'allée. Le silence ambiant amplifiait le chuintement de ses sandales sur le gravillon. Il dépassa le monumental escalier de pierre à double pente qui permet d'accéder au cours Dajot. « A gauche », disait le billet. Il s'arrêta. Apparemment il était le premier au rendez-vous. Une horloge lointaine annonçait l'heure. Il écouta tomber les onze coups, attendit, l'oreille branchée sur les rumeurs de la nuit. Basse continue d'un cargo à quai, dont il apercevait dans une trouée, derrière les toitures des entrepôts, un morceau de coursive éclairée et la haute cheminée en damier blanc et noir. Trépidation d'une machine plus lointaine, une des usines de la zone industrielle sans doute, dont certaines fonctionnaient vingt-quatre heures sur vingt-quatre. Le port dormait. A cinquante mètres au-dessous, les feux clignotants du carrefour s'affrontaient dans une joute effrénée.

Une auto montait la rampe et Karim recula un peu. La voiture, une camionnette catarrheuse et borgne, passa lentement, dans une cacophonie de tôles bringuebalantes. De son œil de cyclope elle ratissa les rosiers nains du parterre, alluma les panneaux de verre d'un Abribus. Les feux arrière s'évanouirent à la corne de la muraille de soutènement.

Juste après, Karim perçut un trottis léger audessus de lui. Un réflexe de prudence le fit se dissimuler derrière un cyprès, dont les branches basses léchaient la main courante de l'escalier.

L'inconnu dévalait vivement les degrés de pierre. Karim tendit le cou, essaya de percer la trame serrée des épines et le fouillis des branches, mais de son poste il ne découvrait que l'angle d'une des dernières marches, un bout de balustrade.

Une forme traversa la meurtrière, s'effaça de nouveau, masquée par le rideau feuillu. Une femme en robe claire, dont la chevelure dansait : Karim n'avait noté que ces détails. Elle s'était immobilisée, paraissait hésiter. Des graviers grinçaient sous ses chaussures. Elle se remit à marcher dans l'allée; il entendait nettement le souffle de sa respiration. Avec précaution, elle contourna le cyprès, fit halte une seconde fois.

Karim s'extirpa de son gîte, une branche craqua. Elle poussa un petit cri.

« C'est moi, dit Karim, qui finit de sortir du couvert. Le frère de Djamel.

– Vous m'avez fichu la trouille », dit la femme.

Elle était devant lui, en contre-jour. Petite, menue, une longue chevelure souple, de larges lunettes noires accentuant la pâleur du visage.

Elle épia la rue.

« Mettons-nous à l'abri. »

La voix était grave, tendue. Elle se faufila entre les branches du cyprès. Il la suivit, reçut la caresse d'un parfum violent.

Presque aussitôt, elle virevolta.

« Ecoutez... »

Lui aussi avait entendu – la plainte d'un moteur poussé au maximum. Cela semblait venir de la direction de la gare.

« C'est curieux, murmura la femme. On dirait qu'il y en a deux. »

Le grondement grossit très vite. Et soudain des pneus miaulèrent sur l'asphalte. Une portière claqua, puis une autre en écho, tout près, et des pas précipités foulèrent le gravier.

« Partez! ordonna la femme. C'est pour vous! »

Sans bien comprendre, Karim obéit. Une seconde

de flottement quant à la direction à prendre et il se dégagea du refuge.

Une silhouette lui coupa la voie, une jambe sournoisement tendue le projeta en avant. Il trébucha. Un poing lui écrasa l'estomac, trancha sa respiration. Il se cassa en deux avec un hoquet, écopa d'un second direct à la face. On lui tordit le bras droit dans le dos, on le catapulta vers la muraille, dans la zone la plus obscure. Et la correction reprit, méthodique et sauvage. Etourdi, les yeux pleins d'eau, les narines et les lèvres pissant le sang, Karim ne discernait de son assaillant qu'une masse confuse – de son assaillant ou de ses assaillants, car il avait l'impression qu'ils s'y étaient mis à plusieurs, tant les coups pleuvaient de tous les azimuts, à une cadence de mitrailleuse. La figure, le foie, le bas-ventre, pas une portion de son corps qui fût épargnée.

Comme un boxeur au bord du K.O., Karim s'accrocha au robot qui cognait, voulut se suspendre à quelque chose, un revers, le pli d'une manche. On lui enfonça un genou en coin dans l'entrecuisse. Il lâcha prise avec un cri de souffrance, sentit que ses jarrets flanchaient. Un geyser d'étincelles crépitait dans sa tête. Il pensa, on va me tuer, comme Djamel. La femme était dans le coup, un guet-apens. Comme Djamel...

Il tomba dans l'herbe, roula sur le dos. Entre ses paupières tuméfiées, il apercevait la voûte nocturne embrasée, des soleils fous, un ballet de comètes. Des bourdons monstrueux carillonnaient à ses oreilles. Il y eut d'autres bruits, immenses, un concert de voix et d'appels, qui se fondirent dans une bouillie indéchiffrable. Il perdit le contact.

La flamme chaude d'une lampe promenée sur son visage le réveilla. Quelqu'un était penché sur lui, tout près, des sons étranges griffaient ses tympans. Il voulut se redresser, retomba avec une plainte.

Il renouvela sa tentative, réussit à prendre appui sur un coude, à se caler sur les genoux. Une main glissa sous son aisselle, l'aida à se mettre debout. Il tituba, faillit basculer, mais d'autres bras l'entourèrent, le retinrent.

Ils étaient trois, trois hommes, dont l'un portait une torche, petits, faces plates, yeux bridés, grimaçant des sourires et jacassant à l'envi dans un idiome qu'il ne comprenait pas. Des Japonais?

L'un d'eux lui demanda dans un anglais appliqué :

« *Do you feel better? Do you want us to call the police?* »

Il fit non avec énergie.

« Non, ça ira très bien. »

Quelqu'un derrière lui poussa une exclamation aiguë. Un court conciliabule, très animé. On murmura à son oreille :

« *Your watch!* »

Il sentit une main qui le palpait, courait sur ses vêtements. Il crut à une nouvelle poussée de zèle charitable, se dégagea :

« *Thank you. I'm O.K.!* »

Il se mit à marcher. La palpitation des loupiotes orange au carrefour scandait les coups de boutoir du sang dans sa tête. Derrière, les voix nasillardes continuaient à commenter l'événement. Oui, des marins asiatiques, sans aucun doute, qui partaient se balader en ville.

Il traversa l'avenue, descendit la rampe en s'appuyant au muret de bordure. Il zigzagua sur le ciment du quai comme un matelot en ribote, finit par atteindre la 4 L. Il ouvrit, tomba sur le siège, s'abandonna, les yeux clos, vidé.

Il dut avoir une nouvelle faiblesse, perdit en tout

cas la notion du temps. Une douleur au côté droit lui arracha un gémissement. Il rouvrit les yeux. Il avait mal partout, sa poitrine sifflait, sa langue gonflée était comme un corps étranger dans sa bouche et remuait du sang.

Il alluma le plafonnier, se haussa péniblement pour observer dans la glace du rétroviseur le masque bouffi, barbouillé de rouge. Il se tamponna le visage avec son mouchoir, il éteignit.

Machinalement, ses yeux remontèrent jusqu'au rétroviseur, s'y fixèrent. De la place qu'il occupait il embrassait, comme à travers un tunnel, une portion du paysage situé plus haut, la rampe du port, la danse des feux de signalisation au carrefour et, au-delà, l'extrémité du jardinet, depuis l'étrave du mur de soutènement jusqu'aux premières frondaisons du cyprès.

C'est dans cette aire très précise qu'il remarquait une lumière courant au niveau du sol. Il posa le pied dehors pour mieux voir. Il ne s'était pas trompé. Malgré la distance, cent cinquante mètres peut-être, il distinguait une forme courbée qui s'agitait : une personne se trouvait dans le jardin, à la hauteur de l'Abribus, et avait l'air de chercher quelque chose en s'aidant d'une pile électrique. Le filet lumineux dessinait des entrelacs, il se volatilisait parfois durant une seconde ou deux, réapparaissait. Les Japonais ne seraient pas encore partis? Les Japonais, ou quelqu'un d'autre...

Karim rentra dans la 4 L. Il balança un moment sur la conduite à tenir. Il était épuisé, sa tête éclatait. Comme dans un état d'hypnose, il mit en route, vira sur place et s'engagea dans la rampe, au pas, phares éteints.

La lumière là-bas avait disparu. Karim n'était plus loin du carrefour. Une flèche noire jaillit du jardinet, à l'angle du mur, coupa l'avenue Franklin-

Roosevelt et s'engouffra dans une voiture qui stationnait en face, sur le trottoir. Elle s'ébranla dans un rugissement, coupa effrontément au carrefour la bande blanche matérialisant le sens obligatoire vers le port et fonça dans l'avenue de la Gare.

Karim, qui avait stoppé et s'était instinctivement protégé en se pliant en deux, alluma les veilleuses et relança le moteur. A l'intersection, il prit sur l'aile le virage en épingle à cheveux et se jeta pied au plancher sur les traces de la bagnole, qui avait disparu à la première courbe de l'avenue Salaun-Penquer.

Il rétablit le contact, alors que l'autre voiture piétinait au rond-point de la gare et la suivit à distance raisonnable sur le boulevard Clemenceau. Une grosse berline aux pare-chocs imposants, dont il n'identifiait pas la marque. Malaisément il parvint à épeler le numéro d'immatriculation. Il se le répéta à plusieurs reprises tout en poursuivant sa filature.

Au carrefour des Voyageurs, la bagnole vira à droite et accéléra. Karim dut solliciter à fond la pédale pour ne pas être lâché. Ils remontèrent à toute allure la rue Yves-Collet. A Saint-Michel, on tourna à gauche et aussitôt après derechef à gauche. On ralentit et Karim qui s'était rapproché put lire le nom Datsun, juste comme la voiture braquait à droite et s'insérait sous une voûte d'immeuble. Elle disparut.

Karim hésita et stoppa contre le trottoir. La sueur ruisselait sur ses joues et avivait ses blessures comme de l'acide. Le bâtiment devant lequel il stationnait, moteur au ralenti, était une construction ultra-moderne de belle apparence. En se tordant le col, il distinguait les grandes baies vitrées, une cascade de balcons, des jardins suspendus au sommet desquels on devinait une frange de feuillages.

S'il pouvait aller se rendre compte... Il ouvrit la portière, tendit la jambe pour sortir, eut un éblouissement. Il retomba sur la banquette et demeura inerte quelques secondes. Non, il n'était pas en état de tenter quoi que ce fût. Rentrer au plus vite. Il se força pourtant à consigner sur un bout de papier le numéro de la Datsun. Il repartit. Il était de plus en plus mal en point, sa tête tournait, il y voyait à peine, et la 4 L, trop mollement tenue, faisait embardée sur embardée. Il craignit d'affronter dans ces conditions la curiosité de la gérante du Tonkinois, et poussa jusqu'à Bellevue. Il gara la voiture comme il put sur la placette, pénétra en louvoyant dans l'immeuble, se hissa, péniblement.

Il sonna, attendit, le front contre le chambranle. Un trot de souris, la voix amie, un peu crispée :

« Qui est-ce?

– Moi, Karim. »

La clef tintinnabula dans la serrure, un verrou glissa en ébranlant le panneau. Marie-Marthe apparut, en peignoir rose indien. Elle ouvrit une bouche horrifiée.

« Mon Dieu, Karim, qu'est-ce qui t'est arrivé? »

Il se décolla du cadre, ses lèvres palpitèrent. Il esquissa un pas, tomba contre sa poitrine, se lova dans le creux tendre.

« Mon pauvre petit, mon pauvre petit! Mais qui, Karim, qui t'a fait ça? »

Et il secouait la tête pour dire qu'il ne savait pas, il n'avait pas la force de parler, mais il était bien entre ces bras chauds, oui, il était bien...

AUDE

Je suis comme ça. Ecorchée vive et pelote de nerfs, la fille aux coups de tête et aux coups de cœur.

En séchant la « party » familiale, je n'avais rien prévu, je ne pouvais plus les endurer, c'est tout, irrespirable l'ambiance du « sweet home », de l'air...

J'ai donc piqué la bagnole d'Augusto et j'ai filoché. Je n'ai pas de permis (dix-huit carats, je rappelle, ce dimanche), mais Augusto ça l'excite, mes fantaisies et il me laisse chevaucher son destrier des fois, la BMW donc je connais.

J'ai traversé la ville, barre à l'ouest, rue de Siam, le pont, Recouvrance, Saint-Pierre, et sur la route des plages j'ai désenchaîné le fauve. Aucun but. Plaisir épidermique de rouler vite, de faire rugir les six cylindres, d'entendre la stridence de l'air déchiré. Virages négociés sur l'aile, dérapages pas toujours prémédités et corrigés en catastrophe. L'esprit déconnecté, purgé de tout, pas l'ombre d'une pensée, le vide majeur, rien que la route, moi et la machine, un seul corps solidaire et vibrant.

Mais les ivresses chez moi sont courtes et comme toujours le souffle est retombé. Juste avant l'embranchement du Trez-Hir, j'ai ralenti, je suis allée virer sur l'aire d'une station-service et je suis revenue sur Brest au petit trot.

Tout en conduisant « soft », comme dit Truchaud, avec des Sopalin dénichés dans la boîte à gants j'ai frotté mon visage enlaidi par mon rôle de composition et deux ou trois larmes en prime.

Sur la place au-dessus de la poste centrale une fête foraine était installée, et ça m'a donné envie, j'ai stoppé. J'étais partie sans papiers ni argent, mais dans le casier adéquat au tableau de bord Augusto a toujours de la mitraille en réserve pour les parcmètres et j'ai puisé dans la cagnotte.

Je suis sortie, je me suis mêlée à la foule au reste peu dense à cette heure. J'ai acheté trois tickets pour le Monstre et je me suis offert d'affilée quinze minutes d'émotions fortes. La vitesse à nouveau, les hurlements de la Bête, mes cheveux qui volaient dans le vent, l'air griffant mon visage, chutes aux abîmes, tourbillons, vertiges, oubli... Oui, je les avais rayés, eux tous là-bas, leurs chichis empesés et leurs *happy birthday* bouffons, Augusto, le fiancé de service, gouvernante la sucrée, Père et ses « Tonnerre de Brest! » venteux, Lucie-la-mal-baisée, ce taré de Truchaud. Libre, libre, décrassée d'eux, nue et pure, libre... Ne plus jamais rentrer, m'en aller très loin ou très haut, le ciel, la mer, un voilier dans le soleil, partir...

Las, l'intendance n'a pas suivi, mon estomac malmené par les circonvolutions du Monstre a crié grâce et le rêve s'est cassé la pipe, lamentablement. Je suis descendue de la Chimère, les jambes flageolantes et la panse nouée, et dans la foule plébéienne, parmi les moutards à ballons rouges, les minettes échauffées et les jeunes coqs du dimanche, j'ai baladé une gueule de bois nostalgique. C'est chaque fois le même processus : après l'extase le reflux, poussée de noir et vague à l'âme farouche.

Un pompon-rouge qui draguait m'a fait un doigt de causette sur la hanche, je lui ai refilé une beigne, au pauvre, et je me suis mise à courir.

Dans la bagnole, crise de larmes somptueuse, oui, de vraies larmes, comme autrefois. T'as pourtant pas tes affaires, ma fille, qu'est-ce qui te prend? J'ai remis en route et je suis remontée sur Kerfautras. J'ai arrêté la BMW rue Maria-Chapdelaine, je suis sortie. Je n'avais pas de fleurs et ça me chiffonnait, à telle enseigne que je suis revenue sur mes pas. A travers la grille d'un jardin, j'ai détaché une rose rouge en m'égratignant un peu les doigts. Je suis entrée dans le cimetière à peu près désert à cette heure, j'ai posé la rose sur la plaque noire. Je suis restée là un moment à me dorloter le cœur, dans la torpeur douce.

Quand j'ai quitté la tombe, ça allait déjà beaucoup mieux, le moral. Mais je n'avais pas d'idée arrêtée sur la suite du programme. Je regagnais la BMW sans me presser, lorsque je l'ai aperçu qui passait le portail, et ça m'a fait un coup à l'estomac. Je ne l'avais jamais rencontré et pourtant j'ai su que c'était lui.

Je l'ai suivi de loin, je l'ai vu se poster devant la tombe. Je ne l'ai pas quitté des yeux durant sa méditation, et déjà des pensées, des projets se croisaient dans ma tête, m'enfiévraient.

Je me suis planquée dans la BMW quand il est ressorti, j'ai suivi sa 4 L verte, pas du tout surprise de la direction qu'il prenait. J'ai arrêté la bagnole sur la placette, j'ai attendu qu'il disparaisse dans l'immeuble. Un calepin réclame et une pointe Bic traînaient au fond de la boîte à gants. J'ai griffonné quelques mots où je lui demandais de me retrouver à onze heures dans le jardinet au-dessous de chez nous.

J'ai détaché et plié le feuillet, je me suis extraite de la BMW. La place Salvador-Allende était quasiment vide, juste quelques mémés, vers le massif, promenant leurs mômes. J'ai pu facilement m'approcher de la 4 L et glisser le papelard sous l'essuie-glace.

Je suis repartie. J'étais vraiment bien maintenant, une autre femme, les nerfs et la conscience en paix, de la joie au cœur, un besoin fou d'être heureuse. J'ai allumé la Pioneer, j'ai rencontré les Quilapayun qui chantaient : *Quand les hommes vivront d'amour,* et je me suis mise à les accompagner, sans complexes :

Quand les hommes vivront d'amour
Il n'y aura plus de misère
Les soldats seront troubadours
Mais nous, nous serons morts, mon frère.

J'ai retrouvé le cours Dajot, la grosse baraque ventrue, la grille ouverte. Il était trois heures moins le quart. Je me suis pointée au grand salon, coiffant d'une courte tête Augusto qui, je l'ai appris alors, s'était lancé à ma recherche et rentrait bredouille et sans doute furibard, mais il ne l'a pas montré.

Accueil sympathique : on s'était fait du mouron et le soulagement suintait sur tous les visages. Personne, même pas Père ni Lucie, ne m'a vraiment adressé de reproches. Des gronderies gentilles, c'est resté dans le supportable. Gouvernante m'a embrassée en disant :

« Nous étions morts d'angoisse! »

Sa bouche sentait le chocolat : les friandises, ça aide à garder le moral.

J'ai commencé par une bonne séance à la salle de bain de l'étage, car ma fiole de clown faisait peur. Décrépissage en règle, puis rapido je me suis reconstruit une beauté classique.

On s'est mis à table, moi à gauche d'Augusto, et Truchaud, le beau-frère idiot, sur mon autre flanc. Je souriais à tous gracieusement, j'étais redevenue très sociable. On a éliminé sans problème huit douzaines de belons et gouvernante s'est amenée avec le pâté en croûte, une vieille recette colmarienne. A l'unisson on s'est extasiés sur ses talents de cordon-bleu, une vraie fée.

On a bien bouffé, bien picolé, pouilly-fuissé et

tokay 76, ça a donné du nerf à la conversation. Le beau-frère a commencé à me faire du genou, moi je n'ai pas crié au viol, je continuais à sourire avec plein de bonne volonté.

On a dégusté le canard aux pêches, soutenu d'un vin de paille pétant de sève, dixit mon papa général qui est orfèvre, puis les fromages. Le tonus sonore grimpait toujours. Beau-frère s'épuisait à râper son grêle mollet contre ma jambe nue, il devait être dans un état, il me faisait songer à un grand chien maigre s'excitant sur un pied de chaise.

Augusto à ma droite causait affaires et politique, la gauche au pouvoir, il disait, c'est *Apocalypse Now*, les gusses de la municipalité, il disait, des rigolos sectaires, gabegie, magouille et compagnie. Gouvernante plaidait pour l'Ecole libre assiégée par les Rouges, Père discourait sur sa dernière décoration, la croix du Devoir avec palmes : il l'a eue pour faits de guerre à la promotion du 14 juillet et en vue de la cérémonie de remise à Brest, il nous concoctait quelque chose de pas piqué des vers, faites-moi confiance, il disait.

On a apporté la pièce montée et Augusto a débouché le champagne. Il l'avait fait livrer par *La Cave du Château*, une cuvée spéciale 75, du fameux, a dit Père en y mouillant artistement ses lèvres avant le signal de la curée. Il s'est levé, a brandi sa flûte et tous les autres après lui se sont figés au garde-à-vous et ils ont dit :

« Joyeux anniversaire! »

Après quoi on s'est rassis et Truchaud, le beauf, a recommencé à racler avec fureur sous la nappe en dentelle. Alors ma sœur Lucie – peut-être qu'elle subodorait quelque chose? Elle est fine mouche et elle connaît par cœur son bêtassou de mari – a interrompu le massage clandestin en lui enjoignant de prendre des photos. Il s'est exécuté sans enthousiasme, la queue entre les jambes, il a empoigné son Pentax de contrebande et il a mitraillé la tablée, Augusto et moi surtout, quand on s'embrassait amoureusement, le verre à la main.

On a servi le café et les alcools, et ç'a été le quart d'heure des variétés. Père a interprété *L'Angélus de la mer*, gouvernante a récité *Barbara*, puis beau-frère avec son filet haut perché a entonné *La Complainte de Jean Quéméneur*, qu'on a reprise en chœur au refrain :

A Recouvran-an-ce!

Et là, brusquement, Augusto, qui ne chante guère quand il est dans le monde, vu qu'il a une voix poreuse et fêlée à rendre jaloux Gainsbourg, c'est dire, Augusto donc s'est mis à lancer les premières paroles du *Curé Pineau*. Ça a créé un choc, forcément.

« Oui! oui! » s'est écriée Lucie.

Elle avait dû forcer sur le Taittinger Spécial 75, ses pommettes étaient couleur brique. Mais il y a eu une majorité contre et au milieu des rires on lui a rentré ses gauloiseries dans le bec à l'Augusto, cependant que gouvernante s'empressait de caler son gros derrière sur le tabouret du piano et jouait *La Lettre à Elise*.

On s'est farci le récital en sirotant les liqueurs et en bâillant dans les crapauds Louis XV. Comme ça jusqu'à dix-neuf heures, où Augusto s'est levé et a dit qu'il rentrait. Il a pris congé de Père :

« C'était une belle fête! »

Il a ajouté :

« Vous permettez que je vous l'enlève? »

J'ai dit tchao à tous, je les ai embrassés l'un après l'autre, toute mignonne et câline.

« Soyez sages, les enfants », a dit Père.

Et il a continué à tirer sur son Monte-cristo.

On a pris la BMW, on a cinglé sur *La Rascasse*, moi toujours très gaie et charmante, Augusto débordant de prévenances. Aucune réprimande pour l'incident de tout à l'heure. Il l'a pourtant évoqué, mais sans colère, il a dit :

« Tes nerfs qui ont craqué. Des problèmes t'en as eu ta part, ma pauvre chatte! »

C'était la première fois, je crois, qu'il faisait allusion spontanément à ce qui est arrivé. J'ai dit :

« C'est sympa ce que t'as dit. »

Et j'ai posé ma tête contre son épaule.

On est entrés dans la propriété. Alexandre Candéla, le bon-à-tout-faire qu'il a hérité de l'oncle Julio avec la bicoque, bossait autour de la piscine, le sombrero de paille sur le crâne, un balai de genêt à la main. Il ne chôme guère, Candéla, même le dimanche on le voit vaquer à des choses, aux alentours de la maison, tirant sa patte raide le long des allées, toujours absorbé et sombre. C'était déjà pareil quand l'oncle Julio était là, alors ce n'est pas avec Augusto qu'il va apprendre à rigoler, vu la façon dont il le traite.

Donc, ce soir, Augusto a sauté sur le premier prétexte, il l'a engueulé tout rouge, pour ceci et pour cela, la litanie des griefs, et Candéla, les yeux fixés sur la pointe de ses Méphisto, qui disait :

« Oui, patron, j'essaierai, patron... »

Augusto me lançait des œillades : il est tout content quand il peut aplatir quelqu'un, alors avec Candéla c'est du gâteau.

Une fois qu'il lui a eu bien savonné la tête, il lui a dit qu'il pouvait aller se faire faire lanlère chez les Grecs, et comme Candéla n'obtempérait pas assez vite à son goût, il a juré :

« Taille-toi, nom de Dieu! Fous le camp, je te dis! »

Candéla est allé ôter ses vêtements de travail et ranger son matériel dans l'appentis derrière la maison. Il a repris sa vieille bécane et il est reparti, on a entendu le ferraillement du pédalier dans l'allée. Puis on s'est retrouvés seuls dans le silence de la grande bâtisse, avec la musique des vagues qui déferlaient au bas de la falaise sur le sable de la crique.

Augusto m'a attirée à l'intérieur, il a dit :

« On va bien s'en donner, hein, ma poupée! »

Il s'est dénudé, il a rigolé :

« Vise un peu! »

Il rayonnait dans sa gloire. Je me suis assise dans un des fauteuils et j'ai ouvert les jambes, comme il aime. Il m'a dit :

« Caresse-toi. »

J'ai abaissé mon mini, et j'ai fait ce qu'il me demandait.

Eparpillé sur le divan, Augusto n'en perdait pas une goutte, avec son énorme périscope qui oscillait comme le balancier de l'horloge comtoise. Il s'est levé, il m'a couchée en travers du dossier et il m'a prise par-derrière. Et pendant qu'il opérait, il fantasmait terrible, il disait :

« Ma petite jument, t'es ma petite jument au gros cul! »

Et autres insanités du même niveau. C'est sa manie à Augusto de causer quand il s'envoie en l'air. Moi je regardais l'aiguille qui tournait à l'horloge.

Quand ç'a été fini, on est allés piquer une tête dans la piscine en cœur, ça nous a fait du bien. On est rentrés, on a mangé des viandes froides, du fromage. Augusto s'est versé une maxi-dose de Logan, et il s'est remis à me tripoter. Il était à nouveau au port d'armes. Il m'a bien caressée partout et il a exigé que je m'agenouille devant lui. J'ai obéi, je l'ai servi pour la seconde fois. Je me suis relevée, j'avais des crampes aux lèvres et aux muscles des joues. Je lui ai dit que j'étais très fatiguée et que je voulais rentrer. Il a répliqué :

« Tu n'y penses pas! Il est à peine dix heures et demie! Qu'est-ce qui t'arrive? T'es pas bien ici? »

J'ai répété :

« Je suis lessivée. »

Il m'a observée, avec dans ses yeux gris fer une bizarre expression de ruse, et j'aurais dû me douter qu'il mijotait quelque chose. Il a cédé d'un coup :

« O.K. T'as pas une mine terrible, c'est sûr. Retourne chez papa, fillette. Moi aussi, d'ailleurs, je suis rétamé. On baise trop. »

On s'est rhabillés. Il m'a reconduite dans la BMW et durant le trajet il bavardait, très gai. Il m'a laissée à la grille, rue de Denver :

« Salut, je rentre pas. Mes respects au général. »

Il est reparti. J'ai attendu un moment devant la maison et je me suis baladée sur le cours, parce que j'étais un peu en avance.

J'ai entendu onze heures tomber au clocher de Saint-Louis. Je suis revenue en quatrième vers l'escalier, je suis descendue, j'ai atterri dans le jardin public. Il était déjà là. Mais on n'a même pas pu faire connaissance, juste quelques mots, et ç'a été la course folle de bagnoles qui descendaient la rampe de la gare, deux claquements de portières, je lui ai dit de fuir. Trop tard. Un balèze, je n'ai pas bien vu son visage, l'a pris en charge et moi un bras m'a ceinturée, une poigne m'a écrasé la bouche, j'ai reconnu la voix d'Augusto qui me soufflait à l'oreille :

« Pas un mot. Viens. »

Il m'a entraînée jusqu'à la BMW, qu'il avait garée à cheval sur le trottoir, un peu plus bas. Il m'a poussée sur le siège et s'est placé derrière le volant. Il m'a emprisonné le poignet, m'a dit :

« Regarde. »

Et il a allumé un cigare.

A la vérité, je ne distinguais pas grand-chose, la base du cyprès nous masquait la scène. J'entrevoyais pourtant des formes qui s'agitaient à travers les branches et je me disais qu'on était en train de tabasser le frère de Djamel, qu'on allait peut-être le tuer. Je l'ai dit à Augusto. Il a fait :

« C'est possible. Ce serait mieux pour tout le monde. »

Il continuait à me bloquer le poignet de sa grosse patte, tout en tétant son havane. On a entendu des bruits de voix, j'ai tourné la tête et j'ai aperçu un petit groupe d'hommes qui tournaient au carrefour, remontant du port. Augusto a abaissé la vitre et il a crié :

« Laisse tomber, on se tire! »

Il a balancé son cigare, il a démarré aussitôt et l'autre aussi, je crois, dans une seconde voiture. On a filé vers le Château, on a pris la direction du Conquet. Augusto conduisait comme un dingue, sans un mot, mâchoires vissées court. Moi je me disais en frottant mes poignets exsangues, cette fois ça ne va pas louper, une courbe un peu appuyée et on se plante.

C'est drôle, ça ne me faisait ni chaud ni froid, le repos, je me disais, enfin tranquille.

On a pourtant rallié *La Rascasse* sans pépin, il a stoppé sec comme toujours en dérapant sur le gravier devant la baraque. Il est venu m'ouvrir, il m'a tirée comme une bête de boucherie vers l'intérieur. Je me rappelle, quand je traversais la terrasse, le bruit de friture que faisait la mer en refluant sur les galets de la crique. J'aurais voulu y plonger et n'en plus jamais sortir.

Il a allumé des tas de lumières, il m'a lui-même arraché mes vêtements en grognant comme un verrat, ma robe de fête, mon jupon de dentelle, mes escarpins à cent mille balles, il a tout projeté à travers la pièce, au petit bonheur. Il a détaché sa ceinture en croco, l'a empoignée par la boucle et il a commencé à me cingler, sur les cuisses, sur les fesses, là où ça se présentait, partout. Pendant qu'il fouettait, il mâchonnait un brin de quelque chose et ses yeux gris étaient comme deux pierres.

Il s'est arrêté, il m'a demandé pourquoi j'avais voulu rencontrer le Marocain sans qu'il le sache. Je lui ai dit :

« Pour parler de Djamel. C'est un crime?

– Djamel c'est du passé. A présent, il y a moi! Faudrait quand même que tu te le mettes dans ta petite tête! »

Je lui ai dit qu'il était jaloux, jaloux d'un mort. Il a répliqué :

« Si tu veux. »

Il s'était bien calmé. Il a remis sa ceinture en place et il m'a dit comment ça s'était passé quand il s'était lancé à ma poursuite au début de la réception chez Père. Il avait perdu ma trace (« La tire au général c'est un vrai veau! »), puis il avait refait la soudure par hasard, alors que je filais sur Kerfautras et à partir de là il avait tout noté, la rose, le Marocain, le billet sous l'essuie-glace, qu'il était allé lire après mon départ.

Il m'a interdit de jamais renouveler ma tentative :

« Dans l'intérêt du type », a-t-il ajouté d'un ton qui m'a fait froid dans le dos.

J'ai promis que ça ne se reproduirait plus.

Il s'est approché, m'a contournée, s'est frotté contre ma croupe nue et j'ai senti qu'il allait remettre ça. Il m'a pliée en deux et sans préambule il s'est servi de moi comme d'un garçon. Ça m'a fait mal et malgré moi j'ai lâché un cri.

Il a expédié son affaire, tchouc, tchouc, très vite. Après, il m'a dit de me rhabiller, que je pouvais rentrer.

Il m'a reconduite jusqu'au cours Dajot, m'a dit en ouvrant la portière :

« J'espère que ça vous servira de leçon, à toi comme au bougnoule! Qu'il ne t'approche plus, ou je le tue! »

Il disait ça tranquillement, sans forcer la voix, et je savais bien qu'il n'exagérait pas. Il a ajouté d'un ton sec :

« A demain. »

Et il a embrayé, il est reparti sur les chapeaux de roue.

Il était dans les minuit et demi. Il y avait encore de la lumière au grand salon. Père jouait aux échecs avec gouvernante, laquelle suçotait un bonbon au chocolat (la boîte de Chocoletti Lindt était posée à portée sur un siège). Sourires sucrés de la femme.

« Bonsoir, ma petite Aude! »

Et son œil qui me déshabillait, son nez en bec verseur qui semblait flairer à distance.

Père m'a concédé un regard distrait :

« Ç'a été, la soirée? »

Il a repiqué sur son échiquier sans espérer une réponse.

J'ai dit que j'étais pompée, que je montais me coucher, et bonsoir.

« Bonne nuit, ma petite Aude. »

Ma chambre. Je suis rompue, c'est vrai. Mal partout, l'âme et le corps. Quand je m'assois au bord du lit pour ôter mes escarpins, c'est comme si des couteaux me déchiraient. Meurtrie, souillée. Cette saleté sur ma peau, en moi.

J'entre dans la salle de bain et je prends une

douche. Glissement amical de l'eau tiède, caresse de la pluie sur mes épaules, mes seins, mon sexe. Je me frictionne jusqu'au sang. Je reviens dans la chambre, je me couche. J'ouvre le recueil de poésies, je lis quelques lignes et je laisse retomber le livre. Ce soir, impossible, je ne sens pas le texte. Ces vers qui m'ont si souvent nourrie et soutenue ne sont plus rien que des rangées de signes, neutres et sèches.

J'ai éteint, j'ai essayé de faire le vide en moi, de n'être plus qu'une enveloppe sans pensées, sans passé, une machine de muscles, d'humeurs, d'organes, attestée par les battements de pompe sous mon sein et l'explosion du sang à ma gorge, à ma tempe contre l'oreiller.

Mais des images ont cassé les barrières, m'ont investie. Fulgurances éphémères qui se croisent, se recoupent, s'emmêlent. Des moteurs ronflent dans la pluie, un falot au ras du sol papillote, on dirait un gros œil écarquillé. Là-bas, le glas obstiné de la mer... Et puis cette vague si câline, dans le soir alangui où traîne un parfum de menthe sauvage, la voix qui dit :

Ma main
suspend la chevelure de la mer...

Les deux bras qui s'écartent derrière la grille de la pluie, lentement, et dessinent la croix de Gethsémani, pitié, ô pitié...

Ils sont remontés. Ricanements des canalisations, mots chuchotés, le grand cérémonial nocturne va s'accomplir. Un rire, contenu, Père pousse mezza voce sa pétarade spécifique et j'enregistre sans l'entendre le réglementaire : « Tonnerre de Brest! »

Le silence. Ils sont couchés, ils se frottent leurs peaux honteuses, ils règlent dans l'ombre la machinerie du hideux accouplement. Et très vite elle se met à gémir. Elle sait que je l'entends, elle le fait exprès, elle proclame par ce signe sa place dans la maison, la première. Ils baisent, et c'est comme le paraphe apposé, légitimant, sacramentel.

Je rêve, je les imagine vautrés au milieu des draps gras, lui ahanant de ses soixante ans poussifs – un jour il y claquera, triste mort, digne mort – elle, qui lape, goulue et clapotante.

Nausée. J'ai mal. Brûlure des coups de ceinture et cette perforation barbare qui continue de m'écarteler. Ils se calment. Jeux d'eau, conciliabules, silence. Mon sang soliloque. Une voiture butine dans la nuit comme un frelon ivre. Torpeur, tiédeur dolente.

Lentement, je coule vers le néant.

2

Lundi 12 juillet

KARIM

Il venait d'ouvrir les yeux et éprouvait une impression étrange. Les formes et les masses qui atteignaient sa rétine ne lui rappelaient rien de connu, et il resta quelques secondes amorphe, sans trouver ses marques.

Il se souleva sur les coudes. Une douleur vive lui cisailla les côtes. Dans le même éclair il identifia les lieux (il était chez Marie-Marthe, couché à demi habillé sur le divan du séjour) et lui revinrent en mémoire les péripéties de la nuit, l'agression, le pénible retour à Bellevue, où la jeune femme l'avait accueilli et soigné, le sommeil dans lequel les calmants l'avaient plongé.

L'immeuble s'éveillait avec lui et faisait craquer ses articulations. Des volets claquaient, le disco aux transistors battait déjà l'enclume, une guitare électrique sanglotait. Borborygmes de canalisations. Quelqu'un à une fenêtre sifflait *Le Temps des cerises.* Dehors des mouettes criaient, la corne d'un marchand ambulant appelait les ménagères.

Il remua ses membres, fit jouer ses muscles. Rien de cassé, mais des courbatures partout, un œil sans doute en triste état et des brûlures au visage comme après un méchant coup de soleil.

Il se mit sur son séant, il se leva, enfila ses sandales.

Marie-Marthe était dans la cuisine. Vêtue de son peignoir rose indien, la cigarette rougeoyant au coin des lèvres, elle versait du café en poudre dans un filtre. L'eau frémissait dans une casserole sur la gazinière.

Elle l'observa et s'écria avec une bonne humeur un peu forcée :

« C'est pas aujourd'hui carnaval! Si tu te voyais, Karim! »

Il s'examina dans la glace de la salle d'eau. Oui, sa figure portait les traces des coups reçus, contusions à la pommette, un œil à demi masqué par la paupière tombante et violacée, la lèvre supérieure couturée d'une croûte noirâtre. Mais cela finalement paraissait sans gravité, et les soins de Marie-Marthe au reste avaient été efficaces.

Ils déjeunèrent, face à face. Samy dormait encore dans la chambre.

« Qu'est-ce qui s'est exactement passé? demanda Marie-Marthe. Tes propos de la nuit dernière n'étaient pas très clairs. »

Il lui exposa minutieusement les phases du traquenard, attendit sa réaction. Elle beurrait une biscotte, une expression de sphinx derrière ses lunettes rondes.

« Quand tu as découvert le billet, pourquoi ne m'en as-tu pas parlé?

– Si je l'avais fait...

– Je t'aurais conseillé de te méfier, parce que ça puait le piège. Tu vois que je n'aurais pas eu tort. Karim, qu'est-ce qui t'arrive? Tu étais plus raisonnable autrefois.

– Quand on a tout perdu... »

Il ne termina pas sa phrase. En fait, est-ce qu'il était capable de s'analyser avec lucidité? Il regardait Marie-Marthe devant lui dans son déshabillé rose. Elle n'était pas peignée, ni maquillée, elle sentait le sommeil, la touffeur des draps, et cette promiscuité matinale le troublait.

« Tu as gardé le mot, j'espère? »

Il alla le prendre dans son portefeuille et le posa devant elle. Elle l'éplucha, en soulignant de l'index les courbes de certaines lettres.

« Une écriture féminine, assurément, remarqua-t-elle.

– Tu ne m'apprends rien : c'est une femme qui m'a rejoint au jardin public. Quant aux agresseurs, ils étaient au moins deux, je pense, il y avait deux voitures... »

Elle se mit debout, alluma une autre cigarette, fit quelques pas. Elle se pencha par-dessus son épaule pour examiner à nouveau le feuillet, et il sentit le contact élastique de sa poitrine lourde.

« Une femme, oui... Est-ce que tu pourrais un peu me la décrire?

– Cela a été très rapide, tu sais, et on n'y voyait guère. Un petit modèle, des cheveux clairs, très longs, un visage étroit... Tu vois, ça ne va pas très loin! La voix était mal assurée, apeurée, on aurait dit. »

Marie-Marthe se redressa :

« Apeurée?

– Oui, dès le départ, elle avait l'air d'appréhender quelque chose.

– Ça faisait sans doute partie du jeu. Tu ne crois pas qu'elle était dans le coup? »

Il dit : oui. Il était persuadé, lui aussi, qu'elle avait tenu un rôle précis, celui de la chevrette qui attire le gibier. Mais ça ne les avançait guère.

Il essaya de raisonner, de trouver des jalons, un fil conducteur :

« Pourquoi s'est-on servi du nom de Djamel?

– Le moyen le plus efficace d'endormir ta méfiance, non? La preuve...

– Donc des gens qui me connaissent bien, très bien. Je ne suis ici que depuis quelques heures et déjà des personnes à Brest le savent, et je gêne ces personnes. Important ça : je les gêne! Pourquoi? »

Elle ne répondit pas, elle fumait pensivement.

« Je ne vois que deux hypothèses, continua-t-il. On a craint que je cherche à savoir, pour Djamel, et dès le départ on a voulu m'intimider, ou même... »

Il revivait la scène, le costaud qui frappait sauvagement. Sans l'intervention providentielle des marins japonais...

« Deuxième hypothèse : on s'en est pris à l'opposant politique. »

Il réfléchit.

« Les deux sillons pourraient d'ailleurs fort bien se confondre, auquel cas la mort de Djamel est signée. »

Elle eut un geste d'agacement :

« Je croyais qu'on en avait déjà débattu hier, Karim? Tu avais toi-même admis que, s'agissant de Djamel...

– J'avais peut-être tort. Marie-Marthe, tu ne peux pas imaginer de quoi ils sont capables! »

Elle gardait une moue d'incrédulité. Alors quelque chose creva dans sa poitrine et coula malgré lui, et il raconta l'enfer, les tortionnaires sadiques, les séances quasi quotidiennes de flagellation publique dans la cour de la centrale, sous la férule des droits communs promus « caporaux » des sévices, la faim, les poux, la crasse, l'entassement inhumain dans les cellules, les captifs imbriqués les uns dans les autres la nuit, comme sardines en boîte. Et cela n'était rien encore. Il y avait les pénitenciers maudits. Tazmamart, Anfa, Derb-Moulay-Cherif et tous ces bagnes clandestins perdus au milieu des sables, où dans la nuit permanente agonisaient à petit feu les réprouvés sans noms.

Marie-Marthe n'avait pas réagi pendant qu'il parlait. Quand il se fut arrêté, elle dit :

« Comme tu as souffert, Karim! »

Cette pitié le dégrisa, lui fit honte.

« Je n'essayais pas de me faire plaindre. Je pensais à ceux qui sont restés. »

Il revint vers le séjour. Elle l'y rejoignit aussitôt.

« Cette nuit, alors que je m'occupais de toi, ceci est tombé d'une de tes poches. »

Elle lui tendit une montre. Il la saisit avec étonnement.

« C'est à toi? »

Il fit non, il observa l'objet attentivement. C'était un chronomètre en or, massif et perfectionné. Il nota que le bracelet métallique pendait, une des barrettes de fixation ayant cédé, et soudain il se rappela les mots du matelot dans le jardin public :

« *Your watch!* »

Il devina ce qui avait dû se passer : l'Asiatique avait trouvé le chronomètre à terre et supposant qu'il lui appartenait l'avait glissé dans sa poche.

Il rapporta à Marie-Marthe l'incident, qui lui avait échappé.

« Ça va me fournir une bonne introduction.

– Parce que tu as l'intention...

– De la remettre à son propriétaire, oui.

– Et après? Quand tu l'auras retrouvé? »

Il ne savait vraiment pas.

« J'aviserai sur place.

– C'est dangereux. »

Ses yeux s'étaient posés sur lui et avaient pris une fixité impressionnante.

« Qu'est-ce qui ne va pas, Marie-Marthe?

– Je te regarde comme j'aurais dû regarder Djamel le soir où il est parti. »

D'un clignement de paupières elle chassa le songe.

« Après tout, tu en réchapperas peut-être, toi. Tu reviendras, n'oublie pas de revenir, Karim. Je serai toujours là pour panser tes blessures. »

Il lui prit les deux mains :

« Merci. »

Elle se déroba presque aussitôt :

« Voilà Samy qui appelle. »

Elle rentra dans la chambre.

Il fit sa toilette, s'habilla, embrassa le gosse. Il sortit.

Dans la 4 L, il chaussa sa vieille paire de lunettes de soleil. Elles étaient assez enveloppantes pour camoufler partiellement les dégâts de la nuit. Il restait la lèvre fendue, mais là il n'y pouvait rien.

Il embraya et en mettant en ordre ses souvenirs il arriva sans trop de mal à retrouver l'immeuble, rue Branda. Une seconde d'hésitation devant le panneau « PROPRIÉTÉ PRIVÉE », et il franchissait la voûte. Une flèche au fond de la cour désignait un parking souterrain. Il descendit la rampe d'accès, s'inséra dans un créneau inoccupé, éteignit le moteur. Personne. Il quitta la 4 L, passa en revue les voitures l'une après l'autre. Il repéra facilement la Datsun, contrôla sur son papier le numéro : cela correspondait.

Il revint s'asseoir et prit le guet, la japonaise en point de mire. Sa faction ne dura guère. Il y eut quelques mouvements de voitures, des gens qui sortaient pour la plupart, et puis un grand type apparut, tenant un attaché-case et à l'autre main une fillette qui portait un étui à violon. Style strict chez l'homme, cravate, costume classique, la gosse pimpante dans sa robe courte à volants, trottinant sagement, et quand elle entra dans la Datsun elle dit :

« Papa, j'veux pas qu'on leur donne Minouche! »

Karim avait assisté, sidéré, à la scène familiale, car il se faisait une idée différente de son tabasseur. Pas question d'intervenir ici. Il se contenta de leur filer le train. Ce n'était pas difficile, le type conduisait très décontracté. Il les voyait bien devant lui, la petite était tournée vers son père et causait avec animation.

Ils traversèrent la rue Jean-Jaurès et par la rue de Glasgow ils remontèrent jusqu'au quartier Saint-Martin. Là, derrière l'église, ils lâchèrent la fillette. Elle était sur le trottoir, elle secouait la main, elle était tout plein mignonne avec sa jupe gonflée et ses mi-bas de fil blanc. Elle entra dans une maison. La Datsun repartit, rattrapa la rue Yves-Collet qu'elle suivit jusqu'à l'octroi. Ils retrouvèrent la rue Jean-Jaurès, effacèrent la place de Strasbourg, prirent la route de Landerneau.

La Datsun ralentit, s'introduisit sur le parking de l'établissement Le Globe, un hypermarché étendant sur deux cents mètres et deux étages ses bâtiments flambant neufs. L'homme stoppa, sortit, referma. Karim s'était garé deux créneaux plus loin, et il le vit qui contournait la Datsun à pas comptés, inspectait la carrosserie, grattait de l'ongle un détail de l'aile. Il avait des jambes très longues et son dos rond faisait remonter le veston pourtant bien coupé.

Il se dirigea vers une porte étroite qu'il ouvrit en se servant d'un trousseau de clefs. Il disparut.

Karim supposa qu'il avait reverrouillé et il choisit d'attendre. Il n'était que 8 heures 40, l'ouverture n'avait pas encore eu lieu. Quelques lumières pourtant brillaient déjà au rez-de-chaussée. Peu à peu les employés se présentaient et rejoignaient leur poste de travail en utilisant une autre porte de service qu'on laissait entrebâillée.

A neuf heures moins quelque chose, des lampes s'allumèrent partout, on vint libérer les portes de verre automatiques, et les rares chalands qui faisaient le pied de grue devant les vitrines commencèrent à investir la place. Karim patienta encore deux minutes et franchit à son tour le seuil, alors que les premières mesures d'un reggae tombaient des haut-parleurs.

C'était le rôdage. Les préposés finissaient de décapuchonner les étals en bâillant, d'autres se faisaient les ongles, d'autres s'apostrophaient d'une travée à l'autre, sur leur week-end, ou leur flirt, ou la rougeole de leur gosse. Des commissionnaires passaient, affairés, poussant des diables croulant sous les paquets.

Il ratissa le rez-de-chaussée sans apercevoir son bonhomme. Il monta à l'étage par l'escalier mécanique, il inspecta systématiquement tous les rayons. Il s'arrêta un moment pour regarder deux employées occupées à garnir un vaste secteur entre les jouets et la bimbeloterie. Des panneaux suspendus au-dessus à des fils invisibles annonçaient une vente-exposition de produits russes. Pour le dépaysement on avait fabriqué en aggloméré et carton un paysage de neige et un grand ours blanc couché sur le flanc attendait de prendre sa place dans le décor. C'était assez réussi et il traîna devant les présentoirs un moment.

Il se remit à sinuer dans les allées. Il le vit enfin, au bout de la perspective, qui conversait avec un autre homme, de style magasinier, salopette de peine et double mètre en bois verni dépassant de la sous-ventrière. Une brunette aux yeux hardis passait, en blouse verte d'uniforme, une agrafeuse au poing. Il l'interpella :

« S'il vous plaît, mademoiselle, le grand monsieur là-bas, en complet marron, c'est bien le chef de rayon? »

Elle lui décocha un regard malicieux :

« Si on veut, le chef oui, le grand chef : M. Balavoine, le directeur! Pourquoi?

– Oh! rien : je m'étais trompé. Excusez-moi.

– Y a pas de mal. »

En tirant bord sur bord il se rapprocha. Le couple s'était dissocié. Le directeur repartait vers le fond du magasin, serrait une main au passage et disparaissait comme dans des coulisses. Karim accéléra. Un panneau fléché annonçait : « Bureaux. » Il suivit un corridor mal éclairé, vit la plaque « Directeur », frappa. On lui dit : « Oui. » Il entra dans une pièce lumineuse et froide, nickel et Ripolin, où une jeune créature toute blonde contemplait ses ongles manucurés en fumant une américaine géante à bout filtre.

« Je voudrais parler au directeur. »

Sans s'extraire de son accaparante occupation, elle lui demanda s'il avait un rendez-vous.

« Non, mais il souhaitera me recevoir quand il apprendra que je suis là. »

La belle enfant le regarda enfin. Elle avait des yeux décorés, larges comme des pièces de cinq francs. Elle souffla la fumée avec scepticisme, le déshabilla, s'attacha à sa lèvre fendue, sembla juger l'examen plutôt positif.

« Vous pouvez me donner votre nom? » dit-elle avec un battement de cils encourageant, en attrapant bloc et crayon.

Karim n'en voyait pas l'opportunité :

« Inutile. Rappelez à votre patron qu'il a perdu

quelque chose à quoi il tient et que je le lui rapporte. »

Elle continuait à tester sur lui l'efficacité de son maquillage. Elle devait le trouver de plus en plus intéressant, romantique et un peu ténébreux. Elle lui dédia une moue enjôleuse :

« Un instant. »

Elle s'éclipsa quelques secondes, revint, souriant rose et ondulant sur ses talons-échasses.

« Si vous voulez vous donner la peine... »

Elle le précéda jusqu'à une porte capitonnée, s'effaça. Il longea une gorge haute et pommée et respira au passage tous les parfums de l'Arabie. Il entra, elle referma.

Le type était debout derrière sa table et le détaillait avec perplexité. Vraiment grand et n'en étant pas encore revenu, eût-on dit, cherchant la bonne assise d'une patte sur l'autre, cheveux noirs frisés dégageant un front bombé, impeccable, de la cravate de laine grenat tricotée au veston en alpaga havane, dont le revers s'ornait d'une discrète décoration. Il désigna un siège, ils s'assirent.

« Alors? J'aurais perdu quelque chose? »

Il bâilla dans sa main soignée, alourdie d'une épaisse chevalière :

« Pardonnez-moi. J'ai eu une petite nuit. »

Il eut un sourire triste qui creusa ses pommettes de petites stries en étoiles.

Karim sortit de sa poche le chronomètre et le lui tendit au bout de son bracelet cassé :

« Votre montre. Je l'ai trouvée cette nuit. »

Il guettait sa réaction. Balavoine avait contracté ses sourcils, qu'il possédait denses et formant presque une bande continue.

« Ma montre? »

Il eut le geste machinal et stupide qu'on a tous

dans ces cas-là, il reluqua vers son poignet droit, dit :

« Mais je n'ai rien perdu! Qu'est-ce que vous racontez? »

Il avança la main :

« Permettez. »

Il attrapa le bracelet, disséqua l'objet, côté pile et côté face, et releva les yeux :

« Je ne saisis pas. Qu'est-ce qui vous a fait penser que cette nuit... D'abord, qui êtes-vous, monsieur?

– Monsieur Balavoine, vous vous trouviez où hier soir, autour de 23 heures? »

Il eut une crispation d'impatience, se maîtrisa :

« Vous tenez à le savoir? J'essayais sans succès de dormir, dans le wagon-couchette du Paris-Brest. On venait de quitter la capitale. Cela vous satisfait? »

Karim perdait un peu les pédales. Le type s'exprimait avec une assurance qui le démontait d'autant plus que cela faisait quelques minutes qu'il butait sur cette énigme redoutable : où donc cette grande perche distinguée planquait-elle ses biceps?

« Vous dites avoir passé la nuit dans le train? Vous êtes arrivés à Brest à quelle heure?

– A 7 heures 5.

– Votre voiture vous attendait à la gare?

– Non. J'ai pris un taxi.

– Votre voiture était où, durant votre absence?

– Mais voyons! Dans mon garage!

– Et vous affirmez qu'elle n'en a pas bougé?

– J'affirme. Mais enfin, monsieur, pourriez-vous m'expliquer à quoi rime cet interrogatoire?

– Oui. »

En se cantonnant dans l'essentiel, Karim parla de l'agression la veille, au jardin public, des Japonais, de la Datsun qui l'avait amené à son domicile, rue Branda.

Balavoine avait l'air ahuri. Il avait repris la montre et la dépiautait à nouveau. Ses sourcils n'étaient qu'un large ruban noir.

« En votre absence, dit Karim, quelqu'un aurait-il pu utiliser la Datsun? Quelqu'un de votre entourage, je veux dire?

– Non. Ma femme a son propre véhicule, une Lancia Delta. Elle ne pilote jamais la Datsun, qu'elle trouve encombrante. Et puis enfin, quoi, soyons sérieux! Vous imaginez que ma femme...

– Quelqu'un d'autre alors? »

Balavoine parut s'interroger et conclut fermement :

« Non, personne. »

Il se leva, Karim aussi.

« Tant pis. Je vais donc essayer de trouver par moi-même. »

Balavoine s'éclaircit la gorge :

« Vous allez vous rendre à la police? »

Karim nota avec intérêt que cela ne semblait pas l'enthousiasmer.

« Si c'est nécessaire, sans aucun doute. Mais je préférerais m'en passer : mes affaires, j'aime assez les régler moi-même. »

Il prit la direction de la porte.

« Vous oubliez quelque chose », dit Balavoine.

Karim se retourna.

« Votre montre.

– Non, je vous la laisse. Elle éveillera peut-être des souvenirs? Je reviendrai. »

Il sortit, subit le sourire façonné de la petite chatte à sa machine muette, et traversa le magasin, où le public se pressait à présent, dans le brouhaha des musiques et des annonces publicitaires. Il côtoya l'exposition russe, regarda sombrement les décorateurs qui poussaient sur des rails un traîneau argenté, incrusté de paillettes. Il n'avait abouti à rien. Balavoine n'était évidemment pas son type. Mais alors, qui donc pouvait bien se balader la veille dans la propre bagnole du directeur?

La pendule analogique au-dessus de l'escalator marquait 9 h 32.

Balavoine restait debout, les mains posées symétriquement contre l'arête du bureau. Abracadabrant. L'inconnu avait l'air sincère. Et pourtant, il y avait maldonne, obligatoirement, confusion grossière quelque part. Et pourquoi ces mystères? le refus du visiteur de décliner son identité?

Il fit sauter la montre dans le creux de sa paume. Chrono en or, très bonne marque, comme neuf, ça valait son prix. Pas le truc qu'on égare sans réagir. Le propriétaire, fatalement, déposerait une déclaration de perte. Il faudrait suivre les avis dans la presse, les jours à venir. Sinon... Sinon ce serait la preuve que l'homme n'avait rien inventé, et dans ce cas...

Il passa dans le bureau de la secrétaire :

« Laure, ce type qui vient de sortir, vous l'avez déjà vu?

– Non, monsieur le directeur.

– Sûr?

– Oh! oui, minauda-t-elle, je le saurais! »

Les deux soucoupes noires brillaient de gourmandise. Il était certain que l'inconnu n'avait pas le physique de tout le monde, un certain charme un peu sauvage.

« Il disait que vous aviez perdu quelque chose », rappela-t-elle.

La curiosité la taraudait.

« Une montre », dit Balavoine, comme distraitement.

Il ouvrit la main :

« Ça ne vous dit rien?
– Non. C'est une belle pièce! Pourquoi voulait-il que ça vous appartienne? »
Balavoine haussa les épaules sans répondre et rentra dans son cabinet de travail. Il songea : par les concessionnaires de la marque, peut-être? La montre est toute récente. Il était assez excité et en même temps sur la défensive, comme s'il se trouvait au bord d'une affaire épineuse, qui le concernait de près.
Il bâilla, déplora sa petite nuit. « Qu'est-ce que je fais? J'essaie de me renseigner auprès de... » Il dit oui, il dit non, il décrocha le téléphone.

AUDE

J'ai mal dormi. Des bouts d'inconscience, hachés de réveils brutaux qui me secouaient comme des spasmes. La nuit était chaude et lourde, le drap collait à ma peau nue. Sans discontinuer des zébrures vertes, jaunes, violettes tachaient les meurtrières des volets, mais j'entendais à peine le grondement de l'orage, rien qu'une vibration lointaine.
Cahin-caha, j'ai roulé jusqu'au jour. Je n'ai pas déjeuné. C'est très rare que je sacrifie encore au rite : une habitude, depuis l'époque où je voulais plaire. D'ailleurs, Augusto aime beaucoup mon style « petite fille maigrichonne », et si je m'empiffrais... Ce n'est pas comme feu oncle Julio :
« Tu devrais te remplumer un peu, il me disait. Faut ce qu'il faut, petite. »
Le pauvre... J'ai quand même bu un verre de jus de tomate dans la cuisine. Père était déjà sur le pied de guerre, restauré, ramoné, ravalé de frais. Il a traversé le hall, toujours pressé, la tête lourde de

vastes desseins, il est venu m'embrasser sur le front :

« Ça va? Bien dormi, ma fille? »

Il est reparti vers son bureau. Il y siégera la majeure partie de la matinée, à lire et faire son courrier. (Il a une correspondance de ministre : toutes ces associations qu'il préside ou dans lesquelles il milite!) S'il a un créneau libre, il continuera à tartiner ses fiches en vue du grand œuvre, la chronique généalogico-familiale qu'il bâtit dans le roc depuis une éternité.

Gouvernante, je ne l'ai croisée qu'un peu plus tard, au sortir de la salle de bain de l'étage. Démonstrations de tendresse et léchages à répétition, que j'endure en bloquant ma respiration, car l'odeur du déodorant poudré qu'elle pratique sans contrôle me chavire l'estomac.

Elle me découvre le teint splendide, l'hypocrite, elle décrète que l'amour me va bien, discours assorti de force « ma chérie » et de clapements buccaux voraces.

Je lui offre un visage lisse, résolument amical, mon beau sourire accroché, derrière lequel je l'observe et la juge et l'insulte. Plaisir du jeu double et des deux masques : celui pour elle, innocent, comme virginal, celui de l'intérieur, l'authentique, crispé dans la répulsion.

Elle m'a pris la taille – ses doigts qui pelotent, indécents, à travers le tissu mince – et m'escorte jusqu'à ma chambre, qu'elle investit par traîtrise. Dans l'élan, mine de rien, elle essaie de me tirer les vers du nez, de glaner les échos de la soirée passée avec Augusto, alors que, n'est-ce pas, quelques heures plus tôt on frôlait le drame. (Référence voilée à mes frasques d'anniversaire.)

Sa curiosité a quelque chose de sale. Je retrouve l'impudique sournoise, qui chaque nuit traite ses prurits inavouables entre les bras du vieux. Elle sait bien qu'on couche ensemble, le fiancé et moi, et, allez savoir pourquoi, ça l'échauffe, cette pensée, elle aimerait me l'entendre dire, que ça coule de moi, la confidence. Elle me tend la perche, ses yeux brillent, là, là, chérie, entre femmes...

Je la décevrai encore, je fais la bête, j'ai mon sourire séraphique. Elle renonce aux aveux croustillants, elle se réinstalle dans le registre « dame de compagnie » pour me convier ce matin à certaines tâches ménagères essentielles :

« Parce qu'il convient, chère, qu'une personne de votre rang, qui aura bientôt un grand train de maison... »

Et tout durant qu'elle déblatère, rengorgée, le croupion rebiffé en queue de paon, elle furète par la chambre, cueille d'une phalange experte trois grains de poussière sur la commode, flaire partout de son long pif inquisiteur, couve des yeux mes draps froissés avec une trouble complaisance, ramasse un dessous qui se prélasse sur le mouton d'Islande, se plaint :

« Très chère, il faudrait remettre la chambre en état. Nous le ferons à deux, si vous voulez. »

Je dis :

« Mais non, ne vous dérangez pas, tout à l'heure, juré, je m'en occupe. »

Elle sort, abandonnant dans la pièce des miasmes de sueur mal camouflée sous la « fougère » drue.

J'aère, j'amorce un semblant de rangement, qui me tue. Je m'étale sur le lit retapé en un tour de main, je bouquine un peu, un livre de philo, car il est admis que je ne resterai pas sur l'échec de juin dernier, que je remettrai ça, même pourvue d'un époux. Augusto est d'accord et ils ont tous l'air d'y croire. Moi je ne veux pas les contrarier, ça fait bien, cette armada d'épais manuels sur ma table de chevet.

Rapidement abreuvée de positivisme et de non-être, je roule sur le ventre bras en croix et me livre au fil d'une rêverie informelle, bercée par le chuchotement de mon sang, l'appel d'un cargo au port, des pépiements de moineaux dans les marronniers du cours. Des heures comme ça.

Nouvelle intervention de gouvernante qui, à travers la porte, me réinvite à m'atteler sous sa bannière à de nobles besognes et dont je casse l'espoir d'un « Je bûche ma philo » sans réplique. Père, requis comme arbitre, me donnerait immanquablement quitus.

Déjeuner rituellement emmerdant, à très nette structure militaire : ouverture des agapes à 12 heures 30 pétantes, c'est le mot, échanges lapidaires :

« Ça va, les études?

– Ça va, Père. »

Bulles de savon, qui crèvent aussitôt. Père occupe le terrain, prend en main la conduite des opérations. Grand seigneur de la fourchette (j'ai toujours admiré le coup de poignet racé avec quoi il touille son écuelle), il se montre également redoutable discoureur sur le seul sujet qui le passionne : lui-même et ceux de sa lignée.

Aujourd'hui encore ce sera une longue déambulation monocorde parmi ses ancêtres, agrémentée d'anecdotes pittoresques sur ce Malestroit (Charles, Xavier, Marie), qui le 17 mars de l'an de grâce 1191 tomba à Saint-Jean-d'Acre sous les cimeterres des Infidèles. En prime, depuis le 14 juillet dernier, date de sa nomination, il fait là-dessus une fixation – il brode sur le thème de la cérémonie qu'il s'attache à organiser à Brest, 11 novembre ou départ de la « Jeanne », il se tâte encore.

« Si je pouvais avoir X, le ministre, dit-il. On me

doit bien ça. X, ce n'est pas le mauvais cheval : le moins sectaire de la bande à coup sûr. »

Et comme il faut toujours les secouer, ces lascars, il ira bientôt à Paris. Il en profitera pour voir des amis, fera accessoirement un brin de tourisme. Gouvernante, il va de soi, sera de l'expédition.

Elle approuve des yeux en enfournant un reste de gâteau d'anniversaire qu'elle a camouflé au frigo. Moi, je resterai, je tiendrai le foyer, je reverrai ma philo, et pour la détente...

« Tu ne seras pas en peine de compensations, ma fille. »

Esquisse de sourire gaulois chez l'un, cillement chastement allusif de gouvernante.

Augusto. Père parle rarement de son futur gendre. Ses façons de rustre, le métier d'« épicier » qu'il exerce, rien qui lui soit plus étranger. (Par parenthèses, pas de pot, le papa! Y avait déjà eu cet accroc : Lucie, l'aînée du nom, enceintée par un Truchaud de rencontre, fallait le faire! Il est vrai qu'à l'époque le beauf, fringant midship, ne manquait pas d'espérances. Tristesse : les tripots et les femmes ont bousillé le canevas, « exit » la belle carrière d'officier, Truchaud n'est plus que Truchaud, c'est-à-dire rien. Davila, lui au moins, a de la galette. Surtout depuis qu'oncle Julio a passé l'arme à gauche. « Il ne connaît pas sa fortune », m'a dit un jour Père, gravement.)

Augusto vient peu à la maison, il ne s'y sent pas à l'aise, et Père lui-même au bout de deux phrases n'a plus rien à lui dire.

Mais il est satisfait que je le retrouve presque chaque jour, que je meuble ses soirées, étant bien entendu qu'à l'instar de sa digne compagne il a choisi de fermer noblement les yeux sur les horreurs que la chose autorise.

Après-midi. Je prends la mobylette et je descends

jusqu'à la grève du Moulin-Blanc. Je fais trempette, je me sèche au soleil. Arrive Valérie Morice, une camarade de Sainte-Barbe, laquelle s'étonne que je me pollue dans cette sentine populeuse. C'est vrai qu'elle n'a pas la cote, dans mon petit monde, la plage artificielle du Moulin-Blanc. Rassemblement des familles fauchées de la ville, une eau douteuse, avec les abattoirs municipaux au fond, en avant-loges, et au surplus la tare inexpiable d'avoir été créée et mise au monde par les Rouges de la mairie.

« Moi je n'y viens que pour le sport », précise Valérie, qui admet toutefois que c'est commode une plage intra-muros.

Elle me laisse sa planche et un moment je cavale sur l'eau plate. Puis bavardages, toutes deux allongées sur le sable prolétaire, revue de presse, potins, d'autres bulles de savon... Je tue le temps.

Enfin cap au large, direction La Rascasse où je débarque à 18 heures. Je m'assois sous le grand parasol carré devant la terrasse, je bois une menthe à l'eau, préparée par Candéla, le souffre-douleur. Je l'observe qui traîne sa patte morte et tout le désenchantement du monde. Avec sa lourde face renfrognée il me fait penser à un bouledogue acariâtre. Pour moi seule parfois il oublie d'être le cerbère, il fait patte de velours et il y a comme une douceur dans l'eau de ses yeux fatigués. Je ne comprends pas qu'Augusto soit si injuste à son égard. Avec oncle Julio c'était autre chose et je me demande bien pourquoi Candéla reste à *La Rascasse.*

A 7 heures et quart, le seigneur se pointe. Entrée spectaculaire, la BMW qu'il lance en bolide dans la grande allée, virage court, il stoppe sec en chassant des quatre fers sur le gravillon – la vraie conduite mâle et sportive.

Il s'extrait en mastiquant son éternel Hollywood,

un grand carton à la main. Il engueule Candéla par hygiène, m'embrasse comme dans les films.

« Tiens, c'est pour toi. Mon vrai cadeau d'anniversaire, à retardement! »

Il me tend le paquet, je le défais sur la table du jardin : une veste de fourrure, grande griffe, toute fraîche sortie de la maison Bodénès, rue de Siam. Un vison!

« Augusto, non, c'est à moi?

– Ça te plaît? Pour la taille, si ça ne collait pas, ce n'est pas grave : l'échange est prévu. »

Je la revêts, je me balade au bord de la piscine, j'ondule, je fais la ravie et l'amoureuse :

« Ô Augusto, ce que t'es chou! »

Nouveaux bécotages, pendant que Candéla discrètement tourne le dos. Je l'enlève quand même, la merveille, parce que ce n'est pas vraiment de saison. Augusto propose un tennis, je dis : d'accord, on enfile les tenues ad hoc et on gagne le court jouxtant la villa.

Augusto joue bien, un peu lourd dans ses déplacements, mais une bonne technique, du jarret et la « vista ». Moi c'est selon. Aujourd'hui rien ne me réussit, pas de jambes, la tête ailleurs, je loupe tout, et Augusto finit par râler :

« Tu roupilles ou quoi? »

Je dis :

« Excuse, j'ai pas fermé l'œil cette nuit, l'orage, je pense. »

On fait comme si on y croyait tous les deux. Nos rapports sont faits de ces petits mensonges acceptés, ça ajoute au charme.

On étire quand même la partie jusqu'au crépuscule. On rentre, on se douche, Augusto pique une tête dans la piscine, moi non, ça ne me tente pas. Je reste à le regarder qui crawle, j'écoute la sérénade de la vague en bas de la crique, et je rêve, toute triste, je me dis alors : le Marocain, qu'est-ce qu'il a pu penser de moi? Curieux, mais je n'y ai pas trop songé avant ce soir. C'est sans doute la venue de la nuit, les ombres qui s'allongent dans le parc, les premières lumières clignotant sur la côte en face, le vol lourd des phalènes. La mélancolie des choses me serre le cœur et je m'offre une tranche de spleen, tandis qu'à quelques mètres Augusto claironne des refrains gaillards aux étoiles.

La suite est sans surprise. Nous prenons le repas sur la terrasse, servis par Candéla qui est aussi cuistot. Augusto un jour m'a dit qu'il avait beaucoup roulé sa bosse et que c'était en Indochine où il avait tâté de divers jobs qu'il avait eu sa blessure à la jambe. C'est en tout cas ce qu'oncle Julio lui avait dit.

On s'attarde dehors, face à la rade, en buvant le café. Premiers appels sur la mer des oiseaux de nuit, battements d'ailes de ramiers qui cherchent leurs perchoirs dans le grand cèdre. Candéla prend congé, le couinement cadencé de la vieille bécane décroît et meurt.

On est rentrés. Augusto a passé une cassette porno sur son Sony, on a regardé, et sur les dernières images on s'est aussi amusés tous les deux. Augusto, jamais à cours d'idées, a imaginé des postures pas possibles : on ne s'ennuie pas avec lui, question mise en scène. Mais au bout, hélas! pas d'imprévu, la secousse, le staccato bouffon, et cette morve imbécile qu'il largue au petit bonheur.

... Des jours passent. Le manège tourne, poussant sa rengaine usée, avec ses personnages trop connus : Père qui traque héroïquement ses aïeux toute la journée et le soir s'encanaille au déduit, gouvernante et son miel et sa sueur et ses bouffes,

Augusto, les retrouvailles au bord de la piscine en cœur ou sur le court, et puis les coups de poignard réglementaires, l'estampille du maître. L'été. Les rites et les jeux. Et les soirs, quand le soleil éclate et part en lambeaux dans la trouée du goulet, les irisations de la vague qui mousse, les parfums de croûte chaude venus des pinèdes, les grands vols alanguis des mouettes dans la moirure rose.

Je pars très tôt de la maison, je roule sur la mobylette, cheveux dans le vent, je choisis ma grève, Trégana, les Blancs Sablons, je me baigne, je me lave de tout, l'eau est apaisante sur ma peau comme un baume.

Aucune nouvelle du Marocain. Augusto peut dormir tranquille, l'homme a pris peur et s'est ramassé dans sa coquille. Peut-être même est-il reparti? Ce qu'il a pensé de moi, je ne le saurai jamais. Plusieurs fois, alors que j'enfourchais ma mobylette, j'ai hésité, prise d'un désir toujours étouffé, toujours renaissant : aller jusqu'à Bellevue, au bas d'un immeuble jaune que je connais, guetter son passage, l'aborder, lui dire... Au dernier moment, le courage m'a manqué. Lui écrire? Téléphoner là-bas? Je ne suis même pas certaine qu'il s'y trouve, et je ne veux pas avoir affaire à cette femme, trop d'ombres entre nous, et de silences...

Je ne vais même plus au cimetière de Kerfautras : je suis sûre qu'Augusto me surveille, lui ou ses espions, il a des antennes partout. Le Marocain, s'il est toujours là, doit venir de temps à autre sur la tombe, et si nous nous rencontrions... Angoisse. Augusto saurait tout dans l'heure et c'est l'autre qui trinquerait. Je ne veux pas qu'il lui arrive malheur, comme à son frère!

Alors plus rien, finies les visites furtives et les fleurs du souvenir, plus de roses pour Djamel...

Les journées mornes et vides. Père qui trime,

gouvernante-du-jour, son sucre et sa tendresse de caïman, gouvernante-de-la-nuit, hurlant sa litanie écœurante dans l'alcôve paternelle.

Visite surprise de Lucie, ma sœur. Elle s'enferme dans la chambre avec moi, elle admire la veste de vison, l'essaie, puis s'en sépare, la rejette avec une sorte de rage.

Je la comprends, elle qui peine à s'acheter une robe, qui pour les rares réceptions au Cercle naval ou sur les navires doit user de mille subterfuges pour faire bonne figure (la parade, exercice capital dans la petite société des gens d'uniforme).

« Prends-la, si tu veux. »

Elle me regarde, elle a un air d'incrédulité un peu inquiète :

« Tu veux dire...

– Emporte-la, je te la donne. »

Je la vois tentée, puis la raison comme toujours l'emporte :

« Tu n'es pas sérieuse. Augusto apprécierait certainement !

– Augusto, je m'en...

– Tais-toi ! »

Elle vient vers moi, elle me prend contre elle, sans motif. C'est bon cette complicité soudaine. Elle parle, elle avait besoin de quelqu'un pour l'entendre parler de Truchaud, son mari, un minable dont elle ne peut plus endurer les frasques misérables, joueur impénitent, des ardoises semées aux quatre coins de la ville, écarté des salons chics de la rue Voltaire, geignard et cossard sauf pour la bagatelle, et là pas dégoûté, le Truchaud, tout lui est miel.

« Tu devrais divorcer. »

Conseil combien de fois prodigué, pour rien. Parce que c'est impossible, parce que la chose n'a pas encore sa place dans le code de valeurs fossilisé de ma sœurette, née Beau de Malestroit.

« Si je devais un jour le quitter, dit-elle... Non, pas tant que Père vivra. Tu imagines la tragédie! »

Je souris à la pauvre cocue coincée, avec une compréhension compatissante. Elle se tamponne les yeux, oui, elle a failli pleurer, elle m'embrasse, elle dit :

« Ça m'a fait du bien. »

Et court rejoindre son Truchaud.

Ce même soir, Père qui s'apprête à partir pour Paris a parlé de mon mariage, a cité des dates :

« Noël, par exemple. Oui, je verrai cela vers la fin décembre. »

Gouvernante a déjà préparé un cocktail raffiné de cérémonies et de mondanités, et en sortant de table elle m'a montré des catalogues spécialisés. Ma belle robe blanche, la traîne immense que soutiennent des angelots adorables, la fine fleur de Brest assemblée, toute cette faune décorée, chamarrée, que Père conviera aux festivités nuptiales... Gouvernante en évoquant le jour béni a de l'extase dans la prunelle.

J'ai dit :

« Ce sera merveilleux. »

Et je suis montée dans ma chambre. Là je m'offre un rêve, un rêve pour moi seule. Oui, je rêve d'un autre mariage, pittoresque et pur, dans les senteurs d'épices, la mélopée des femmes et le chatoiement des couleurs crues. Je rêve de ce qu'aurait pu être ma nuit de noces à moi, sous un ciel crépitant d'étoiles inconnues.

Je me touche l'abdomen, je le caresse. Est-ce qu'il n'a pas bougé? Est-ce que mon petit n'a pas bougé?

Et la glace de la salle d'eau, arrogante, me jette à la face l'image de mon ventre plat, et sur la commode la pendulette de cuivre ricane, jamais, jamais, jamais...

3

Mercredi 21 juillet. – 10 heures 45

Kef poussa une exclamation :

« Ça alors! »

Il étendit la main vers le coin du bureau directorial, bloqua son geste, comme un gamin pris en faute, et interrogea du regard Balavoine qui épiait ses réactions, le rail des sourcils immobile.

« Eh bien?

– Ma montre! Qu'est-ce qu'elle fiche ici?

– Un type l'a rapportée, dit Balavoine, il y a un peu plus d'une semaine. Elle est bien à vous?

– Oui, dit Kef. Je me faisais un sang d'encre!

– Alors prenez-la. »

Kef saisit le chronomètre, l'examina sous tous ses angles, le porta à son oreille avec un plaisir enfantin. Une ombre envahit son visage. Il regarda à nouveau son patron qui continuait d'enregistrer tous ses mouvements.

Stupéfiant, songeait Balavoine. Tout durant ces journées, il s'était dépensé pour résoudre ce petit mystère qui le tracassait : investigations officieuses auprès de concessionnaires régionaux de la marque, recherches discrètes autour de lui. Cent personnes étaient entrées dans le bureau, avaient pu voir le chronomètre posé au coin de la table. Rien. Et le hasard pur, ce matin, cette convocation de routine adressée à Kef pour qu'il aille accueillir à la gare un groupe d'agents du consortium en mission de travail à Brest. Voilà, celui qu'il cherchait si loin était à sa portée depuis le premier jour, Kef, qu'il considérait un peu comme son homme de confiance. Et Balavoine commençait à comprendre.

« Longtemps que vous l'avez égarée?

– Euh... Je ne sais plus exactement. Disons, une dizaine de jours. »

Balavoine nota la réticence : conscient de s'être imprudemment découvert, Kef amorçait un repli.

« Et naturellement vous avez fait une déclaration de perte? »

Kef se força à sourire. La fine moustache noire frémissait.

« Bien sûr, patron. Mais je n'y croyais guère : les honnêtes gens, aujourd'hui...

– Il y en a, vous voyez. »

Un silence lourd. Dans la pièce à côté, Laure éternuait, trois fois de suite, disait d'une voix tamisée par la matelassure de la porte :

« C'est un monde! »

Au micro dans le magasin une femme à la diction précieuse annonçait de nouveau la grande exposition russe et ses affaires en or. Il y eut des sanglots tremblés de balalaïka. Et Kef, sous les yeux froids qui ne le lâchaient pas, commença à perdre pied.

« Qu'est-ce qu'il y a, patron? »

Balavoine avança d'un pas :

« Vous voulez le savoir? Très bien. Kef, vous n'avez fait aucune déclaration de perte à la police. Tt, tt! Ne discutez pas! Aucune. Pourquoi? »

Nouveau silence.

« Ça aurait servi à quoi? dit Kef, minablement. Vous savez bien que neuf fois sur dix...

– Attendez. Le type, l'autre jour, a dit plusieurs

choses très intéressantes, et j'aimerais à ce sujet avoir votre avis.

– Des choses intéressantes? » répéta Kef.

Il avala sa salive avec difficulté, grimaça un autre sourire. Des perles de sueur brillaient à la lisière de la jolie moustache.

« Vous ne voyez vraiment pas? dit Balavoine. Parfait. Je vais donc vous aider. »

22 heures

C'était une de ses attributions. Un soir sur deux, en alternance avec Pivois, le collègue, il passait une inspection rapide, mais complète du magasin. L'essentiel de la protection du Globe était depuis quelque temps assuré par la société spécialisée Janus-International, qui avait la responsabilité des instruments de contrôle très sophistiqués et organisait ses propres tours de surveillance. Mais Balavoine avait tenu à garder l'habitude de cette première ronde, effectuée peu après la fermeture, et destinée surtout à vérifier que tout était en ordre pour la nuit, en palliant d'éventuelles négligences du personnel.

Pour Kef il s'agissait donc d'une besogne de stricte routine. Il avait ainsi calculé qu'il avait ouvert et refermé près de trois cents fois cette banale porte de fer peinte en gris, dissimulée sur l'arrière de l'hypermarché. Elle n'était utilisée qu'à cette fin, elle était le premier jalon dans un parcours parfaitement maîtrisé et sans imprévu, et Kef n'avait pas souvenance, par exemple, qu'une seule fois le précieux jeu de clefs dont il avait la charge lui fût tombé de la main.

Or ce soir la chose se produisait et cela n'était évidemment pas sans signification. Il venait de ramener à lui la porte de fer, il présentait le pêne à l'orifice, qu'il éclairait de sa torche, et sans raison le trousseau lui filait entre les doigts et tintait contre le ciment du corridor. Il le ramassa en mâchonnant un juron, donna ses tours de clef. Ça commençait mal, et comment non? Il avait les nerfs à vif.

Il remonta le couloir. Le pinceau de la torche dansait sur le crépi lisse du tunnel, faisant chatoyer les larmes d'humidité. Il poussa une porte basse, blindée et bardée de sécurités, se trouva dans un réduit, dont les parois se hérissaient de boutons et de voyants lumineux. Il détacha le couvercle d'une boîte métallique fixée à la muraille, pesa sur des touches : il plaçait de la sorte hors circuit, le temps de son passage, le dispositif d'alarme du rez-de-chaussée.

Il ressortit, referma. Quelques pas encore, une voûte, à main droite, trois marches, il déverrouilla la petite porte, dite de secours, donnant accès au premier niveau du magasin, derrière les armoires frigorifiques, dont les compresseurs bourdonnaient.

Il commença son inspection, contrôla les appareils en marche permanente, sinua dans les travées, visita les bureaux. Tout était normal. Les glacières étaient hermétiquement closes, les robinets des toilettes ne fuyaient pas et les « havanitos » de Chapalain, le chef des approvisionnements, s'étaient sagement éteints au fond des cendriers.

A deux reprises pourtant, pendant qu'il circulait entre les étals, son coude accrocha l'angle d'un présentoir et des articles tombèrent derrière la housse, mésaventure qui ne lui arrivait jamais et lui confirmait, si nécessaire, que ça ne tournait pas rond ce soir.

La vérité était qu'il planait, en plein désarroi, nerfs en pelote, muscles mous, l'intellect chaviré, comme après une piste carabinée. Mais les pistes il ne connaissait plus, Kef, depuis plusieurs jours, pas le cœur à la rigolade, une vie de trappiste. Oui, lui, le beau Kef, le tombeur, l'Apollon des bastringues!

Jusqu'à ce matin pourtant, il aurait bien été en peine de préciser ce qui le tourmentait. Ç'avait débuté avec le chrono suisse bêtement paumé dans le jardin public, une sacrée perte, sans aucun doute. Il y avait autre chose, il avait immédiatement pressenti que les emmerdements ça n'était pas fini, qu'il avait introduit le petit doigt dans un engrenage qui risquait de le happer tout entier.

A la réflexion, son malaise avait découlé de la réaction de Davila. Il avait appelé dès le lundi matin, lui avait dit qu'il avait égaré son chronomètre en or, restant toutefois muet sur la bagnole empruntée à Balavoine.

Davila avait piqué une rogne noire, avait commandé :

« Pas un mot à qui que ce soit! Et pour la tocante, laisse tomber, on s'arrangera. »

La contrariété manifeste de Davila avait troublé, puis rempli d'appréhension Kef, à tel point qu'il avait renoncé à la plupart de ses plaisirs coutumiers. Son service au Globe terminé, il réintégrait directement la H.L.M. de Pontanézen et n'en ressortait plus. Il ne répondait pas au téléphone, boudait Sylvaine, la jolie idiote avec qui il avait démarré un flirt le dimanche précédent.

Et tout à l'heure donc, ce qu'il redoutait confusément, la montre sur le bureau de Balavoine, le sermon du patron, qui exigeait qu'il se mette à table :

« Faute d'explication satisfaisante, Kef, j'ai résolu d'en référer aux autorités. Je vous donne jusqu'à demain matin. »

Kef émit une sorte de gémissement. Demain

matin. Il s'était fourré dans un foutu merdier! Il l'avait dit à Davila, au téléphone :

« Qu'est-ce que je fais? Si les flics me cuisinent, je tiendrai pas dix minutes. Alors quoi? Je balance tout à Balavoine? »

Et l'autre, très calme, qui le rassurait :

« Te mets pas dans cet état, bon Dieu! Je vais arranger ça. En attendant, motus! T'en as causé à personne?

– A personne. Qu'est-ce que vous comptez faire?

– T'occupe. Je m'en charge, ça doit te suffire, O.K.? »

Kef avait terminé au rez-de-chaussée. Il revint au local, remit en service la centrale d'alarme, grimpa à l'étage par l'escalier extérieur. Là il opéra de la même manière qu'au premier niveau, il neutralisa l'appareillage électronique et pénétra dans le magasin.

Il reprit sa patrouille, mécaniquement. Il ne comprenait pas. Il l'avait pourtant dit à Davila, qu'il y avait urgence : c'est dès le lendemain matin que Balavoine lui réclamerait des comptes. Dans quelques heures. Y avait-il une parade possible? Mais pourquoi tous ces mystères? Dans le meilleur des cas, lui, il perdait sa place. Il s'agissait de savoir si en plus on le flanquait au trou. Pour quelques méchants coups de poing, c'était cher payé! Que Davila ait voulu corriger le type qui faisait du gringue à sa nana, bon, d'accord, ça se discutait, mais ça n'allait pas bien loin, ça devait pouvoir se régler à l'amiable, non? Alors que si la police y fourrait le nez...

« Je vais arranger ça. »

Qu'est-ce qu'il espérait, Davila? Non, franchement, Kef ne saisissait pas.

Il était arrivé à l'emplacement consacré à l'exposition russe. Lentement, il évolua au milieu des personnages de la reconstitution. Le pinceau de la lampe alluma des lueurs troubles aux prunelles de verre des deux loups tapis dans la neige, comme prêts à bondir, des paillettes miroitèrent au timon de la troïka.

Il avançait, impressionné par ce théâtre mort. Sa main gauche frôla une masse moelleuse, eut un réflexe de rejet. La torche éclaira à plein l'énorme ours polaire à demi soulevé sur ses pattes arrière, les crocs qui luisaient dans la fente des babines.

Comme un phare le faisceau fit sortir de la nuit l'une après l'autre les pièces statufiées : le traîneau argenté derrière les trois chevaux au collier de cuir bleu piqué de grelots d'or, le couple de moujiks en houppelande rouge pelotonnés sur la banquette, leurs faces de cire brillant sous la capuche laineuse, et plus loin, les deux loups de la steppe, couchés dans la neige, sous les branches basses d'un sapin givré.

Il poursuivit son exploration, s'arrêta, se retourna. Il avait cru entendre un bruit, du côté de l'escalator. Il fouilla la zone obscure, en songeant qu'il déconnait complètement. Personne, bien sûr, une nouvelle blague de ses nerfs malades. Il se remit en route.

Presque aussitôt, il perçut un choc mat sur sa gauche, pensa à une porte ou une baie qui battait comme sous la poussée d'un courant d'air. Il écouta. Rien. Encore une divagation de son cerveau?

Pourtant il notait quelque chose qui avait mis en défaut jusqu'alors sa vigilance : une clarté dans le secteur administratif, une réverbération plutôt, dont la source n'était pas visible. Il partit dans cette direction, s'engagea dans le couloir d'accès aux bureaux.

La porte de Laure, la secrétaire particulière de

Balavoine, était tirée, mais non fermée. Une ligne de lumière s'en dégageait et courait sur la moquette de l'allée.

La voix cassée, il demanda :

« Il y a quelqu'un? »

Question stupide, se dit-il. Il eut un ricanement, poussa l'huis, constata que la lampe de bureau était allumée. Il réfléchit, tandis qu'il opérait une brève reconnaissance dans les autres bureaux. Que cette évaporée de Laure ait oublié de fermer la lumière, rien de surprenant. Mais Pivois, le collègue, avait en charge l'extinction des feux chaque soir. Lui aussi aurait négligé d'abaisser la manette du compteur général au rez-de-chaussée? Kef irait voir tout à l'heure en sortant. Distraction étonnante quand même, s'agissant du vieux Pivois. Mais c'était la seule explication.

Il éteignit la lampe, revint dans le magasin, plus tracassé qu'il ne voulait l'admettre. Ainsi cette lumière diffuse, il ne l'avait pas remarquée tout de suite, et il ne comprenait pas pourquoi. Et le battement de porte qui avait attiré son attention sur le secteur des bureaux? A cela non plus aucune réponse sérieuse.

Il soupira. Décidément, ce soir tout allait à vau-l'eau.

Quelque chose tomba, à l'autre extrémité, eut l'air de rouler un moment. Cette fois, il ne pouvait invoquer une facétie de son imagination.

Kef éteignit sa torche. Le bruit lui avait paru venir du secteur de l'exposition russe. Avec précaution, à l'estime, il navigua sur ce cap, atteignit la zone, les jambes cotonneuses, la sueur au front. Pas une mauviette pourtant, Kef. A dix-huit ans, en Algérie, il avait montré qu'il savait être très brave. Mais dans ce décor pétrifié...

Il progressa par avancées courtes, s'efforçant

d'étouffer le chuintement de ses baskets, les sens en alerte, guidé par la vague phosphorescence aux yeux des personnages.

Il s'arrêta, répéta, et le timbre de sa voix dans le silence de caveau lui arracha une secousse nerveuse :

« Il y a quelqu'un? »

Il sentait son polo collé à ses épaules. Courageusement pourtant il insista, il fit deux nouveaux pas.

C'est alors que tout partit. Il poussa un cri de surprise. Les rampes de néon en chapelet s'embrasaient. Tout près l'escalier mécanique se remettait à rouler, la chaîne transportant les marchandises des clients jusqu'au parking crissait à nouveau sur ses pignons, balançant ses casiers vides. Autour de lui, avec un temps de décalage, l'univers russe prenait vie, les guirlandes d'ampoules jetaient leurs flashes croisés, un chœur d'hommes en sourdine attaquait *Les Yeux noirs*, la troïka démarrait, courant sur des rails invisibles, dans le tintement cristallin des clochettes et juste devant lui l'ours polaire avec des saccades de robot étirait sa masse gigantesque.

Il recula, buta contre l'un des loups accroupis, dont la gueule rouge en s'ouvrant et se refermant clapotait. Il fit un écart, recula encore, dans l'explosion des lumières et des bruits, pris de vertige, halluciné.

Un objet dur se vrilla sous son omoplate, une voix ordonna dans son dos :

« Te retourne pas. Avance. »

Le canon du pistolet accentua sa pression. Kef obéit, marcha, guidé par le contact glacé, le souffle de l'homme tiédissant sa nuque. Une image, violente, déchira son cerveau : une balade à deux identique autrefois, en Grande Kabylie, quand il accompagnait un prisonnier à la corvée de bois. Seulement, cette fois, c'était lui le condamné.

Ils atteignirent la balustrade au-dessus de l'escalier. En bas, le vide noir.

« Stop! » dit la voix froide.

Kef se figea, regarda le trou d'ombre, commença à comprendre.

Derrière, les balalaïkas venaient d'entrer dans la danse.

22 heures 20

Commissariat central. Le jeune Filoche au téléphone bégayait :

« Quoi? Vous dites? »

A l'autre bout, le type posément répéta :

« Je vais me tuer.

– Vous... Faites pas l'idiot, mon vieux! Qui êtes-vous?

– Mes papiers seront sur mon cadavre.

– Voyons, voyons... »

Le stagiaire Filoche s'énervait, ne trouvait pas les répliques de circonstance :

« Pourquoi vous voulez vous...

– Pourquoi on se tue, vous croyez? Je suis au bout du rouleau, vous pigez? Mais je veux partir en beauté. Vous entendez la symphonie? »

Effectivement, Filoche percevait, sous la respiration fiévreuse de l'homme, les accents d'un ensemble à cordes.

« Où êtes-vous?

– En Russie.

– Doucement, hein, grinça Filoche, faudrait pas vous payer ma fiole!

– Croyez pas ça, dit la voix tristement. Vous verrez bien. Adieu, poulet.

– Mais attendez, sapristi! Qu'est-ce qu'on peut faire pour...

– Rien. Je suis déjà mort. »

Et on coupa. Le jeune Filoche reposa le combiné sur sa fourche et se tapota la joue, perplexe. Un plaisantin, sans doute. N'empêche que ça lui avait retourné l'estomac. Pas blindé encore, le stagiaire Filoche, beaucoup trop tendre. « T'en verras d'autres, mon garçon », se dit-il avec philosophie.

Il consigna d'une belle écriture appliquée l'étrange appel, posa son crayon et sifflota, envahi de plus belle par ses démons. Et si c'était pourtant vrai ?

Au terme d'un dense débat intime, il se résigna à prévenir le gradé de service. Bodart en personne se présenta, le teint gris et se grattant convulsivement l'entrefesse. Il a encore ses bobos, songeait Filoche, il va être d'une humeur... Bodart chaussa des demi-lunes, lut les quelques lignes du rapport, la lippe lourde, l'index fourrageant avec rage dans le sillon.

Il releva le nez, plongea par-dessus ses besicles :

« De la musique russe ? C'est bizarre... Attends. Y avait pas un truc sur les Ruskoffs dans le canard de ce matin ? Une exposition-vente ou quelque chose dans le genre ? »

Ils attrapèrent un *Télégramme* qui traînait. Bodart l'ouvrit, tourna des pages, dit :

« Pop, pop, pop ! Le Globe. Faudrait quand même tirer ça au clair ! »

... L'entrée de service de l'hypermarché était ouverte, ainsi que l'issue de secours de l'étage, et c'est ce niveau qu'ils visitèrent d'abord. Les rayons du magasin étaient éclairés à giorno, les deux escaliers mécaniques fonctionnaient et sur l'aire de l'exposition russe la troïka tournait, les fauves ouvraient la gueule dans le scintillement des cristaux de gel, et des voix d'hommes pathétiques chantaient *Stanka Razin.*

Kef n'était pas là. On ne le découvrit qu'après, au rez-de-chaussée, étendu sur le ventre au bas de la rampe d'escalier, le crâne éclaté.

KARIM

Mme Lecossec, la gérante du Tonkinois, lui tendit le journal, alors qu'il rentrait de la boulangerie, sa baguette sous le bras. (Elle lui permettait d'y jeter un coup d'œil chaque matin et pour le petit déjeuner, malgré l'interdiction officielle placardée sur les portes, elle tolérait qu'il le prît dans la chambre; elle lui avait même prêté une bouilloire.)

Elle était tout excitée en lui signalant le suicide qui avait eu pour cadre le Globe au début de la nuit précédente, et elle l'invita à prendre connaissance séance tenante de l'articulet en page régionale qui relatait succinctement les faits, en mettant l'accent sur leur contexte étrange : l'appel téléphonique adressé à la police par le désespéré et la découverte peu après dans le magasin illuminé du cadavre de Gildas Queffurus, dit Kef, au bas de l'escalier d'accès à l'étage, la mort étant, selon les premières constatations, consécutive à une chute du haut de la rampe.

Mme Lecossec livra ses réflexions personnelles sur l'événement. Elle était très bavarde et ayant trouvé en Karim un public disponible et patient, elle usait et abusait de la situation.

Dans la chambre, Karim relut le papier. Kef, ce nom ne lui disait rien, et le suicide spectaculaire du veilleur de nuit à priori ne le concernait pas. Mais cela s'était passé au Globe, et ce détail avait de quoi piquer sa curiosité. Il lui remettait en tête les déboires essuyés au cours de ces dix jours, où il s'était efforcé d'élucider l'énigme du jardin public.

En réalité, depuis son entretien avec Balavoine, il n'avait pas progressé d'un pouce. Les très rares échos qu'il avait pu glaner ici et là présentaient le directeur du Globe comme un type sans histoire, sérieux, bûcheur, bon époux et père attentif. Il était revenu à l'hypermarché, il l'avait épié de loin, sans oser l'affronter à nouveau. Pour lui dire quoi? A plusieurs reprises, il l'avait pris en filature, au sortir du Globe ou au départ de son appartement, rue Branda. Il n'avait découvert dans ses activités rien que de très transparent : rencontres avec des notabilités locales, visites à la Chambre de commerce, brève escale à l'heure de l'apéritif au siège du Lion's Club, sans oublier les déplacements avec sa fille, qu'il conduisait ponctuellement un jour sur deux à ses leçons de violon, rue Malakoff.

Il ne savait toujours pas ce qu'il attendait de cette surveillance, puisqu'il était bien entendu qu'en tout état de cause Balavoine ne pouvait être lui-même l'homme qui l'avait rossé l'autre nuit. Il se disait : « Je vais retourner le voir. Il sait certainement quelque chose, il a eu le temps d'y penser. Je lui fiche la trouille en lui disant mon intention d'avertir la police. »

Mais c'était resté au stade des résolutions et, pour résumer, il tournait en rond.

Même insuccès dans sa tentative pour joindre les deux Noirs, Attebi et Diallo : le premier n'en finissait pas de cueillir ses abricots dans le Midi; quant à Diallo, Karim avait appris qu'il était reparti pour son pays, le Congo, définitivement.

Il déjeuna, se rasa, et comme tous les jours il se rendit chez Marie-Marthe. Elle était au courant de l'incident et la coïncidence l'avait elle aussi frappée.

A 9 heures 30, une radio libre développa le fait divers du jour. Un garçon, qui se faisait appeler Charlie et disait « Bon, ben, quoi » à chaque phrase, expliqua que la police continuait à se pencher sur les circonstances peu banales du suicide. L'aspect théâtral que Kef avait choisi de donner à sa mort étonnait. L'homme était présenté comme cabot et m'as-tu-vu, mais plutôt joyeux drille et à coup sûr jouisseur, aux antipodes du détraqué morbide que semblait induire la mise en scène.

C'est ensemble qu'ils entendirent peu après le message, dans un flash spécial de Radio-Armorique :

« La personne qui a rencontré à son bureau M. Balavoine, directeur du Globe à Brest, le 12 juillet dans la matinée, est priée de se mettre d'urgence en rapport avec les services de police. »

L'annonce fut aussitôt reprise, sans aucun commentaire. Mais ce n'était pas utile : Karim venait d'apprendre qu'il était directement impliqué dans la disparition de Kef.

A partir de ce moment, les informations allaient se succéder en cascade, comme si une digue quelque part avait soudainement cédé. On fit pour la première fois état de déclarations importantes du directeur Balavoine, « éclairant d'un jour nouveau l'acte du désespéré ». On cita la formule sibylline du commissaire Bodart lâchant à un journaliste que « ce n'était pas du tout cuit ». On annonça une descente du parquet et l'ouverture d'une information confiée au juge Ghesquière.

Karim connut quelques instants d'irrésolution assez pénibles. Sans soupçonner par quel détour sa visite à Balavoine avait un rapport avec la mort de Kef, il avait lieu de penser que si, dans sa position particulière, obtempérer à la convocation de la police n'allait pas sans périls, des tas d'ennuis pouvaient aussi s'abattre sur lui au cas où il s'y déroberait.

Finalement, ce fut Marie-Marthe qui orienta sa décision. Elle était elle-même très partagée. Mais après avoir mis en balance les risques respectifs encourus elle fit valoir que pour le moment et tant que l'affaire n'aurait pas été décantée, il avait intérêt à faire le mort.

Attitude de sagesse, estima Karim. Marie-Marthe lui recommanda de changer de vêtements. Elle lui apporta des habits et des chaussures qui avaient appartenu à Djamel. Non sans émotion il enfila le Lewis, les tennis, la saharienne de son frère. Ils avaient sensiblement la même taille et la même corpulence, mais Karim avait beaucoup maigri durant sa captivité et le pantalon flottait un peu sur lui. Marie-Marthe lui laissa aussi un transistor pocket qu'elle n'utilisait pas et qui pouvait lui rendre service à l'hôtel.

Les précautions de la jeune femme étaient justifiées. A peine revenu au Tonkinois, il entendit à la radio l'avis de la police qui donnait le signalement du visiteur de Balavoine. Signalement fort heureusement assez flou et précisant surtout le type de vêtements portés par « l'individu » : blouson de toile beige à pattes d'épaules et pantalon d'été de même teinte. On notait les larges lunettes de soleil, dont l'inconnu ne s'était à aucun moment défait, on mentionnait un style d'étranger, peut-être de Portugais, mais on n'affirmait pas. Un détail pourtant : une blessure récente à la lèvre supérieure.

Karim ne quitta pas sa chambre de la journée, même pour s'alimenter. Il but de l'eau et croqua un reste de baguette. Il écouta sans discontinuer le transistor, mais n'apprit rien d'essentiel. L'inconnu, indiquait-on, n'avait pas encore déféré à la citation à comparaître. D'autre part, le directeur Balavoine continuait d'être entendu par la police.

Le lendemain matin, il descendit prendre le journal à la réception. Il redoutait un peu la confrontation avec la gérante, car la veille il avait miraculeusement échappé à sa vigilance. Mme Lecossec l'entretint longuement des développements de l'affaire Kef, mais sans malice. Elle lui fit même compliment sur sa nouvelle tenue qu'elle découvrait. Il se demanda souvent par la suite si elle n'avait pas établi un rapprochement entre son hôte et l'étranger dont on dessinait le portrait depuis vingt-quatre heures. Il n'en aurait pas juré. Pourtant il n'y eut jamais rien dans les paroles ni les attitudes de la brave femme qui ressemblât à une allusion ou à un soupçon.

Il remonta, il éplucha le canard local. Le « cas Kef » avait aujourd'hui conquis plusieurs colonnes, coiffées d'un titre sans surprise : « L'ETRANGE AFFAIRE DU GLOBE. » Les révélations tardives du directeur y tenaient la plus grosse place. A travers son récit, Karim revécut sa propre démarche onze jours plus tôt : l'entretien avec Balavoine; le chronomètre en or, ce qu'il avait déclaré au patron du Globe au sujet de sa mésaventure au jardin public.

Balavoine, après s'être étonné que son interlocuteur eût refusé de dire son nom, affirmait qu'il avait aussitôt pensé qu'il disait la vérité, bien qu'il n'eût pas admis d'emblée le rôle prétendument joué par sa propre voiture immobilisée dans le parking de l'immeuble. Il racontait aussi comment Kef, ayant reconnu sa montre, avait été incapable de répondre avec cohérence à la curiosité de son employeur, ses dénégations cachant mal un embarras extrême.

On tenait pour acquis à présent que la voiture avait été empruntée par Kef, ce dimanche soir

11 juillet, en l'absence de Balavoine. Ce n'était pas la première fois. On avait découvert dans le studio de Pontanézen une copie des clefs de la Datsun, que le factotum de Balavoine avait pu facilement faire réaliser à son propre usage, et plusieurs confidences réticentes laissaient entendre que « le beau Kef » se servait à l'occasion de la bagnole du patron pour éblouir ses conquêtes.

Mais quelque chose s'était passé ce dimanche qui avait mis à mal le plan de l'employé, car Sylvaine, la jeune femme avec qui il avait passé la soirée, était formelle : Kef l'avait rejointe dans sa propre voiture, une modeste GS, au reste entretenue et briquée de façon maniaque. Elle ajoutait que, venu au rendez-vous avec une bonne heure de retard, il était reparti presque aussitôt, ce qui confirmait que l'homme cette nuit-là avait l'esprit ailleurs.

On aboutissait au scénario suivant : avant de se rendre à son rancard amoureux, Kef avait fait le coup de poing au jardin de l'avenue Franklin-Roosevelt, perdant son chronomètre dans l'algarade. Ce détail l'avait troublé suffisamment pour l'amener à replacer la Datsun au garage. Par la voiture, qu'il avait identifiée, la victime était remontée jusqu'à Balavoine qu'elle prenait pour son agresseur. Lorsqu'il avait découvert que la responsabilité de son employé était engagée, le directeur du Globe l'avait averti qu'il envisageait d'en référer à la police. La menace avait été portée quelques heures avant le drame, et il était tentant d'établir entre les deux faits une relation de cause à effet.

Mais pourquoi, s'interrogeait le journaliste, Kef s'était-il suicidé ? Les motifs avancés, crainte de licenciement, voire comparution en justice, paraissaient légers. Ne fallait-il pas chercher l'explication plus haut, à l'origine de l'affaire, à cette curieuse échauffourée dans le jardinet avec le fantomatique inconnu aux lunettes sombres, qui persistait – et ce n'était pas le moins déroutant de l'histoire – à ne pas se manifester?

Karim connaissait donc à présent l'homme qui l'avait attaqué dans le jardin public. Et pourtant d'une certaine façon le mystère s'était encore épaissi pour lui, car Kef n'avait pas agi seul : il se rappelait l'arrivée fracassante des deux voitures et il y avait cette jeune femme à la voix inquiète. Rien de ce qu'il apprenait ne l'éclairait sur les raisons du piège ni sur la référence à son frère qui avait si bien endormi sa méfiance.

Il relut attentivement la biographie du défunt. On présentait l'homme comme riche en dons physiques, qu'il avait pu utiliser dans les métiers exercés : videur dans plusieurs boîtes et dancings de la côte, vigile, gardien de jour et de nuit, fonction qu'il exerçait au Globe. On citait sa conduite courageuse en Algérie en 62, quelques rixes sans conséquence auxquelles il avait été mêlé en dehors de ses activités officielles. (Une discrète allusion rappelait qu'il avait fait partie du service d'ordre musclé d'un ancien parlementaire de la ville.) On s'étendait avec une certaine complaisance sur les bonnes fortunes de ce quadragénaire de charme ancré dans le célibat.

Cela ne lui apportait rien. Ce dont au moins Karim était sûr, c'est qu'il ne s'agissait pas d'un suicide – cette thèse, officiellement du moins, ne semblait pas avoir été écartée – mais d'un assassinat, de même qu'il croyait comprendre que Kef n'avait été qu'un comparse qu'on avait supprimé pour qu'il ne parlât pas.

Il ne bougea pas du Tonkinois ce jour-là. Il sauta de nouveau le repas de midi et resta à l'écoute, se promenant sans profit appréciable d'une fréquence à l'autre. Il absorba en revanche jusqu'à la nausée disco et succédanés du genre, univers à quoi semblait se limiter l'ambition culturelle de la plupart des radios indépendantes.

A 16 heures, la brave Mme Lecossec, étonnée de ne pas le voir, vint aux nouvelles. Il lui dit que depuis la veille, effectivement, il ne se sentait pas très bien et qu'il avait préféré garder la chambre. Elle poussa les hauts cris, s'inquiéta de sa mauvaise mine :

« Vous n'avez rien mangé! »

Il était persuadé qu'elle ne le croyait qu'à demi, qu'elle le soupçonnait de jeûner par nécessité. Elle remonta peu après, lui apportant un bol de chocolat onctueux et des croissants.

« Et pour la chambre, ne vous tracassez surtout pas : on s'arrangera toujours. »

Vers les 19 heures il en eut assez de broyer du noir dans le carré exigu qui lui rappelait trop une autre claustration récente. Il descendit, dit en passant à Mme Lecossec qu'il était beaucoup mieux et qu'il sortait voir une amie.

Il se demandait si Marie-Marthe n'allait pas lui reprocher son imprudence. Mais elle parut surtout soulagée de le revoir. Elle lui dit que la veille, avec les rebondissements annoncés, elle s'était fait beaucoup de souci à son sujet.

Ils bavardèrent. Karim reparla de quitter sa peu confortable clandestinité. A nouveau, Marie-Marthe l'en dissuada, répétant que dans la situation d'illégalité où il se trouvait il n'aurait pas au départ le préjugé favorable, ni à la police ni dans l'opinion et qu'en tout état de cause il y laisserait des plumes. Et pour la seconde fois il convint qu'elle avait raison.

Il dîna avec elle. La nuit venait et ils n'allumaient pas, ils ne parlaient plus. Dans la chambre, le petit Samy roucoulait. Karim écoutait la musique enfantine, les yeux sur la fenêtre découpant un rectangle strié de bandes violettes, rouges et or. Les dernières hirondelles du soir criaient entre les cubes des immeubles. Tristesse et bonheur mêlés. Tant d'images contrastées, ce vide béant entre eux et la douceur chaude de cette présence charnelle et tendre... Marie-Marthe était auprès de lui, il la humait en silence, comme une fleur précieuse, interdite. Il aurait voulu lui dire : « Marie-Marthe, regarde-moi! Si je suis revenu, c'est aussi pour toi! » Il n'osait pas, il ne trouverait pas les mots, des mots justes qui ne fussent ni crachat ni blessure.

Et le moment vint comme toujours, où ils devaient se séparer. Il cassa le sortilège, il se leva :

« Voilà, Marie-Marthe, je vais rentrer à l'hôtel. »

Il alla vers elle. Elle était debout elle aussi, elle ne bougeait pas. Dans l'ombre que rendait moins dense le rayonnement d'un lampadaire extérieur, il voyait la tache blême de ses petites lunettes. Et il entendit l'invitation étonnante, presque chuchotée, à fleur de lèvres :

« Reste, Karim, si tu veux... »

Il se mit à trembler. Qu'est-ce qu'elle avait dit? Elle le regardait fixement, son souffle hachait le silence. Des éclairs crépitèrent sous le front de Karim. Dans un élan il l'enlaça, et il sentit que de ses seins et de son ventre elle disait oui.

« Marie-Marthe, ô ma chérie, Marie-Marthe, si tu savais! »

Mots d'amour, aveux, secrets murmurés, tandis que les corps se cherchent et se découvrent et s'exaltent, Marie-Marthe, ma bien-aimée, depuis si longtemps... Marée des paroles libérées, cette rage de caresses, l'ivresse, l'oubli monstrueux et le plaisir et la déchirure et puis la mer étale et déjà le jusant – deux corps côte à côte sur la couche moite, dix doigts noués pour retenir l'éternité, la respiration d'oiseau de Samy dans le berceau.

Et pour toujours cette pierre sur son cœur, ce regard sévère qui sera le compagnon désormais de leurs étreintes... Djamel à qui dans le secret de son âme il dit, pardon, frère, pour l'outrage et le bonheur dérobé! Marie-Marthe dans mes bras chaude et vivante, et toi prisonnier dans la gangue froide, les yeux pleins de terre, si triste, si seul...

Lettre de l'inspecteur stagiaire Filoche à ses parents dans la Somme.

« Samedi, 24 juillet

« Chers père et mère,

« Je profite d'une soirée libre pour vous donner de mes nouvelles, qui sont bonnes. Je ne dirai pas que je me suis habitué à la ville ni aux habitants, mais je commence à connaître des gens. Il fait beau. Je me suis baigné dimanche dans la mer avec le collègue Guichaoua, c'était froid, mais bien moins qu'à Cayeux quand on y était tous allés l'été dernier, vous vous rappelez? Et je n'ai pas eu le temps de m'ennuyer, vu qu'on a beaucoup de boulot du fait des vacances de pas mal de collègues, alors on est tous obligés de mettre la main à la pâte, on s'entraide, c'est normal, et moi, comme me le disait le commissaire Bodart, pour un baptême du feu ça me fait un joli entraînement! Il m'a dit que l'on était content de moi et que pour ma mutation l'an prochain il m'appuierait.

« Faut dire que j'ai été aux premières loges ces derniers temps, avec ce fameux appel du désespéré dont je vous ai déjà parlé et à Francine aussi, je lui ai dit qu'elle vous passe la lettre. Depuis ça remue dans le service! Des tas de choses n'ont pas été expliquées et y a eu descente du parquet, commission rogatoire, tout le tremblement habituel. C'est Bodart qui est chargé de l'enquête. Pour le moment, ça merdoie un peu. On n'écarte pas positivement le suicide, mais on n'a toujours pas trouvé un début d'explication à cette porte extérieure du magasin restée ouverte. (Les clefs étaient dans la poche du mort.) Tous ceux qu'on a interrogés et le directeur entre autres ont dit que Kef était très strict dans ses tournées, qu'il s'enfermait toujours durant le temps de sa ronde, comme d'ailleurs le règlement le veut.

« A propos du directeur, en voilà un qui n'a pas été très futé ou pas très coopératif, au choix : douze heures qu'il a attendu avant de parler de la visite de l'étranger et du chronomètre ! " Je n'avais pas fait le rapprochement ", voilà ce qu'il dit. Mon œil! Tout le monde ici pense que ce n'est pas exactement cela, que le type a paniqué au début, vu qu'il n'avait pas très bonne conscience : s'il n'avait pas flanqué la frousse à son employé, probable qu'il serait encore vivant. Paraît que depuis il est en pleine déprime, et Bodart maintenant lui fiche la paix. N'empêche qu'il a eu de la veine d'avoir notre patron en face de lui. Bodart c'est pas le type à trop chatouiller un chef d'entreprise. Comme me disait Jef Chabert, avec un smicard, pardon, autre musique!

« En voilà un qui ne décolère pas. L'O.P.A. Chabert, je vous en ai déjà causé. Il a été très chic pour moi quand je suis arrivé, serviable et tout. Avec Bodart c'est à couteaux tirés, pourquoi, je ne sais pas trop. Pas le même moule les deux hommes, c'est sûr. Bodart c'est service-service, tout dans les formes, discipline et compagnie. Alors que Chabert... Ça ne va pas fort, on dit, dans son ménage, alors il picole, le pauvre, faut voir comment, et même dans son boulot, pas toujours sérieux, Jef, c'est certain. Ici tous les collègues sont d'accord comme quoi

Bodart lui a fait une vacherie. Chabert partait en congé. Vlan! Voilà que Bodart remet tout en cause, intérêt supérieur du service, c'est la formule, il joue là-dessus à fond, bref il exige que Chabert reste sur place pour le seconder dans l'enquête. Vous pensez si l'autre n'a pas digéré la chose! Il n'arrête pas de casser du sucre sur le dos du patron, Gros-Dard qui l'appelle, vous vous rendez compte[1]!

« Je l'aime bien, Jef Chabert, il est brave et pas fier, mais je ne m'affiche quand même pas trop avec lui, vu qu'il n'a pas bonne presse ici et j'ai besoin de Bodart pour ma mutation, faut être lucide et réaliste.

« A part ça, tout va bien, sauf que je me languis de vous et de Francine. Embrassez-la pour moi. En attendant de vous revoir, peut-être à la ducasse de Saint-Léger, si tout se passe bien, croyez que je reste, malgré l'éloignement,

« Votre fils affectueux qui vous aime,

« Ludovic »

« P.S. On n'a toujours pas mis la main sur le visiteur de Balavoine, qui aurait sans doute des choses à nous dire. C'est à se demander s'il n'a pas quitté le coin. Ou alors il se cache. Mais pourquoi? »

1. Voir *Les Sirènes de minuit.*

4

KARIM

Karim avait quitté Le Tonkinois et la brave Mme Lecossec, tout attendrie. Il ne lui avait pas menti :

« Une amie accepte de m'héberger. Mais je reviendrai vous voir, c'est promis. »

Il s'était installé à Bellevue, il était chez lui, il connaissait ce qu'il n'avait jamais éprouvé : la vie banale d'un couple anonyme autour d'un berceau, ponctuée par les tâches domestiques, les courses dans le quartier, les discussions passionnées jusque tard dans la nuit et après, les somptueuses fêtes du corps.

Marie-Marthe était une compagne disponible et chaleureuse. Il lui avait tout dit, son long amour muet, la révélation brutale, un après-midi de mai dans les dunes de Sainte-Marguerite, qu'un autre l'avait précédé auprès d'elle, son propre frère – et sa fuite, comme un suicide, la cause directe de ce qui était arrivé quelques mois plus tard.

« Si je n'étais pas reparti, Djamel... »

Alors, elle avait mis ses doigts contre ses lèvres, très doucement :

« Ne parle pas, tu te fais du mal, je suis là, Karim, ne parle pas. »

Apaisante, maternelle. Bonheur émollient, comme

une drogue ou un philtre. Bonheur un peu lâche de se laisser chérir, d'être à côté de celle qu'on aime, la nuit et le jour et encore la nuit. Oubli...

Parfois, il secouait le charme, il se disait que c'était trop beau, trop apprêté, que Marie-Marthe jouait un rôle et que les bras qui l'étreignaient étaient les liens charmants par lesquels elle l'écartait de la tentation et du danger. Il y songeait une heure. Deux mots affectueux, un baiser tendre, il s'abandonnait à son engourdissement euphorique. Vivre, mordre dans la vie à pleins crocs, comme le lui avait conseillé le jour de son arrivée le vieillard Nathanaël... Vivre comme les autres, être un couple authentique, qui se baladait, qui prenait le frais sur le banc de fer d'un square, tandis qu'un chérubin bronzé à côté pépiait au fond d'un moïse rose...

Chaque matin, Karim faisait les courses, le filet à provisions au bras. La boulangerie, le Sup-Avam, Césario, le marchand de primeurs maltais... Quelquefois, Samy lui tenait compagnie dans sa poussette, les passants les regardaient, on faisait fête au petit bonhomme à la bouille hâlée; on croyait que c'était son fils.

Les après-midi de soleil, souvent ils poussaient une pointe jusqu'aux grèves : Pors-Guen, Sainte-Anne du Porzic, Trégana, Bertheaume... Karim jouait avec l'enfant sur le sable, dans les vagues, les gens souriaient aux cris ravis du bébé. Il se disait que le monde était bien fait, les barrières étaient tombées, il n'y avait plus de frontières de peaux ni de races...

Il laissait pousser sa barbe en collier et déjà, assurait Marie-Marthe, il était devenu méconnaissable. On faisait des projets. Marie-Marthe l'encourageait à se mettre en règle avec les autorités. Elle avait certainement raison, il disait oui, il reculait toujours la démarche, en soulignant que le risque persistait qu'on l'identifiât avec l'inconnu du Globe, même si « l'affaire Kef » paraissait s'être peu à peu assoupie dans la tiédeur de l'été.

L'argument n'était pas sans fondement, mais dans son for intérieur il savait bien que sa répugnance à franchir le pas recouvrait autre chose, une manière de crainte superstitieuse, l'appréhension du geste définitif qui signifierait qu'il avait renoncé. Renoncé à quoi? Tout n'était-il pas déjà consommé? L'affamé de vérité et de justice poussait une voiturette dans les allées des squares.

« Tu devrais te réinscrire en Fac, à la rentrée, disait Marie-Marthe, terminer tes études de droit. Ou alors pour changer, va voir du côté de la section celtique : on dit que ça marche à tous les coups! »

Elle riait elle-même de sa boutade et il était heureux de cette gaieté renaissante.

Au hasard d'une course, il rencontrait d'anciens camarades. Les nouvelles vont vite dans l'univers restreint des immigrés; ses compatriotes pour la plupart savaient qu'il était de retour à Brest. Il retrouvait ses frères de race tels qu'il les avait quittés deux ans plus tôt, traînant leur mal du pays des campus silencieux aux rues presque vides, impécunieux et dignes, leur subsistance souvent réduite à sa trame de survie, un repas sur trois, du simple pain parfois, trempé dans de l'huile, cependant que partout autour d'eux les citadins s'éclataient au soleil, dans l'insouciance de l'été.

Ils causaient, un peu gênés les uns et les autres, des bourses qui tardaient une fois de plus, du racisme aux cent visages, de la répression là-bas, on l'interrogeait sur ses épreuves. Par pudeur sans doute, on évitait la plupart du temps toute allusion à la fin tragique de Djamel, et lui non plus il ne prononçait pas spontanément son nom.

Les journées s'écoulaient paisibles et immuables, à l'image de Nathanaël, le vieux prophète noir, figé dans sa faction de songe sur le pliant à raies, au bas de l'immeuble. Karim l'évitait. Il devinait trop ce qu'il lui dirait, lui qui avec ses yeux éteints lisait dans les cœurs.

L'enquête sur la mort de Kef paraissait tombée en léthargie. Eux-mêmes l'avaient rayée de leurs propos, sinon de leurs pensées. Effacés aussi le guet-apens du jardin public et la femme mystérieuse et le billet sous l'essuie-glace qui disait : « J'aimerais vous parler de votre frère. »

Karim pourtant n'oubliait pas Djamel. Moins que jamais. Il le portait en lui, il était sa conscience, son double sévère. Car il y avait deux Karim : l'officiel, le Karim domestiqué et un peu bêtifiant, et l'autre, qui regardait et jugeait. Ce second Karim, par exemple, n'avait jamais vraiment été dupe : les manifestations passionnées de Marie-Marthe n'avaient pas durablement altéré sa lucidité. Quand ils faisaient l'amour, il lui arrivait d'éprouver la désagréable impression d'un échange de personnes, un peu comme si Marie-Marthe continuait à coucher avec le disparu par frère interposé. Djamel encombrant, Djamel au cœur de leurs cachotteries mutuelles, de leurs terres interdites.

La présence parfois était trop pesante, le masque craquait et un flot suintait par cent fissures. Elle remarquait sa soudaine tristesse, elle n'interrogeait pas, elle savait, elle lui caressait la tempe ou le front avec douceur, pendant qu'avec Djamel en croupe il caracolait dans le temps... Cette grave maladie de la petite enfance. On disait Djamel condamné et Karim aussi l'avait appris. Tout le jour il attendait, dissimulé dans la pénombre de la chambre, le cœur éclatant de défis, il couvait le visage livide de son frère, et quand ils étaient seuls, malgré l'interdiction maternelle, il s'approchait, il prenait la main fiévreuse et de toute son âme il lui insufflait sa force.

Plus tard, le serment échangé derrière la case du maître coranique, l'entaille du canif aux poignets, leurs deux sangs mêlés : « A la vie à la mort. Tout ce qui sera tien, bon ou mauvais, je jure qu'il sera également mien. » La promesse, hélas! n'avait pas été tenue, et Karim savait qu'à jamais il porterait, gravée au secret de son cœur, la marque du parjure.

On allait entrer dans la deuxième moitié d'août. Le soleil crânement persistait à briller. Brest, la lugubre fosse à pluie, se payait un caprice méditerranéen. Autre source de remords pour Karim. La pensée que Djamel, cet amoureux de la lumière, n'en profitait pas lui était insupportable. Et il lui en demandait pardon, quand le soir il se rendait sur la tombe. Il rentrait et c'étaient les rires de Samy, l'anneau des bras chauds à son cou, ils s'aimaient et tout recommençait.

Et puis le Maître du Temps, qui lui aussi sans doute somnolait, se ressaisit. Il tira sur les fils de leurs vies et leurs destins à tous basculèrent. Il suffit d'une rencontre près du pont de Recouvrance, un dimanche après-midi. Mais ç'aurait pu être ailleurs, un autre jour, cela devait arriver.

C'était le 15 août. Ils n'avaient pas quitté Bellevue : Samy s'était enrhumé, rien de méchant, mais Marie-Marthe avait préféré le garder à la maison.

Vers 15 heures, elle lui demanda d'aller à la pharmacie. Elle nota les médicaments à prendre, il partit à la recherche d'une officine de garde, en trouva une au bas de Recouvrance. Il fit son emplette, ressortit.

Un appel de klaxon attira son regard. Il aperçut la grosse BMW arrêtée le long du trottoir, une femme au volant qui lui faisait signe. Il s'approcha en se demandant s'il n'y avait pas méprise : il ne connaissait pas cette jeune et, semblait-il, jolie personne, petite blonde aux cheveux longs retenus aux tempes par des fibules en forme de marguerite, un fin visage, dissimulé par les deux énormes disques des lunettes de soleil.

Il était à la portière, le moteur vrombissait. Elle jeta un regard circulaire, dit :

« Montez. C'est moi qui vous avais laissé un message. »

Il hésita une seconde ou deux, au cours desquelles s'affrontèrent beaucoup de choses, réflexe de méfiance, lassitude de l'aventure, tentations de la sagesse et du confort et, plus impétueuse encore, cette fièvre de savoir qui lui fouettait le sang, intacte, tyrannique.

Il s'assit à l'avant auprès d'elle. Elle déboîta, s'arracha au trottoir d'un jet, fila vers la longue rue de la Porte.

« Pas commode de vous mettre le grappin dessus, dites donc! Vingt-quatre heures que j'essaie de vous voir seul. Bon, continua-t-elle sans expliciter ses propos, que je vous explique, pour l'autre soir. J'y suis pour rien, le punching-ball, je veux dire, au bas du Monument américain. Moi je désirais réellement qu'on bavarde. C'est Augusto qui a tout fait foirer. Augusto, mon fiancé. Il m'a vue glisser le billet sous l'essuie-glace et il n'a pas aimé. Il est d'ascendance espagnole, Andalou ou quelque chose du genre, jaloux comme vingt matous. Il a rameuté ses copains, tout ce gentil monde m'a filoché le train jusqu'au lieu du rancard et voilà : la suite, vous connaissez. C'est une brute, il m'adore, s'il savait que je vous ai revu il nous tuerait tous les deux. Un gros jaloux, je vous dis. »

Elle avait parlé très vite, avec une espèce de légèreté fiévreuse.

« Je peux vous poser une question? dit Karim.

– Allez-y.

– Comment avez-vous eu connaissance de ma présence à Brest? Le jour même de mon arrivée?

– Un pur hasard, je vous expliquerai ça. Moi je vous croyais loin. Vous n'étiez pas en taule au Maroc?

– Il arrive qu'on sorte de prison.

– Evadé alors? »

Il ne répondit pas. Puis :

« Qui vous a parlé de moi?

– Ça aussi je vous le dirai. Plus tard. »

Elle n'arrêtait pas de contrôler ses arrières dans le rétroviseur et rien qu'à ce tic il la devinait crispée, malgré la désinvolture affichée. Ils continuèrent à grimper à vive allure la rue étroite, mais qui était peu encombrée et le resterait jusqu'au retour des plages.

Elle reprit :

« Aujourd'hui, ça tombe bien : Augusto est absent de Brest ce week-end. Régates de wind-surfing à Dinard, vous devez être au courant, il y avait toute une tartine là-dessus dans *Ouest-France* hier. Augusto ne participe pas aux épreuves, mais il vend la camelote, ça l'intéresse donc. Il est parti en avion avec des copains, m'a laissé sa bagnole. »

Nouvelle œillade au rétro extérieur.

« Pas de larbins en vue. Ils ont dû bouffer la consigne. En principe. »

Il l'écoutait, troublé, les yeux fixés sur ses jambes bronzées, que la robe de plage dénudait jusqu'à mi-cuisses, cependant qu'ils roulaient à fond de train dans les hauts de Saint-Pierre.

Elle évita de justesse un grand-père qui traversait la chaussée en contemplant rêveusement ses pieds, cria :

« Vieux con! »

Relança la voiture. Deux minutes qu'il était auprès d'elle et il n'avait pratiquement pas ouvert la bouche. Etourdi, stupide. Il s'ébroua, n'osa pas pourtant poser la question, la seule question qui comptait : « Pourquoi vouliez-vous tellement me parler de Djamel? » Il biaisa :

« Le type qu'on appelait Kef... Il était bien parmi ceux qui m'ont tabassé?

– C'est ce que j'ai cru comprendre en lisant la gazette. Moi je ne le connaissais pas. Et je n'ai rien vu.

– Il est mort... On l'a supprimé? »

Elle ne répondit pas immédiatement. Elle fit un appel optique furibond, dit d'un ton détaché :

« Possible. Allez savoir...

– Qui? Pourquoi?

– Trop de questions. Je ne sais pas.

– Augusto? »

Elle répliqua avec plus de force :

« Je ne sais pas! »

Et aussitôt :

« Vous êtes vivant, vous! C'est déjà ça! »

Il insista :

« Il y avait d'autres types avec Kef?

– Je vous répète que je n'ai rien vu. Mais c'est pas à écarter. Augusto a beaucoup d'associés qui pour lui être agréables se feraient hacher menu.

– Des associés?

– Des copains, si vous préférez, de chasse, de sport, d'affaires, ou pour des tas de vieilles raisons où je n'ai jamais mis le nez. Je vous refilerai une liste des partants possibles. Pour le cas où ça vous tenterait d'aller leur chanter pouilles. Initiative hardie et peut-être salubre, mais qui risque de vous attirer quelques nouveaux pépins. »

Elle tourna aux derniers feux de Saint-Pierre, revint vers le centre par le boulevard de Plymouth.

« Ecoutez-moi. Il faut qu'on se voie tranquillement, pas comme ça, entre deux portes. J'ai des choses à vous dire.

– Sur Djamel? »

Elle ne se dépêchait pas de répondre, finissait par lâcher, comme à regret :

« Oui.

– Qu'est-ce qui s'est passé?

– Ça va, m'en demandez pas plus. Pas maintenant. Ce soir, on aura tout notre temps. L'occase : je suis vraiment seule à la maison. Père et sa mousmé sont à Paris. Père avait de grosses légumes à relancer pour sa décoration. D'accord, vous n'êtes pas au courant. Aucune importance. »

Un court silence, et elle demanda :

« 21 heures chez moi, ça vous botte? Possible? »

Il dit :

« Je ne sais pas. »

Et resta muet. En lui un maelström de pensées, de la tristesse aussi, la certitude d'un irrémédiable gâchis.

« Pourquoi? dit-elle. Vous avez la pétoche? Vous vous dites : je vais encore me faire pigeonner comme l'autre soir? Exclu : je vous répète que je suis seule et libre comme le vent tout ce week-end. Je vous aurais proposé une heure moins tardive, maintenant, par exemple. Mais c'est risqué : ma sœur Lucie, qui n'aime pas me savoir solitaire, est fichue de rappliquer avec son idiot d'époux. A éviter. »

Elle avait pris par la transversale de la rue

Saint-Exupéry, accélérait encore. Elle rata d'un cheveu l'accrochage en doublant une CX, se rabattit trop abruptement, essuya une riposte grincheuse de sa victime, phares et klaxon. Elle lâcha le volant pour dessiner un superbe bras d'honneur, rigola :

« Pas le moment de froisser de la tôle. C'est la bagnole à Augusto et j'ai pas encore mon permis! »

Ils étaient revenus dans le bas de Recouvrance. Coups d'œil circonspects sur ses flancs. Elle choisit son créneau, stoppa. Elle lui tendit un papier :

« Mes coordonnées. Filez vite. A ce soir. »

Il sortit, et déjà elle n'était plus là, la grosse voiture fonçait en direction du pont, s'évaporait au tournant.

Il reprit la 4 L et repartit vers Bellevue, sans se presser. Un très bref examen de la situation et il décidait qu'il irait au nouveau rendez-vous. Est-ce qu'il en parlerait à Marie-Marthe? Sa réaction ne faisait aucun doute : elle serait contre. Elle était restée marquée par l'incident du jardin public et ne manquerait pas d'envisager le pire. Il était, lui, à peu près persuadé qu'il ne courait ce soir aucun danger. Mais inutile, estima-t-il, de provoquer prématurément les appréhensions de Marie-Marthe : il ne la mettrait donc pas au courant.

Elle n'était pas à l'appartement. Samy dans son berceau bavardait avec les mouches en suçotant son pouce, les narines luisantes. Il joua avec l'enfant. Marie-Marthe remonta peu après de la cave, portant un casier plein de légumes.

« Tu en as mis du temps!

– Oui, on faisait la queue à la pharmacie de service; le bonhomme avait l'air complètement dépassé. »

Il lui tendit la pochette et détourna la tête, embarrassé par son mensonge. Il avait l'impression que l'entretien avec la jeune femme avait laissé une trace sur son visage, qui le trahissait.

Mais Marie-Marthe ne remarqua rien. Elle soigna Samy, s'occupa du repas. Dix fois, il voulut lui annoncer son programme de la soirée; il ne put trouver l'ouverture. Gauchement, presque à la fin du dîner, il se jeta à l'eau. Il avait eu le loisir de préparer son couplet :

« Marie-Marthe, je dois sortir. Omar, tu sais, ce type de Mogador qui a eu ses deux oncles arrêtés? Il aimerait bavarder avec moi. Je l'ai rencontré tout à l'heure en sortant de la pharmacie et ça m'a d'ailleurs encore retardé. »

Il avait créé de toutes pièces le personnage, mais la situation qu'il évoquait était, elle, hélas! plausible.

Marie-Marthe ne fit pas l'étonnée, elle ne sollicita aucune précision. Les yeux baissés, elle mâchait sa tranche de jambon en silence, le visage sévère, et il sut qu'elle ne croyait pas un mot de son histoire. Le rouge de la honte lui enflamma les joues. Qu'est-ce qu'elle pouvait bien être en train de s'imaginer? Il aurait voulu la détromper et il se taisait, ligoté par son invention initiale, furieux contre lui-même pour cette peine qu'il lui infligeait.

Samy à côté d'eux chantonnait. La mouette Gertrude se posa sur le rebord de la fenêtre et exécuta son gracieux numéro. En pure perte : ils ne la regardaient pas.

Il essaya de faire tomber la tension :

« Ça m'ennuie de te laisser, Marie-Marthe, mais le brave Omar a tellement insisté! Il faisait pitié à voir, tu sais, et je n'ai pas cru... Je ne rentrerai pas tard. »

Il pataugeait dans sa fable, sans aucun profit : Marie-Marthe ne réagissait pas.

Puis elle se leva, elle dit, étrangement :
« Tout recommence... »
Il ne comprenait pas :
« Marie-Marthe, qu'est-ce que tu veux dire? »
Elle parut déboucher d'une autre planète, ses paupières battirent derrière ses verres ronds :
« Je ne sais plus où j'en suis, excuse-moi, j'ai un peu mal à la tête. Oui, va, Karim, va réconforter ce pauvre gars. »

21 heures 5

Le 17, rue de Denver, était une des rares maisons particulières de ce quartier bourgeois et tranquille, alignant sa suite d'immeubles cossus face à la rade, le long des allées du cours Dajot, la perspective la plus élégante de la ville. Solide bâtisse à deux niveaux surélevés, en retrait de la rue, schiste patiné, fenêtres carrées à croisillons et débauche de granit rose.

Il poussa la grille, remonta le jardinet et gravit l'escalier extérieur. La porte n'était pas fermée à clef. Un carton glissé derrière l'entrelacs de fer forgé arrêta son geste vers la sonnette. Il lut l'invitation : « Entrez. C'est ouvert. »

Il s'exécuta. Une musique frappa aussitôt son oreille, arrivant d'assez loin : la voix meurtrie de Jimmy Cliff qui chantait *Many rivers to cross* :

> *Many rivers to cro-o-oss*
> *And it's only my will that keeps me alive*
> *I've been ripped, washed up for years...*

Personne ne venait. Mais une coulée de lumière s'échappait d'une pièce au bout du hall par la double porte aux trois quarts ouverte. Il traversa le vestibule somptueux, moquette laineuse, rehaussée d'un tapis de prière oriental, consoles précieuses, éclat des glaces et des pendeloques de cristal.

Il était à la porte, il regardait, dans l'immense salle de séjour, les meubles laqués, les fauteuils profonds, les vitrines garnies de bibelots rares, tous les signes d'un luxe raffiné.

D'un point invisible sur sa gauche, le Jamaïcain continuait à pousser sa plainte poignante :

My girl left me but she wouldn't say why
Guess I'll break right down and cry...

Les deux baies étaient grandes ouvertes. A travers les voilages diaphanes qui remuaient faiblement à la brise, il distinguait derrière les frondaisons du cours un morceau de rade, lavis sépia et vieil argent, que mouchetaient les fanaux d'un navire à l'ancre. A l'angle droit de la pièce, une flambée ronflait malgré l'été dans l'imposante cheminée de pierre au manteau sculpté d'un blason.

Il ne l'aperçut pas tout de suite. Elle était étalée sur le flanc au creux d'un canapé de cuir blanc cassé très enveloppant, à demi dissimulée par le bas du large escalier de granit aux balustres ciselés, dans le faisceau court d'une coupe d'opaline posée sur le tapis. Nue. Ses cheveux blonds éparpillés en houle sur les coussins, elle l'observait, un verre à la main. Elle hocha la tête, dit avec une emphase bouffonne :

« Approche, bel étranger. »

Il fit quelques pas, mal à l'aise. Sa silhouette projetée par la lumière du foyer courait sur la tapisserie claire.

I've been ripped, washed up for years
And I merely survive because of my pride

L'enregistrement s'achevait. Karim perçut le léger déclic du mécanisme et dans le silence retombé le craquement d'une bûche contre les chenets. La jeune femme roula sur le ventre, tendit la main. La lampe basse s'éteignit. Dans la pénombre une forme pâle surgit devant lui. Le choc d'un parfum violent. Avant qu'il eût pu réagir, il reçut l'empreinte d'un corps brûlant qui se collait au sien. Des doigts tâtonnaient contre sa cuisse, essayaient de le défaire de son vêtement.

Il l'écarta d'une poussée brutale :

« Vous êtes malade? Allons, rallumez! »

Elle perdit pied, dut buter contre un meuble, lâcha un juron trivial. La lumière revint. Debout à quelques mètres, la jeune femme lui offrait sa nudité gracile, petits seins comme en ébauche, hanches quasi rectilignes, ventre plat sur lequel tranchait comme une résille miroitante le renflement de la toison claire.

Une fillette, aurait-on pu dire, une fillette précoce et un peu perverse. Elle avait bu, beaucoup : le flacon de whisky posé à même le tapis était presque vide. Elle titubait. Sous les paupières lourdes le regard avait la flamme inquiétante qu'on voit parfois aux drogués. Il remarqua un vêtement au sol, il le ramassa, le lui jeta :

« Habillez-vous. Après, on causera.

– Causer? dit-elle. Pourquoi? »

Elle eut un rot malodorant.

« Pas envie de causer. Je voudrais coucher avec toi. Je te choque? Pas à ton goût la belle Aude de Malestroit? »

Un flux de colère enlaidit le délicat minois. Elle cria :

« Pour qui tu te prends, hé, mal lavé? T'es moins

difficile avec la poule de ton frère! Tu la tringles bien, elle, et dans les draps même du frangin! »

Il avança d'un pas et il la gifla. Elle chut sur le canapé, y demeura vautrée, l'expression hébétée. Il répéta :

« Habillez-vous. »

La fureur décomposait sa voix. Elle lui décocha un regard en dessous, renifla, attrapa le vêtement, un déshabillé bleu pâle, gansé de dentelles. Elle l'enfila en se déhanchant, omit de nouer la ceinture.

« Ça vous va? »

Elle retomba sur le canapé blanc, se massa la joue.

« Vous m'avez fait mal. Vous n'êtes qu'une sale brute. Tant pis pour vous. On était peinards, mon père et sa grognasse absents, mon fiancé hors d'état de nuire. »

Elle se courba pour se verser à boire, l'invita du geste, peu rancunière :

« Y a des verres dans le bahut sur votre droite. »

Il fit comme s'il n'avait pas entendu, il s'approcha du canapé sans s'asseoir.

« Parlez-moi de mon frère. Vous le connaissiez? »

Elle parut ne pas entendre, elle dit :

« A la bonne vôtre! »

Elle absorba une solide dose, fit claquer sa langue :

« Z'avez tort, je vous dis. On avait la baraque à nous seuls, on s'en serait payé! Augusto dit que je fais bien l'amour. »

Elle commenta l'information d'une grimace boudeuse. Elle était désarmante de candeur apprêtée et rouée. Femme-enfant, écolière dévergondée, la séduction acide du fruit vert, elle évoquait tout cela à la fois, avec quelque chose en elle de révolu déjà, d'irrémédiablement perdu.

La voix dérapait, empâtée par l'alcool. Mais l'ivresse n'affectait guère l'agilité de la pensée, lui conférait au contraire une sorte d'allégresse féroce :

« Je vous disais donc que le paternel est à Paris, pour sa médaille, une de plus qu'il va pouvoir épingler sur sa mâle poitrine. C'est un brav' général, mon papa, le général Gonzague Beau de Malestroit. Avec ça, une très belle âme, une haute moralité très catholique! Il a sa place à l'église Saint-Louis jouxtant celle de l'ex-sénateur Chose. Presque chaque année il fait sa petite cure de sainteté à Solesmes, défense de rire. »

Elle gloussa un moment, reprit :

« Ma mère est morte : bourgeoise et cocue à vie. Faut être juste, il a également besogné dans le sillon légitime, mon papa, il s'est fabriqué une belle famille, des tas de garçons et de filles, tous plus vieux que moi, tous casés. Moi je suis le « coucou-me-voilà », le fond de la bouteille! Mère a jamais rien entravé aux astuces de la ménopause et hop! je m'amène. »

Elle but derechef, ses lèvres sifflaient contre le verre. Distraction ou calcul, elle avait desserré les cuisses et il entrevoyait la corolle étalée. Il détourna le regard. Elle continuait, les yeux à demi fermés, en frottant le verre contre son menton où perlait une goutte d'alcool :

« Père vit avec sa gouvernante. Une personne ben dévouée, allez. Elle le quitte pas, ni de jour ni de nuit... Il clamsera au plumard, c'est sûr, on lui fera un bel enterrement, avec prise d'armes place du Château, laïus funèbre de l'archiprêtre et la *Marche* de Chopin par la zizique des Equipages de la Flotte. Mort en plein septième ciel de gloire, le papa! »

Elle se remit à rire tout bas. Il l'avait écoutée dans un véritable état de choc. Que pouvaient bien cacher ces sarcasmes? Quelle révolte? Avec douceur il répéta :

« Parlez-moi de mon frère. Je suis venu pour cela, rappelez-vous. Deux fois déjà vous m'avez dit... La rose, c'était vous? »

Elle l'examina avec l'apparence de la curiosité, tout en faisant grincer le bord du verre contre ses dents.

« Quelle rose? dit-elle. Je suis pas au courant. »

Et très sèche, très détachée, hostile :

« Je vous connais pas, vous pouvez vous barrer! Je vous retiens pas, la porte est toujours ouverte! Moi je picole. »

Elle empoigna la fiole et la vida dans son verre : une maxi-dose. Elle balança le cadavre loin en travers de la salle, aspira le scotch avec des glouglous. Elle recommença à aiguiser ses incisives sur le pourtour du verre. Elle suivait une pensée et elle eut son rire gras d'arrière-gorge :

« A Sainte-Barbe... C'est la boîte à bachot « in » de Brest, éducation sélecte, religion garantie sur facture, de quoi ravir le gratin local, lequel, par parenthèses, se fout bien du Petit Jésus, mais ça claironne, pétitionne et postillonne à tout vent : « Nous voulons Dieu dans nos écoles! », qu'ils proclament, ah! les braves gens! J'y ai fait mes études « of course ». Loupé mon bac, mais imbattable en histoire sainte et civilités annexes. »

Elle se mit debout, posa son verre, faillit dans le mouvement s'offrir un roulé-boulé. Et elle se plia dans une révérence comique :

« Très honorée, seigneur, de faire votre connaissance! M'accorderez-vous cette valse, noble étranger aux yeux bleus? »

Elle se rassit, ramena ses jambes sous elle en tailleur.

« Ça va, vous n'appréciez pas. Vous n'êtes pas comme Augusto. Lui, les belles manières ça le rend dingue! On aime ce qu'on n'a pas, hein, c'est connu! Oncle Julio était un peu pareil.

– C'est qui?

– C'était. Le père adoptif, le tonton très cher d'Augusto. Il est mort début mai. Une grosse perte. »

Elle soupira, suivit un rêve, reprit :

« Donc je disais, Augusto c'est le rustre, la brute. Tenez, quand il s'envoie en l'air! Une santé pas croyable! Des deux, trois bordées à la file! La vraie bête, je vous dis! Notez qu'en société il sait se tenir. Et qu'est-ce qu'il frime quand je suis à son bras! Le soir souvent je vais le prendre à la fin du boulot, à son beau magasin de la rue de Siam, on part ensemble, enlacés. La petite fiancée modèle, quoi! »

Elle se tut, pompa le fond du whisky, goulûment, les yeux clos, la tête renversée en arrière comme une noyée.

Il ne comprenait pas son jeu. Pourquoi ces confidences vengeresses, ce déchaînement iconoclaste et sauvage? Avec prudence il voulut replonger sa sonde, revenir à l'objet de leur rencontre, en évitant de soulever directement le cas de Djamel, dont le nom, inexplicablement, avait pour effet de la braquer.

« Vous m'avez dit que vous m'éclaireriez sur les relations de votre fiancé, celles qui auraient pu avoir pris part à l'agression dans le jardin public. »

Elle souleva les deux paupières, alternativement :

« Sais pas. Peut-être le jeune Lemercier, qui tient

rue Louis-Pasteur un commerce de graineterie, également champion de karaté, ou Runavot, épicier en gros rue de Siam, Chambre de commerce, Comité des fêtes, un costaud aussi – peut-être même Hamel, expert près les compagnies maritimes, et quelques autres...

– Comment il les connaît?

– Je vous l'ai dit, non? Les affaires, la politique, trente-six comités Théodule, des flopées de souvenirs communs... Je les ai vus plusieurs fois chez Augusto, ça paraît très soudé, tout ce petit monde!

– Ce qui ne prouve absolument pas qu'ils aient pu prêter la main à un mauvais coup.

– Vous causez comme Truchaud, mon idiot de beau-frère! Je me tue à vous dire que j'ai pas de preuves! Je constate simplement que tous ces honnêtes citoyens sont à plat ventre devant Augusto. Quand il ouvre le bec, c'est le Messie! La grosse cote, l'Augusto! Populaire! Le bon bourrin pour la mairie, quand on aura chassé les Rouges! »

Et sans transition, son visage se contracta, se plissa, et elle se mit à pleurer dans son verre vide, de vraies grosses larmes.

« Bientôt, je serai Mme Davila. Je viens d'avoir dix-huit ans, je suis Aude de Malestroit, sa petite fiancée. Il m'exhibera à ses copains et le soir il me dérouillera et puis il me sautera. »

Elle renifla, une stalactite luisante tremblant à sa narine.

« Le mariage c'est pour la fin de l'année. Père sera très beau, grand uniforme de parade, la ferblanterie sur l'estomac. Au dessert, il fera un très joli speech, toute la noce en aura la larme à l'œil... »

Nouvelle crise, sanglots de gosse et hoquets :

« S'il vous plaît, monsieur, enlevez-moi! Sauvez-moi d'eux tous! Je ne veux pas! »
Une nausée la secoua; elle gonfla les joues :
« Je crois que je dégobille! »
Il la prit sous le bras, voulut la mener au cabinet de toilette, mais ce ne fut pas possible : elle tomba sur les genoux, vomit dans un bac Riviéra, resta écroulée, le corps ébranlé de spasmes, livide et geignante :
« Malade... Je vais crever... »
Il la força à se remettre debout, la soutint à l'aisselle, l'escorta jusqu'à sa chambre à l'étage. La pièce était vaste, agréable, des livres s'étalaient partout, des poupées aussi, des marionnettes, des animaux en peluche de tous formats. Il l'aida à s'étendre sur le grand lit en merisier clair. Elle le regardait avec intensité, les paupières dilatées. Et soudain elle commença à haleter :
« Méfiez-vous de lui! Il a liquidé Kef. C'est un tueur! »
Elle s'était soulevée sur les coudes. Les pans du déshabillé avaient glissé, dégageant les deux pommes juvéniles. Ses yeux agrandis passaient à travers lui maintenant, fixant un point au-delà, très loin. Elle murmura dans un rêve :
« Les motos... Les motos parmi les arbres... Et lui tout seul qui courait, qui courait... »
Karim s'agenouilla au chevet du lit à crosse :
« Quelles motos? Qu'est-ce que vous voulez dire? Parlez, je vous le demande! »
Elle ne l'entendait pas. Le regard fou, elle reprenait son monologue échevelé :
« Tous ces feux qui dansent dans la brume! Un animal blessé... Son souffle d'agonie... Ce mugissement, toujours... toujours... Il suppliait, le pauvret, ses deux bras écartés, comme un jésus... »
Elle retomba sur le dos, se mit à balancer la tête

de gauche à droite, convulsivement, ses lèvres remuant sans un son.

Il se pencha tout contre son visage :

« Je ne comprends pas. Cette scène... Qui était cet homme? Mademoiselle, je vous en supplie, répondez-moi! De qui parlez-vous? »

Elle continua à faire osciller sa tête un moment contre l'oreiller, puis elle se retourna sur le ventre, attira les draps, s'en enveloppa comme d'un suaire.

Il attendit quelques instants. Surpris par son souffle apaisé, il dévoila le visage, constata qu'elle s'était endormie. Il n'eut pas le cœur de la secouer, elle n'était pas en état de lui apporter des explications cohérentes. Il se releva, balaya d'un dernier coup d'œil la chambre si paisible et banale avec ses échafaudages de bouquins, ses gravures d'art, ses poupées et ses animaux miniatures.

Sur le chevet, un gros manuel dépenaillé : Cuvillier. *Introduction à la sociologie*. Un carton dépassait de la tranche, qu'elle y avait placé comme signet. Il l'examina machinalement. Il s'agissait d'un bristol d'invitation :

« Augusto Davila a le plaisir de vous convier à la soirée costumée et masquée qu'il donne le samedi 28 août 198. dans sa propriété *La Rascasse* à Locmaria... »

Il glissa le carton dans sa poche. La jeune fille n'avait pas bougé. Il éteignit la lampe de chevet et se sauva sur la pointe des pieds.

Il était un peu moins de 23 heures quand il ouvrit la porte de l'appartement à Bellevue. Marie-Marthe était couchée. Il se brossa les dents, se lava le visage et les mains, mais le parfum entêtant d'Aude de Malestroit lui imprégnait le corps et il ne put s'en défaire. Marie-Marthe ne dormait pas. Il se coula contre elle sans qu'elle réagît.

« Ça ne va pas, Marie-Marthe?

– Très bien, oui, pourquoi? Alors, ce type, tu l'as vu?

– Non. »

Il avait bien pesé le problème en rentrant. Continuer à lui mentir, non, il en était incapable. Il lui raconta tout, cette fille si déroutante et si pitoyable, se libérant soudainement, jetant les mots terribles :

« C'est un tueur! Il a liquidé Kef! »

Plus impressionnante encore, la scène de cauchemar qu'elle avait vécue devant lui, comme une somnambule.

Marie-Marthe eut un frisson.

« Tu m'as dit qu'elle était ivre.

– Ne nous y fions pas : elle savait de quoi elle parlait. Marie-Marthe, tu ne la connais pas? Aude de Malestroit? Tu ne t'es jamais trouvée avec elle? Ni Djamel?

– J'ignorais jusqu'à son existence. Les Malestroit sont assez en vue ici, c'est vrai. Mais excuse-moi, ce n'est pas tout à fait le monde que je fréquente! Quant à Djamel... Non, cela n'a pas de sens.

– Ça en a un, Marie-Marthe, j'en suis persuadé. Pourquoi me poursuit-elle depuis le premier jour? Et pourquoi ce Davila... Tu le connais, Davila?

– Comme tout le monde. Les Davila sont une famille de pieds-noirs qui a bien réussi son implantation en métropole. Grosse affaire de sports : le magasin Squash, rue de Siam, et Le Menhir, un complexe de loisirs, route de Quimper. Il me semble que l'un d'entre eux est mort, il n'y a pas longtemps...

– Oui, l'oncle. C'est le neveu qui m'intéresse. S'il est vrai qu'il a tué Kef... Pourquoi? »

Un silence. Karim savait bien qu'elle était blessée, et il devinait le cours de ses pensées : cette fatalité, qu'elle avait voulu exorciser, maladroitement parfois, de toute sa foi en la vie, voici qu'elle frappait à nouveau les trois coups à la porte. Pour eux deux, le temps des orages et de la peur était bien revenu.

Il l'enlaça. Il aurait voulu lui faire comprendre qu'il l'aimait, plus que jamais. Sa question le surprit :

« Qu'est-ce qu'elle t'a raconté sur moi?

– Comment sur toi, Marie-Marthe?

– Tu m'as bien dit qu'elle avait l'air de tout savoir à notre sujet. Moi je ne la connais pas, elle, oui, nous connaît...

– C'est en effet curieux. Elle ne m'a pas parlé de toi, mais... Tu es bien certaine que tu ne l'as jamais recontrée?

– Jamais.

– Cette histoire de motos, ça ne te dit rien? Essaie de te souvenir, Marie-Marthe.

– Rien, je t'assure. »

Le silence retomba. A côté, Samy s'ébrouait, balbutiait, replongeait dans son rêve.

« Ce soir, quand je t'ai annoncé que j'allais retrouver ce garçon...

– J'ai tout de suite compris. Tu ne sais pas mentir, Karim, pas à moi en tout cas. Djamel non plus ne savait pas me mentir.

– Et tu n'as rien dit? »

Elle soupira :

« Ç'aurait servi à quoi? J'avais deviné cette... ce feu en toi, Karim, jamais éteint. Depuis le premier jour. Je savais que si tu sortais c'était pour Djamel. Et maintenant aussi, tout ce que je pourrais te dire... Je ne t'accuse pas, Karim. Pardonne-moi seulement d'être très malheureuse! »

Il l'étouffa de baisers. Lui aussi il avait le cœur déchiré.

« Je vais repartir, ma chérie, reprendre la petite chambre à l'hôtel.

– Non! protesta-t-elle. Reste, j'ai besoin de toi! Nous avons besoin de toi!

– Je ne serai pas loin, Marie-Marthe. Chaque fois que tu le voudras, tu me trouveras là. Mais il vaut mieux qu'on se sépare, momentanément. S'il y a un danger... »

Il ressentit son sursaut. Elle vira sur le flanc, lui jeta à la face son souffle brûlant :

« Ne t'en va pas! Karim, je t'en prie! Reste avec nous. Je ne te demande pas d'oublier : crois-tu que moi j'oublie? Je te demande de vivre! Si je compte un peu pour toi... »

Il l'attira contre lui violemment, but les larmes sur ses joues. Et il lui expliquait qu'il ne pouvait pas, non, il ne pouvait pas...

« Vivre tranquille, alors que les assassins de Djamel... Car tu le sais aussi bien que moi maintenant, qu'on l'a tué. Si jeune, Marie-Marthe, presque un gosse! J'ai tout, lui n'a plus rien. Même sa mort, ils l'ont bricolée, salie. Continuer à me boucher les oreilles pour ne pas entendre son cri, c'est impossible. J'aurais l'impression d'une trahison, d'un vol. Je ne veux que rendre à mon frère ce qui lui appartient, une mémoire vraie, un honneur. Je saurai, Marie-Marthe, j'irai jusqu'au bout, et après, oui, je reviendrai. »

Elle n'essayait plus de lutter. Elle dit simplement :

« Puisque c'est ton idée, Karim. »

Elle se détacha de lui, se retourna sur le ventre, le visage vers la muraille. Dans la nuit lourde, ils restèrent longtemps éveillés côte à côte, sans un mot et à nouveau, il le sentait bien, avec l'abîme entre eux.

5

Lundi 16 août

AUDE

Tôt ce matin, le timbre de la porte d'entrée se met à glapir. Je fais un bond de deux mètres, je râle, merde et merde, quel est l'abruti qui s'amuse à... Je m'assois. Je suis morte, le crâne en morceaux, du béton sur l'estomac. Des bouts de mémoire me reviennent et je me dis que c'est lui.

On insiste, en bas, trois doubles notes d'affilée. Je m'extrais de mes plumes et je me traîne jusqu'au hall. En posant l'œil au mouchard, je le vois, sa gueule d'ange mélancolique, le duvet frisottant du collier châtain, les yeux limpides.

Je le laisse recommencer autant qu'il veut. Les « la-fa » du carillon éclatent dans ma pauvre tête, mais je ne bouge pas. Il se lasse, tourne le dos.

Je cours dans le séjour. Embusquée derrière le rideau d'une des fenêtres, je l'aperçois qui traverse le jardinet en posant la pointe de ses tennis sur le gravillon comme un chat maniaque. On dirait qu'il a peur soudain d'éveiller quelqu'un. Il referme la grille, promène sur la maison un regard dubitatif et repart en direction de la gare.

Je remonte à l'étage, les jambes en mie de pain. La migraine canonne mes tempes et ma nuque. J'avale deux Alka-Seltzer : j'en ai toujours en réserve pour les gueules de bois, avec Augusto c'est une priorité. Je reviens vers la piaule. Et on remet ça, au téléphone. Je redis merde, je vais prendre la communication dans la chambre de Père. Je dis « Allô? », je reconnais sa voix, il n'a pas beaucoup d'accent, moins qu'Augusto sans aucun doute, mais j'oublie rarement les voix. Je l'entends qui dit :

« Il faut qu'on se retrouve. J'ai besoin que vous me précisiez certains de vos propos d'hier soir. Vous vous rappelez? »

Je lui coupe net ses illusions :

« Rien à vous dire. Hier j'étais paf, je vous ai raconté n'importe quoi, oubliez. D'ailleurs, je ne suis plus seule : la sainte famille rapplique et mon Othello! Même le téléphone sera surveillé.

– Mais vous pouvez m'appeler? Je loge au Tonkinois, rue...

– Non, je n'ai absolument pas envie de vous appeler. Alors n'insistez pas. Désolée. »

Et je raccroche. Je réintègre ma chambre, je m'allonge, je ferme les yeux. Je me dis que je suis une névrosée. Complètement foldingue. Pourquoi tout à l'heure l'ai-je laissé repartir? Et cette nuit...

Le film des événements de la veille défile dans ma tête, avec plein de blancs inquiétants. Je me rappelle la balade en BMW dans Recouvrance, le rendez-vous donné. Et à peine de retour ici, la panique. Une vraie crise, à me nouer les tripes. Alors j'ai picolé. Pas pour me donner du cœur au ventre, pour me planquer : l'alcool, un paravent misérable derrière lequel je camouflais ma peur. Lâcheté. Et toute cette guignolade ensuite... Je me revois nue, collée au type et lui me repoussant, me jetant des fringues, j'entends sa voix sèche. J'étais soûle, et c'est vrai que s'il avait voulu... Oui, j'aurais aimé qu'il me prenne dans ses bras, qu'il me possède, qu'il me lave de cette saleté. Il a dit non. Tant pis pour moi. J'ai tout gâché. Qu'est-ce que je lui ai dégoisé ? Est-ce que je lui ai parlé de l'oncle Julio ? Et de Kef ?

Séquences tronquées, qui se bousculent, se chevauchent. Ma nuque est encore raide, douloureuse. Je me lève, péniblement, je marche, j'erre d'un étage à l'autre en raclant les parquets.

Longue station dans le séjour où rougeoient encore quelques braises. Les rideaux de Tergal palpitent devant les deux fenêtres restées ouvertes. Un soleil blanc pleut en averse sur l'écharpe gris tendre de la rade et mes paupières fatiguées papillotent sous la lumière crue. Mon pied heurte le flacon de Logan vide, qui roule sur la moquette. Posé sur le guéridon du salon, mon verre sale. Dans la jardinière, une bouillie immonde. Je me revois à genoux, les deux mains en appui sur le rebord du bac, me déchirant pour vomir, et l'autre derrière, accroupi lui aussi, me tenant le front. Le frère de Djamel.

J'essaie de mettre un peu d'ordre dans la salle, je nettoie, je range, j'efface les traces les plus répugnantes.

Mon mal de tête s'estompe. Je chauffe de l'eau, je me prépare un Maxwell tassé, sans sucre, et je réussis à l'ingurgiter sans trop de nausées. Assise sur une chaise de bois dans la cuisine, le corps engourdi comme après trois heures de tennis avec Augusto, je rêvasse. Inlassablement, je reviens au fiasco de la veille, je me torture à essayer de me comprendre. Pas facile.

Remontons à la source. Dès que j'ai aperçu le Marocain au cimetière, j'ai souhaité le rencontrer. Voir le frère de Djamel, parler avec lui de Djamel, tout lui dire... Et puis l'agression, le type (les types ?) qui cogne(nt) sauvagement à l'entrée du jardin public, Augusto dans la BMW tétant son cigare en écrasant mon poignet, moi terrorisée, muette une fois de plus...

D'autres images, toujours les mêmes : la prunelle monstrueuse dilatée sous la pluie sale, le robot noir, immobile, deux mains qui saignent dans la flamboyance jaune...

Impression trop forte, insupportable. Je me mets à claquer des dents. Je me lève, pour me désengluer de la vision, je marche, je me donne un peu d'exercice.

Ma pensée sautille, se bloque. La mort de Kef. Je ne le connaissais pas et je n'ai absolument pas identifié ceux qui maltraitaient le frère de Djamel. C'est le journal qui m'a appris que le gardien du Globe était du nombre, parce que l'inconnu venu se plaindre au patron de l'hypermarché, je savais qui il était, moi. Du coup le « suicide » de Kef... A ce moment-là j'ai pensé à ce qui est arrivé à oncle Julio et j'ai eu très peur pour le frère de Djamel. Le retrouver coûte que coûte, le mettre en garde, et qu'il agisse, oui, qu'il agisse... J'ai sauté sur l'opportunité : Augusto, en virée à Dinard, Père à Paris chassant le ministre, l'occasion. « Karim, je vais tout vous expliquer. Pourquoi Djamel est mort et pourquoi oncle Julio... »

Et voilà : au dernier moment, la dérobade, la fuite dans l'ivresse. Une trouille en neutralisant une autre, je sais à présent que jamais je n'aurai le courage de confesser au Marocain notre histoire.

Je suis une vraiment pauvre cloche. Bientôt le général et sa « pompe » rappliqueront, Augusto rentre aujourd'hui, je vais reprendre mon numéro de chienne docile. Je ne suis plus que cela : un animal de plaisir, une bête à jouir. Ni pudeur ni volonté. Des coups de tête, certes, des caprices. Du vent. On en rigole, ça n'impressionne plus personne. Obéir, ramper, mon service est tracé, définitivement. Dès cet après-midi, Augusto sera là et me sifflera pour les galipettes du soir.

Je songe qu'il ne me reste que quelques heures, quelques courtes heures pour mon visage vrai, mes souvenirs vrais. Et je les rassemble et je les apparie en bouquet contrasté et je les effeuille une fois encore, pétales de lumière et de larmes...

... Cette soirée de juin si chaude, l'an passé. Moi encore une gamine, même pas dix-sept ans. La boum d'étudiants à la Fac des lettres où je m'étais hasardée en l'absence de Père et de gouvernante : Père à l'époque ne transigeait pas avec l'antique morale calotine qui voyait dans chaque salle de bal un lieu de perdition où le Malin tisse ses pièges. Plaisir, charme piquant du fruit défendu, tourbillons, compliments neufs, frôlements hardis...

Et lui soudain, tombé du ciel pour moi seule, me choisissant entre cent autres, ne me lâchant plus. Si gai, si beau, si tendre... Et les beuglements de la sono, la foule congestionnée et braillarde, rien n'existait plus.

« Marocain, vous?

– Oui, Berbère. »

Envie de lui dire – peut-être l'ai-je dit? – que les Marocains, je les voyais noirauds, nez arqué et tignasse crépelée. Lui, son visage racé, cheveu plat châtain clair, peau à peine dorée, yeux de source... Nous sommes sortis, je suis montée dans sa voiture, une Coccinelle essoufflée dont le siège grinçait horriblement. Accrochée au rétroviseur, une négresse à pagne, hilare, dansait la danse du ventre. Nous avons roulé longtemps, sans nous presser. Il conduisait d'une main, l'autre tenant la mienne. Je lui parlais de mes études à Sainte-Barbe, du sujet de français au bac, de mon papa général. Il écoutait en hochant la tête, souvent il riait, sa main était chaude contre ma main.

« Aude, j'aime ton prénom. Je ne le connaissais pas, il est doux, il fait rêver.

– Moi aussi, Djamel, j'aime ton nom. »

On a stoppé avant la plage de Lenildut, on est sortis, on a marché un moment sur la falaise, puis le long de la grève. Nos chaussures s'enfonçaient dans le sable qui crissait. Il avait entouré ma taille et je me laissais aller, je me livrais à ce grand corps d'homme, à cette chaleur d'homme que je découvrais et qui enfiévrait mes nerfs. Le silence de la nuit de juin, la complainte des vagues, au ciel l'amical sourire des étoiles, des parfums de varech charriés par la brise...

On s'est arrêtés, on a choisi ensemble sans un mot le lit de notre amour. Il était le premier et je n'avais pas peur. Il m'a prise, avec une infinie douceur. Longtemps il est resté en moi, j'aurais voulu que cela dure toujours. Je ne bougeais pas, j'étais morte de bonheur, j'écoutais la chanson de mon sang, le grésillement du sable à mon oreille, la berceuse vaste de la mer, là-bas, un oiseau qui criait dans la dune.

Brusquement, je me suis mise à rire. Je venais de penser à la mère directrice de Sainte-Barbe, la guenon moustachue, corsetée de vertu rancie, qui chroniquement nous assenait son prêche :

« De la tenue, mesdemoiselles! N'oubliez jamais que vous êtes l'élite et que la marque d'une vraie jeune fille... »

Ses jeunes filles, fleurs de serre, pouliches sélectionnées à l'usage des princes du galon et du fric, lamentables potiches à cocktails, vouées à vie aux petits fours, aux potins et aux œuvres pies...

Djamel s'était détaché. Il m'a demandé pourquoi je riais. J'ai dit :

« Tu ne comprendrais pas. Je ris, parce que je suis heureuse. »

On est repartis. Il avait repris ma main, et pendant que nous remontions la plage à pas très lents, il a prononcé des mots qui m'ont étonnée. Il m'a dit que c'était un poème d'un écrivain de chez lui, Tahar Ben Jelloun et il a redit quelques vers :

Ma main
suspend la chevelure de la mer
et frôle ta nuque
mais tu trembles dans le miroir de mon corps
nuage
ma voix
te porte vers le jardin d'arbres argentés.

J'ai trouvé le texte très beau, je lui ai demandé de me répéter le nom de l'auteur.

« Je suis content que cela te plaise, Aude. Karim aussi aimait beaucoup cette poésie. Karim, c'est mon frère. »

Il m'a dit qu'il était rentré au pays l'année d'avant et qu'il était actuellement détenu là-bas pour raisons politiques.

Il est resté silencieux, il a même lâché ma main un moment. J'ai pensé que l'évocation du frère absent pesait sur lui à cet instant.

Dans la voiture, quand il m'a embrassée, je lui ai demandé pourquoi il était soudain triste, si c'était à cause de son frère. Il a dit :

« Mais non, Aude! Quelle idée! Je ne suis pas triste. Tout a été très bien, tu as été épatante. »

Mais j'ai continué à sentir la fêlure. On est rentrés sans presque parler, je regardais la petite négresse en pagne suspendue au rétro, qui se contorsionnait.

On s'est séparés sur le parking de la Fac. Je lui ai demandé :
« Quand? »
Il m'a dit :
« Je te téléphonerai. »
Il a pris mon numéro, a répété :
« Je te téléphonerai. Moi pour me joindre c'est pas commode. »
Il est parti, j'ai retrouvé la mobylette, j'ai regardé le cours Dajot, la grande maison vide. Mais j'avais un brasier au cœur, je me disais, bientôt ce sera demain, un autre jour merveilleux à couver le téléphone, et au bout du fil la voix de soleil...
Il ne m'a jamais appelée.
Moi j'attendais... Je ne savais rien de lui, pauvre gourde, un prénom, Djamel, qu'il était Marocain et voilà tout. J'ignorais s'il était étudiant et en quoi, je supposais qu'il suivait des cours en Fac, mais il n'en avait pas parlé, et je ne le lui avais pas demandé, c'était aussi bête que ça. De toute manière, je n'allais pas courir le campus et interpeller tout un chacun :
« Djamel, vous connaissez? »
D'ailleurs, j'étais certaine qu'il reprendrait contact. J'attendais. J'avais acheté à la librairie Graffiti un recueil de Tahar Ben Jelloun intitulé *Les amandiers sont morts de leurs blessures.* Les vers que Djamel m'avait récités y figuraient, et souvent, calfeutrée dans la chambre, je relisais le poème, je l'appelais « notre poème ».
C'était l'été. Comme tous les ans, la ville avait dégorgé vers les campings et les plages de la côte. Restaient une carcasse sinistre, la laideur poignante des rues délaissées, qui ne retrouvaient un semblant de vie que le soir, quand l'arsenal se vidait et que le peuple des caravanes et des tentes venait aux provisions.

J'ai toujours détesté l'été à Brest et jusqu'alors, dès le speech de fin d'année prononcé à l'Ecole – Sainte-Barbe doit être la seule boîte de l'hexagone, avec le Collège naval, à encore pratiquer ces jeux d'un autre temps – je n'avais qu'une idée : cavaler vers la mer. Cette fois encore, il était depuis longtemps entendu que je prendrais pension en juillet chez Benoîte, mon aînée, qui a un pavillon de vacances à Pornichet.

J'ai dit que je ne pouvais pas, que je préférais me ménager un peu d'avance avant l'année cruciale de ma philo. Ça a surpris dans la famille, cette subite passion pour l'étude, mais on a applaudi.

Tout le mois, j'ai fait sentinelle. En vain. Je devenais folle.

Pour prendre du recul, j'ai quand même consenti à passer la première quinzaine d'août à Angers, auprès de Benoîte, rentrée de vacances. C'a été la catastrophe : à peine là-bas, je n'avais qu'une pensée, revenir. S'il avait téléphoné pendant mon absence? Père faisait retraite à Saint-Pierre-de-Solesmes, gouvernante mettait à profit cette pieuse parenthèse pour visiter ses petits cousins en Normandie : la maison était inoccupée.

J'ai abrégé mon séjour chez Benoîte, me suis réinstallée dans l'attente. Je ne quittais plus la rue de Denver, oubliais les repas, ou alors quelques conserves, je m'acharnais, contre toute logique, me dopant de rêves délirants, toutes ces images brûlantes, nos deux corps soudés au creux de la dune et cet oiseau qui criait... « Je te téléphonerai », avait promis Djamel.

Un jour du début septembre, c'était juste avant la rentrée, après quelques emplettes chez les libraires je me suis rendue à la piscine de Bellevue, la seule qui fût ouverte hors saison. J'en ressortais, j'avais le pied sur la pédale de la mobylette, quand je l'ai aperçu. Il était avec une jeune femme à lunettes rondes, visage pâlot, fatigué, cheveux auburn taillés court, qui poussait un landau. Il marchait à sa hauteur, nonchalant et pourtant plein d'attentions, rigide, gourmé, et moi j'entendais la voix chaude qui dans la nuit parfumée de varech récitait le poème de Ben Jelloun...

Je les ai suivis de loin, à travers le quartier. Ils ne se pressaient pas, ils se promenaient, du même pas accordé, et parfois l'homme se penchait sur le landau et je devinais qu'il chuchotait des choses. On a longé des tas d'immeubles, pâtés de ciment lunaires, les mêmes tristes pots de géraniums aux balcons et les lessives criardes dégoulinant aux séchoirs. Une placette comme tant d'autres, quatre blocs au crépi jaune, avec zone de verdure, aire de sable souffreteuse et toboggan. Ils sont entrés dans l'un des immeubles, c'était Djamel qui portait le paquet blanc, entortillé dans des linges, comme une momie – un nouveau-né. Je suis revenue à la mobylette et je suis repartie. Après...

Je n'ai plus cherché à revoir Djamel. Quelque chose s'était cassé, j'avais dix-sept ans et des siècles en travers du cœur.

La vie a trois a repris, moi, Père si digne et si lointain, gouvernante-sangsue. Et la classe à Sainte-Barbe, les camarades que je récupérais après mille ans, le rituel sans fantaisie d'une boîte snobinarde aux rouages bien huilés, roulant vers la Terre promise : le bac pour tous en fin d'année. Moi sur une autre planète, déphasée, toute concentrée sur les grandes métamorphoses qui se faisaient en moi. Attente, angoisse, espérance...

C'est gouvernante qui la première du clan a compris. Elle flanque le nez partout, par ordre paternel autant que par pente naturelle, elle surveille mon linge, mes affaires de toilette, elle furète, je le sais bien, quand je ne suis pas là, dans mes tiroirs, sous mes bouquins, à la recherche, entre autres, des fameuses pilules, instrument du démon, a décrété Père, grand sabreur de vertus, mais intransigeant sur l'orthodoxie romaine (« Sauvez, sauvez la France – Au nom du Sacré-Cœur! ») Gouvernante en chattemite, puis Père à la hussarde m'ont investie, collée sur le gril, arraché par lassitude des demi-aveux : mon petit ventre bientôt rondelet ne me laissait qu'une marge éphémère.

Après quoi on m'a soumise aux investigations en eaux profondes du docteur Bricou-Marsac, qui tient boutique square Lherminier et est le gourou patenté de la tribu. Verdict : enceinte la gamine, de trois mois et demi.

La balle à nouveau dans le camp familial, interrogatoires, diatribes, admonestations, puis sommation : le nom du complice! L'enfer. Par défi, j'ai dit :

« C'est un vieux, un type très connu à Brest. Je l'aime! »

Père a failli en avaler son beau ratelier en résine tout neuf et gouvernante s'est signée en murmurant « Jésus, Marie, Joseph », comme on dit à Sainte-Barbe dans les grands moments.

Et c'est reparti : qui? Nom, prénoms, lieu de résidence, profession? Et je t'interpelle, et je te martèle et je te harcèle, parle, dévergondée, avoue, fille perdue, des noms! Le vrai délire baveur, la grande hystérie flicarde.

Je n'ai pas desserré les lèvres, je souriais en caressant mon petit ventre. Père a raté d'un cheveu le coup fatal et a gueulé :

« Je te materai, j'en ai brisé d'autres, ma luronne! Sacré tonnerre de Brest! »

Et il a largué ses vents mugissants. (C'est sa spécialité, à mon papa : Tonnerre de Brest! qu'il jure quand il est bien échauffé, et aussi sec, broum! ça fuse, la ponctuation sonore! Ça foire jamais, du parfaitement synchro, pas très distingué, c'est évident, lui si vieille France pourtant, un truc rapporté de l'armée et qu'il traîne comme une vieille maladie. Nous on est blindés, on fait même plus cas, mais dans les salons de la rue Voltaire quand ça lui prend, sûr que ça perturbe.)

Je suis restée dans ma chambre plusieurs jours. Bricou-Marsac, le gourou, m'avait refilé un mois de congé de maladie, parce qu'il fallait parer au plus pressé et se donner le temps de chercher une solution sans alerter Sainte-Barbe (« N'oubliez jamais que vous êtes l'élite et que la marque d'une vraie jeune fille... »). Père refusait de me voir, je me sustentais là-haut, gouvernante montait adoucir ma quarantaine : cours de morale imprégnés de tristesse, caresses, son beau visage de putain à jugulaire.

Plusieurs fois, j'ai songé à me balancer par la fenêtre. Oui, j'allais enjamber le balcon, rien qu'un dernier geste à faire, en bas le gravillon de l'allée, floc, terminé, la paix... A chaque coup j'ai reculé, je suis rentrée dans la chambre et j'ai souri en parlant à mon petit dans mon ventre.

Un après-midi, allez savoir pourquoi, autre bravade? besoin, faim insensée de le revoir à tout prix? j'ai dit à gouvernante et à Père assemblés en session extraordinaire qu'il s'agissait d'un Marocain faisant ses études à Brest et que si on voulait bien je le retrouverais, pour discuter avec lui de ce qu'il convenait de faire.

Père s'est colleté quelque temps avec son ratelier, il a viré au rouge brique, puis au blanc et il a éclaté : un raton, vous vous rendez compte l'affront, un salopard de raton qui dépucelle et engrosse le délicat fruit greffé des Beau de Malestroit, mais c'est atroce! Holà, messire Dieu, vous roupillez ou quoi? Avouez que je ne méritais pas ça!

Gouvernante a montré plus de sang-froid :

« Oui, qu'elle y aille, et qu'on tire au clair les intentions de cet individu. »

J'ai dit que j'irais à la recherche de « l'individu », mais qu'on ne me suive pas, ou si je subodorais quelque coup fourré, adieu la compagnie, je me fichais du haut du pont Malchance!

Père a gémi :

« Elle est possédée, cette malheureuse! »

Il a estimé que je ne bluffais pas et a signé l'autorisation de sortie.

Je suis partie pour Bellevue sur ma bécane à moteur. Devant l'immeuble j'ai fait la planque, assise sur la pelouse. Je me disais qu'il était au gîte : j'avais repéré le long du trottoir la vieille Coccinelle et sa négresse à pagne. J'ai attendu comme ça au moins un couple d'heures.

Il a passé la porte vers les 5 heures, seul. Une chance. Je l'ai laissé approcher de la Coccinelle et je l'ai appelé. Il n'y avait personne dans les parages, du moins je ne me le rappelle pas. Il s'est retourné, a lorgné en direction de cette voix qui montait du sol. Je me suis levée, je me suis avancée :

« C'est moi, Aude. Tu te souviens, Djamel? »

Il a dit, tout con :

« Mince alors! »

Et il est resté planté devant moi à se balancer d'une patte sur l'autre. Malgré toutes les avanies et désillusions des derniers mois, j'avais quand même gardé de lui une image plus reluisante. Il paraissait surtout inquiet du voisinage, il zyeutait partout, en haut, à droite, à gauche, la bouille vraiment pas glorieuse.

Puis il m'a fait signe de le suivre, m'a entraînée hors de la place, on s'est arrêtés dans une encoignure. Et il a dit, assez niaisement (mon beau Djamel à la voix de bronze...) :

« Pourquoi tu es là?

– Pour te présenter ton fils. Donne ta main, tu veux? »

Je lui ai saisi le poignet, j'ai plaqué de force sa paume contre mon ventre.

« Tu as senti, Djamel? Il bouge, notre petit! »

Il a rompu le contact, comme s'il avait touché un poisson-torpille, peut-être parce qu'un type passait dans la rue. Il avait une fiole de condamné à mort.

« Djamel, si tu voulais...

– Quoi?

– Nous deux, nous deux et le petit...

– Non! C'est hors de question! »

Alors je lui ai tourné le dos, je me suis mise à courir vers la place, sans me retourner. Je l'ai entendu trotter derrière, il s'est porté à ma hauteur :

« Attends! Je vais t'expliquer, ne pars pas! Attends, je te dis. »

Je ne me suis arrêtée que devant la mobylette :

« Je t'écoute. »

Il soufflait, il n'était qu'un pauvre type dans la mélasse (mon beau Djamel aux yeux de lumière...)

« Je vis avec une femme, j'ai un gosse. Je ne peux pas les plaquer comme ça, comprends-moi! Marie-Marthe est une chic fille. Je t'en prie, essaie de me comprendre, laisse-moi au moins le temps d'y voir clair! Je t'en prie, Aude! »

J'ai enfourché le vélomoteur, j'ai dit :

« Adieu. »

Et je suis repartie.

Rue de Denver, assaut fébrile :

« Alors, tu l'as revu? Eh bien, parle!

– Nada! Empêchement majeur, rédhibitoire : il

est pourvu de femme, une Française, et d'enfant! »

L'horreur! L'abomination de la désolation! Père tonnant, parlant d'expédition punitive comme aux jours bénis de la bataille d'Alger, gouvernante jouant les bons offices, masque de pietà en place, et la dialectique sirupeuse, un seul impératif, savoir, qui, où, comment :

« Parce que, ma chérie, nous avons des droits sur cet individu! Un acte aussi inqualifiable exige réparation! »

Réparation mon cul! Pour quoi? Pour le pucelage envolé? « C'est un oiseau, mon enfant », comme on chantait à Sainte-Barbe, aux cours d'éducation sexuelle. Exclu, mamie, pas de colmatage pour ces brèches-là : irréparable.

Et puis zut! Vous ne saurez rien de plus, mon secret sera pour moi seule, mon déchirant secret. Personne ne saura, j'en parlerai uniquement à mon fils, lui seul m'entendra murmurer : « Djamel... »

Père a pris une résolution épique. On trancherait dans le vif, morbleu! A grands périls parade en rapport. Ce bâtard impur, ce résidu douteux, cette chose infâme, on s'en débarrasse, hop, enlevé! Et l'honneur des Malestroit est sauf!

Gouvernante a repris le thème, en mineur, version roucoulante et idyllique : une clinique douillette à Grenoble, le praticien, un vieil ami de la famille, accueil feutré, le doux sommeil miséricordieux, et puis le réveil radieux, si légère, Aude, une taille de vraie jeune fille! Et le retour discret au nid de la vierge prodigue, hosannah! Sainte-Barbe n'aurait rien soupçonné.

J'ai dit non à ces bons chrétiens, j'ai crié ma révolte, les deux mains étalées sur mon petit bonhomme qui sans doute ruait dans mon ventre, qui disait non, non et non, lui aussi. J'ai dit que quand j'aurais dix-huit ans, dans quelques mois, bonsoir la compagnie, je larguerais le toit de mes ancêtres et j'irais vivre avec mon amant, et je me moquais qu'il ait une autre femme, je n'étais pas jalouse, je l'aimais assez pour tout accepter.

Père a répété que j'avais le diable au corps (le Mauvais figure en très bonne place dans la mythologie familiale) et gouvernante a pleurniché, Jésus, Marie, Joseph, en se protégeant d'un triple signe de croix. J'ai dit que leurs simagrées me faisaient bien rigoler et que leur clinique à la manque, ils pouvaient se la mettre où je pensais. Mon corps était à moi, point final.

Alors Père m'a calottée, si rudement qu'il s'est foulé une phalange, bien fait pour lui.

Mais il n'avait pas dit son dernier mot. Toute honte bue, pour l'honneur du sang, il a convoqué le ban et l'arrière-ban familial : Lucie, qu'on avait sous la main, d'abord : travail au corps, câlineries et harangues morales alternées. Rien, le four complet. Père alors a fait donner la grosse artillerie : trois tantes, un seul grand-père (gâteux, mais contre-amiral) et ce petit cousin chanoine, ex-aumônier de la Royale, un charme fou, ma chère, pour la circonstance promu Grand Exorciseur. Croisade loupée; Satan a continué à leur faire la nique, et je me suis dit que j'avais gagné.

Oui, j'étais la plus forte, et je me fichais d'eux tous et de leurs frayeurs cagotes! J'ai dit que je souhaitais reprendre la classe à Sainte-Barbe, le scandale, moi je m'en battais l'œil et je me voyais très bien dans les couloirs surencaustiqués de l'Ecole bombant le ventre devant la mère directrice! Oui, je croyais vraiment être la plus forte.

C'est peu après que tout est arrivé.

KARIM.

Elle avait sèchement raccroché. Karim reposa le combiné sur sa fourche et abandonna la cabine. Lentement il revint vers le parking. L'horloge à la tour de la gare indiquait 10 heures 10. Qu'est-ce qu'il allait faire? Repartir rue de Denver? Elle ne lui ouvrirait pas. Eh bien, il allait se poster devant la baraque, il attendrait, des heures, si nécessaire. Elle serait bien forcée tôt ou tard de s'extraire de sa retraite! Alors il lui tomberait dessus et exigerait des explications.

Il secoua la tête. Non, elle ne parlerait pas. Cette grossièreté sans réplique avec laquelle elle venait de couper sa deuxième tentative au téléphone!

« Foutez-moi la paix, mon vieux! J'ai rien à vous dire! »

Et il ne pouvait même pas se payer le luxe d'un esclandre.

Il s'assit au volant. Le comportement fantasque de la jeune fille le laissait pantois, ces avancées et ces reculades alternées, le chaud et le froid depuis le début. Des initiatives hardies, une profusion de confidences intimes qu'on ne lui demandait pas, et tout soudain le repli, une muraille d'hostilité. Hystérique? Mythomane? Les qualificatifs sautaient à l'esprit. Mais il y avait eu l'attaque du jardin public et puis la mort de Kef, une donnée concrète et palpable, celle-là, et qui donnait quelque apparence de réalité à la scène onirique évoquée par la jeune fille la veille :

« Les motos parmi les arbres... Et lui qui courait, qui courait... »

Il serra les dents. Parfait. Il se passerait pour l'instant de son concours, chercherait ailleurs. Il était libre, disponible : le matin même; il avait repris pension au Tonkinois, accueilli à bras ouverts par la chère Mme Lecossec.

Karim mit le contact et prit la direction du centre. Il s'arrêta devant la bibliothèque municipale, rue Traverse. Il souhaitait consulter la collection des quotidiens régionaux, se disant qu'en fouinant dans la presse parue à l'époque de la mort de Djamel il glanerait peut-être quelque chose, les premiers éléments d'une piste. Pas de chance : la bibliothèque était fermée tout le lundi, lui rappela le panneau à l'entrée.

Ravalant sa déception, il poussa jusqu'à la Cité universitaire du Bouguen, demanda à la concierge si le Marocain Hassan était là :

« De la part de son compatriote Karim.

– Un instant », dit la préposée.

Elle appela.

« Oui, il va descendre.

– Merci. Ah! encore un renseignement, madame. Est-ce qu'Attebi est rentré du Roussillon? Attebi Ouattara.

– Attebi, Attebi... Oui, il est rentré. Mais il n'est pas ici pour le moment : il a trouvé un petit boulot au Rallye, déchargement, rangement des paquets, travaux d'entretien, vous voyez.

– Très bien. Je vous remercie. »

Il s'éloigna du comptoir. Hassan s'amenait en bâillant et les paupières gonflées, apparemment mal réveillé. Karim l'avait déjà revu depuis son retour. Hassan, qui achevait une licence de chimie (deux oraux encore en octobre), avait été un bon camarade de Djamel à la Fac de sciences.

« On pourrait causer un peu?

– Bien sûr. »

Ils sortirent, firent quelques pas.

« Parle-moi de Djamel. »

Il releva la moue de contrariété, n'en fut pas

étonné : il s'y attendait. Déjà à leur première rencontre Hassan, comme les autres, lui avait paru mal à l'aise. Pourquoi? s'interrogeait Karim. Parce qu'il savait ou soupçonnait quelque chose qu'il n'osait pas avouer? Ou du fait de la personnalité de son interlocuteur? Il était certain que l'incarcération de Karim et les circonstances de son départ du Maroc avaient de quoi inciter à la réserve un garçon laborieux, dont les études en France avaient été un combat opiniâtre contre l'adversité et qui maintenant avait en vue le but du parcours. Le dépaysement, l'accueil souvent mitigé des autochtones (« Je ne suis pas raciste, moi, monsieur, mais... »), et les bourses de misère, les ventres et les têtes vides, les cigarettes de kif et les feuilles de qat pour tromper la faim, oui, Karim connaissait tout cela, il ne jetterait pas la pierre à Hassan, il était solidaire de tous ses frères de race.

Mais il voulait savoir.

« Djamel? Pourquoi?

– Tu étais un de ses amis? Tu le voyais à la Fac, régulièrement? C'est vrai qu'il avait changé depuis son départ? »

Hassan mesurait sa réponse, en mâchonnant quelque chose.

« Oui, il avait changé.

– Changé physiquement? ou quoi? Explique-toi. »

Hassan racla de l'ongle sa joue tapissée de poils hirsutes :

« Tu te souviens du surnom qu'on lui avait donné?

– El chaer. (Le poète.)

– Oui. Eh bien, on avait tous le sentiment qu'il était redescendu sur terre, le poète!

– Comment cela?

– C'est-à-dire... Il s'était mis à s'intéresser aux

choses autour de lui, à découvrir la vie, tu comprends? On pouvait causer politique devant lui, sans qu'il prenne le large, oui, il restait, il écoutait. On l'a même vu plusieurs fois au Comité[1]. C'est à cause de toi, Karim, il t'aimait beaucoup.

– Oui, je sais. »

Ils revinrent en direction de la Cité.

« Il était bien moins gai les derniers temps, continuait Hassan. Nerveux. Il avait loupé ses exams en juin et octobre, on sentait que ça le tracassait. Des soucis sûrement. Et il y a eu la naissance du gosse : d'autres responsabilités. »

Brusquement, Karim songeait à ce que lui avait dit Marie-Marthe à propos de leur dernière soirée : « On s'était un peu disputés. Des bêtises. » Une dispute pour quoi? Une dispute accidentelle? ou un heurt parmi beaucoup d'autres? Avec effarement, il constatait qu'il ne connaissait rien du couple, de ses éventuelles difficultés.

« Tu l'as vu quand? La dernière fois?

– Je ne sais pas. Deux ou trois jours, je crois, avant que...

– Il ne t'a rien dit de particulier?

– Non.

– Dis-moi, Hassan. A ton avis, il était heureux? Je veux dire : avec Marie-Marthe? »

Il regretta aussitôt sa question. Impression d'une effraction, presque d'un viol. Hassan se déroba à son regard, cracha sur la pelouse – pour gagner du temps, se dit Karim.

« Je crois que oui, dit-il d'un ton neutre. Qu'est-ce que tu t'imagines?

– Rien, dit Karim. Laisse tomber. »

Il vivait une impression étrange, comme s'il venait d'aborder une direction inexplorée, qui ne

1. Comité de lutte contre la répression au Maroc.

cadrait pas avec ses idées reçues. Djamel et Marie-Marthe... Djamel et Aude? Il fut incapable, bien qu'il en brulât d'envie, de citer ce dernier prénom devant son compatriote.

Ils étaient devant la porte de la Cité.

« Hassan, est-ce que tu crois... »

Il cherchait ses mots.

« Pourquoi il se serait tué? »

Les yeux de velours noir regardaient Karim avec une sympathie attentive. Puis, comme après un déclic, le visage se raidit, reprit un masque d'impersonnalité distante :

« Personne ici n'a compris », dit-il simplement.

Une fois encore, Karim songea qu'il savait peut-être quelque chose, mais il était évident qu'il n'en dirait pas davantage. Il le remercia, serra sa main, le quitta.

Quelques minutes après, il téléphonait à Marie-Marthe et à brûle-pourpoint lui demandait :

« Dis-moi la vérité. Entre Djamel et toi, ça marchait?

– Mais... mais naturellement! Qu'est-ce qui te prend?

– Cette dispute, le soir de sa mort...

– Je te l'ai dit : trois fois rien. On a eu des mots, c'est tout.

– A quel sujet?

– Pourquoi on se disputait? ça paraît si léger après! Il y avait un film à l'Omnia, qu'il voulait voir, moi non. Voilà. Aussi bête que cela. Tu es content?

– Honteux surtout. Pardonne-moi, Marie-Marthe. Je cherche...

– Et tu ne trouveras rien de bon. Par contre, mon pauvre Karim, tu vas te faire beaucoup de mal. »

Il sortit de la cabine, troublé et mécontent. Après quelques minutes d'indécision, il se rendit route de

Gouesnou, à l'hypermarché Le Rallye. Un employé lui désigna le petit Noir en salopette orange et casquette publicitaire à longue visière, qui poussait un train de caddies sur le parking. Il l'aborda :

« Salut. Je suis Karim, le frère de Djamel Bougataya. Vous vous rappelez? »

Le Noir l'observait avec une curiosité méfiante. Il avait des yeux bruns très doux, un peu exorbités et tachés de sang.

« Oui, je vois.

– On pourrait se parler?

– Se parler? »

Le Noir balaya du regard l'esplanade, consulta sa montre :

« A midi et demi, si tu veux. On se retrouve à La Marquisienne, dans la galerie marchande, d'accord? Ce sera la pause pour moi. Maintenant, y a du risque : le chef est pas commode!

– Midi et demi, j'y serai. »

12 heures 35

« A la tienne! » dit Ouattara.

Il but une gorgée de Coca-Cola, reposa son verre.

« Voilà ce que je peux te dire. Cette nuit-là donc, le 20 novembre, non, on était déjà le 21, on revenait du Siam, où on avait vu *Il faut tuer Birgitt Haas*, un film super, tu connais?

– Je n'ai rien vu depuis deux ans, dit Karim. Je sors de taule.

– Oh! Excuse-moi, mon frère. Donc Diallo Joseph et moi on rentrait dans la DS de Joseph. Un temps épouvantable, mon vieux, la pluie, le vent, affreux. En arrivant sur le pont, on remarque la bagnole à l'arrêt contre le trottoir avec ses clignotants en marche. Joseph stoppe. Il y avait un type à l'intérieur, qui avait l'air de farfouiller sous le tableau de bord. Je dis : qui avait l'air, car on y voyait que dalle, une pluie épaisse, la buée sur les vitres. Joseph abaisse la glace, la pluie entre, il crie : « Vous êtes en panne? Voulez un coup de main? » Il est gentil, Joseph, toujours prêt à aider son prochain. Le type se relève un peu, il fait un geste, on voyait sa main qui s'agitait derrière la vitre pour nous dire non, merci, qu'il n'avait pas besoin de secours. Joseph n'insiste pas, la flotte envahissait la bagnole, il avait la manche de son veston toute trempée. Il remonte la vitre, on repart, il me dépose à la Cité, juste à côté. Voilà. »

Il absorba une autre rasade de Coca, rajusta sur son nez ses lunettes de soleil. Karim l'avait écouté avec une extrême attention.

« Il était quelle heure?

– Autour de minuit et demi, dit Ouattara. On avait assisté à la séance de 20 heures au Siam. Après on avait été chez des copains qui crèchent à l'Octroi, on avait passé un bon moment avec eux, il pouvait être, oui, c'est ça, minuit et demi. Il n'y avait pratiquement plus de circulation, et les lumières de la Cité étaient éteintes. »

Karim essayait de trouver un fil conducteur.

« Tu connaissais mon frère?

– Non.

– Et tu es sûr que c'était lui, dans la bagnole? »

Derrière ses verres fumés Ouattara le fixait intensément :

« Qui d'autre?

– Est-ce que tu as vraiment vu le type?

– Vu, vu... non. D'abord, j'étais sur le siège passager, donc du côté opposé. Et puis la pluie, hein, mon vieux, la glace de la Coccinelle était presque opaque. J'ai deviné une forme qui remuait le bras.

– Et Diallo?
– Joseph était mieux placé. Mais je n'ai pas l'impression qu'il ait distingué grand-chose lui non plus. Tu sais, ça s'est passé très vite : quelques secondes, et on a filé. »

Un silence. Les haut-parleurs de l'hypermarché, à côté, diffusaient *Pour un flirt.*

« Ça n'était pas mon frère, dit Karim. Ça ne pouvait pas être lui. »

Il l'avait dit tranquillement, avec l'assurance d'une conviction totale. Les deux pastilles noires étaient immobiles.

« Qu'est-ce que tu veux dire?
– Tu as compris, Ouattara, il faut que tu ne me caches rien, pas le plus petit détail, c'est très important. Quand Diallo est-il retourné au pays?
– En janvier.
– Janvier? Une curieuse époque, non? En pleine année? Tu savais qu'il devait repartir? »

Les grosses lèvres mauves battirent à vide :

« Non.
– Il t'a expliqué pourquoi il interrompait ses études?
– Des problèmes de famille.
– Tu n'as pas l'air d'y croire? »

Les lèvres palpitèrent à nouveau :

« Non, Joseph est rentré parce qu'il avait la trouille!
– La trouille? Pourquoi? Il t'a dit pourquoi?
– Non. Enfin... »

Les longues phalanges du Noir se raidirent contre le verre. Ses joues étaient maintenant patinées de sueur. Il posa les coudes sur le guéridon, se pencha, dit d'une voix enrouée :

« Ecoute, mon frère. Il s'est passé une chose bizarre. C'était le lendemain matin. Au réveil, très tôt, j'apprends ce qui est arrivé au Marocain. Ça m'émotionne, tu penses, je téléphone aussi sec à Joseph. Il ne savait pas, je lui explique. Il était catastrophé, je l'ai bien senti à sa voix. il dit :

« Tu n'en as pas parlé? Pour hier soir? »

Je lui réponds que oui, forcément, j'en ai parlé. On ne causait que du suicide à la Cité, c'était naturel que je rapporte l'incident de la Coccinelle. J'ajoute qu'il faudra qu'on aille à la police pour l'enquête. Il crie :

« Non, non! On se mêle pas de ça! »

Moi ça m'étonne, je le lui dis. Il continue, sur le même ton :

« Je te dis que c'est pas possible!

– Mais pour quelle raison? »

Il ne répond pas. Je lui fais remarquer que de toute façon on aura la visite des flics sans tarder, on n'y échappera pas. Il finit par se calmer, il dit :

« D'accord, j'y vais avec toi. »

C'est ce qu'on a fait, dans la matinée. On a déclaré aux policiers ce que tu sais.

– Et à toi, il n'a rien dit d'autre?

– Non.

– Comment il était?

– Pas comme d'habitude. Très soucieux. Je le lui ai dit, il a répliqué : « Mais non, tu te fais des idées, je vais très bien. »

« Tu sais que je ne l'ai presque plus revu? Avant, on se retrouvait assez souvent. On était ensemble en deuxième année de droit, et du Congo tous les deux, pas de la même province, mais on s'entendait bien. Il s'est mis à sécher les cours. Il disait qu'il était malade, ou qu'il n'avait pas le moral, il avait toujours une raison. Il a changé trois fois de logement, trois fois, mon vieux, en deux mois! Tu te rends compte! Et puis en janvier, après les Fêtes, il me téléphone qu'il part. Des démêlés avec sa famille, il n'en dit pas plus, moi ce ne sont pas mes affaires, hein, je ne cherche pas à en savoir davantage. »

Il se tut, porta le verre à ses lèvres.

« Tu avais établi la relation? Entre l'incident de la Coccinelle et son départ?

– Oui. Mais je ne comprenais pas. Qu'est-ce qui a pu se passer? »

Karim ne répondit pas tout de suite. Il essayait lui-même d'élaborer une hypothèse plausible.

« Diallo aurait pu voir le type qui était dans la voiture, assez pour être certain, à un détail, que ce n'était pas Djamel? Il le connaissait, lui, mon frère?

– Il m'a dit que non. Qu'il n'ait pas voulu se mettre en avant, d'accord. Puisque tout le monde s'en tenait au suicide! Tu sais aussi bien que moi qu'on évite les histoires avec la police. Mais ça n'explique pas qu'il se soit sauvé. Non, je te dis qu'il avait peur. »

Il lut l'heure à sa montre, vida son verre.

« Je vais te laisser. Il faut que je casse une petite croûte. »

Ils se levèrent.

« Merci, dit Karim. Et fais bien attention à toi, Ouattara : moins tu en parleras, mieux tu te porteras.

– J'avais compris », dit le Noir.

Ils se séparèrent.

Karim, revenant vers le centre à petite allure, tentait de débrouiller l'écheveau. Une certitude : le type de la Coccinelle n'était pas Djamel, mais son assassin. Il y avait ce problème d'heure, agaçant. La rencontre sur le pont avait-elle eu lieu avant ou après le moment où les clodos avaient entendu le cri? Aucune donnée précise. Karim pensait que c'était après : l'assassin, pour un motif ou un autre, était revenu à la Coccinelle et avait été surpris par l'intervention des deux Noirs. Cette terreur de Diallo... « Il a changé trois fois de logement! » Poursuivi par le tueur? Pourquoi dès le matin avait-il réagi si violemment? « Réfléchissons. L'assassin n'était peut-être pas seul? Il devait en tout cas avoir une bagnole qui l'attendait dans le coin pour qu'il puisse déguerpir au plus vite. Il voit la Volkswagen tourner après le pont pour se rendre à la Cité universitaire. Il rattrape sa voiture, il file le train au Congolais jusqu'à son domicile, il l'aborde, exige son silence s'il tient à sa peau. D'où le cri effrayé de Diallo à son copain : " On se mêle pas de ça! " Trop tard : Ouattara a déjà parlé, il est coincé. Il n'a pas le courage de tout avouer à son compatriote. Il se cache dans un premier temps, par crainte de représailles, puis prend carrément la fuite. »

Karim arrivait en vue de l'hôtel. Il soupira. Le scénario se tenait. Seulement, il n'avait pas l'ombre d'une preuve et il ne voyait vraiment pas où il irait la chercher. Seul Diallo Joseph, sans aucun doute, détenait une clef, il se trouvait à six mille kilomètres.

Toute la journée Karim s'accrocha, il continua ses investigations dans les quelques cafés de la ville où les étudiants immigrés avaient leurs habitudes. Sans résultat. Il en vint à se dire qu'au moins en ce qui concernait Djamel, une consigne l'avait précédé et qu'il se heurtait à une véritable conspiration du silence. Mais il se faisait peut-être des idées.

Vers 18 heures 30, il prit place à une terrasse de café, au bas de la rue de Siam. De l'autre côté de la grande artère, le magasin de sports Squash étendait ses vastes vitrines : commerce flambant neuf et qu'il ne connaissait donc pas, il avait dû chercher l'adresse dans l'annuaire. Il commanda un jus de pamplemousse et attendit.

Elle apparut à sept heures moins le quart. Il ne la remarqua qu'au moment où elle s'encadrait dans l'entrée, en tenue légère de tennis, montures solaires relevées sur le front. Elle s'éclipsa dans le magasin. Quelques minutes se passèrent. Et ils ressortirent tous les deux.

Karim avait ôté ses lunettes sombres et regardait avec intensité. L'homme portait un pantalon de flanelle grise, un polo marin, des trainings de cuir blanc. Grand, la quarantaine un peu empâtée, moustache, favoris buissonneux aux tempes et la calotte du crâne dégarnie.

Ils remontèrent le trottoir. Elle s'était accrochée à lui, elle tendait le col pour cueillir ses lèvres, avec tant de fougue que la courte jupe à plis dans l'effort remontait, et on voyait fugitivement la tache noire de la culotte. Ils tournèrent dans la rue Monge.

Karim respira à fond. Il rechaussa ses lunettes, se leva, fit signe au garçon :

« Je peux téléphoner?

– Au sous-sol, à droite.

– Merci. »

Il descendit, s'enferma dans la cabine, ouvrit l'annuaire. « Je parie qu'il n'aura pas le téléphone », se dit-il. Pari perdu : dans la rubrique « Brest » figurait bien un Le Vigan Erwan, 274, rue du Commandant-Drogou. Il introduisit sa pièce, fit le numéro.

« Erwan? C'est Karim.

– Tiens! Salut. Une minute de plus et on se loupait : je partais au journal. Ça va?

– J'ai besoin de te parler.

– Tout de suite?

– Oui. J'aurais un service à te demander.

– Ah!... Tu es où?

– Un café, rue de Siam, devant le magasin Squash.
– Vu. Le temps de passer au canard et j'arrive.
– J'attends. »
Il raccrocha, revint s'asseoir à la terrasse.

6

AUDE

Ma vie a donc repris sa navette programmée, entre la rue de Denver et *La Rascasse*. Père et sa pompe s'incrustent à Paris, la chasse au ministre vasouille. Nonobstant le général persiste et signe : ses bulletins lapidaires au téléphone affichent un moral d'airain.

La ville roupille, l'enquête sur la mort de Kef itou, les gazettes en tout cas l'ont évacuée de leurs colonnes.

L'ennui, le chapelet des heures où il ne se passe rien, moi vautrée des matinées entières sur le plumard avachi, m'abrutissant de rythmes barbares et fumant de longs cigarillos hollandais, ma dernière toquade, à m'en rendre malade.

Une visite, de loin en loin. Cette camarade de Sainte-Barbe bloquée au gîte par des parents indignes qui exigent qu'elle ait son bac l'an prochain, alors les grands moyens, pas de vacances pour l'infortunée, cours particuliers en rafales, elle pâle comme une endive, pendant que la famille se rissole le bedon au Portugal.

Exorde admiratif au vu des bouquins de classe que j'ai étalés un peu partout pour créer un décor studieux :

« Tu bûches aussi? »

Soupirs confraternels, diatribes contre la tyrannie

domestique, confidences vengeresses sur les menues astuces imaginées pour tourner la loi. Et très vite on en vient aux choses sérieuses, à mon prochain mariage, à mes relations avec le fiancé. Nouveaux soupirs, les yeux qui brillent, et on lance :

« Est-ce qu'il te... »

Je dis :

« Oui, bien sûr, il me. Tous les jours. J'aime. »

Elle en bave, la mignonne, elle déclare qu'elle aussi, à la première opportunité, crac, elle s'en offre un. Pas commode avec cet emploi du temps délirant et la reine mère qui tous les soirs appelle de l'Algarve et la fait espionner par une parente teigneuse et bigote.

Alors, tout à l'heure, une fois rentrée, bien chaude et émoustillée, elle se caressera en rêvant à Augusto, un beau gars un tantinet trop mûr, mais costaud, de l'énergie et du charme (les picaillons dans le milieu où j'évolue ont une folle séduction).

Elle part vers les 5 heures. Je tue le temps dans le séjour, en écoutant Bob Marley sur la chaîne. Je téléphone à Augusto que je me rends directement à la propriété, de ne pas m'attendre au magasin. Et je mets le cap sur *La Rascasse.* 18 heures 30. Il fait beau, la mobylette cancane gaiement dans l'air léger, je ne me presse pas, je suis bien.

Candéla quand j'arrive est occupé à remplir la piscine, qu'il a récurée comme chaque semaine. Il approche en claudiquant, le sombrero sur le crâne. La sueur lisse sa face de vieux cuir jauni.

« Bonsoir, mademoiselle Aude. »

Il me propose un rafraîchissement. Je sirote une menthe au soleil.

Puis Augusto s'amène, BMW cravachée à mort, stoppe dans un torrent de musique syncopée. Il jette un œil à la piscine, engueule Candéla pour un détail, avale deux doigts de scotch, et on gagne le court privé, derrière la baraque.

Je joue de plus en plus mal. Il m'en avise avec humeur et c'est vrai, j'avais pourtant bien commencé avec lui et oncle Julio, mais rien ne va plus, les gestes élémentaires comme oubliés.

« Et cesse de te ronger les ongles comme une gamine, quand on te cause! »

Son œil gris s'allume, voilà Augusto branché : les gamines, il adore, celles qu'on fesse, étalées en travers des cuisses!

Je lui obéis sans hâte excessive, j'ai mon sourire irrésistible. On se remet à cogner dans la balle. Pour peu de temps, car Candéla accourt, la gueule sinistre :

« Y a deux types qui vous demandent, patron. De la police. »

On est revenus à la villa et on les a vus, plantés au bas de la terrasse. Pas très à l'aise, nos deux pandores, ennuyés de leur intrusion tardive, le chef surtout, un bouffi bas du train, qui s'est confondu en excuses avec des « Monsieur Davila » lourds de révérence.

J'ai ainsi appris, primo, que « l'affaire Kef », malgré les apparences, n'était pas encore tout à fait enterrée, secundo, qu'oncle Julio avait autrefois utilisé un temps le défunt comme gardien de nuit au Menhir, le complexe de loisirs de la route de Quimper, et qu'Augusto, forcément, l'avait déjà rencontré.

Alors, comme nos poulets, peinardement, faisaient la tournée des relations du mort...

« Tout naturel, a dit Augusto. Asseyez-vous. On va s'en balancer un derrière la cravate, d'accord? »

Ils ont bavardé en prenant le pastis devant la piscine, sur l'enquête, qui n'avait guère progressé depuis un mois, c'était indiscutable, sur oncle Julio aussi. Le flic lourdingue (on me l'avait présenté comme « le commissaire Bodart ») a désigné le bassin en cœur, tout mordoré au soleil couchant :

« C'est là que ça s'est passé?

– Oui, a dit Augusto, tristement. On n'est pas près de l'oublier : Julio était mon second père. »

Bodart sautillait sur sa chaise, il avait l'air d'avoir des fourmis dans la culotte.

« Et ça ne vous gêne pas trop, je veux dire, quand vous vous baignez dans la piscine, oui, de penser que...

– Au début oui, a reconnu Augusto. Aude et moi on s'était juré, jamais plus... »

Il a posé son regard gris sur moi et j'ai approuvé en silence.

« La vie a été la plus forte », a conclu Augusto.

Bodart a dit :

« Je comprends. »

Il a vidé son pastis et s'est mis debout, pesamment. Nouvelle bordée d'excuses pour le dérangement, salamalecs et civilités, pinces cordialement serrées, ils ont évacué les lieux. Le jeune apprenti flic aux cheveux carotte qui accompagnait Bodart n'avait pas osé desserrer les lèvres. Moi non plus. Je souriais tout le temps, sauf, bien sûr, quand on avait parlé d'oncle Julio.

... D'autres jours, d'autres soirs...

Augusto parfois m'emmène chez des copains. On a les copains qu'on peut : ceux d'Augusto sont taillés dans le même patron de vulgarité arrogante qu'on voit aux nouveaux chevaliers du fric. C'est le temps des vacances, les villes de la côte où l'on jette l'ancre sont pleines de gens de tous âges, que la clémence de l'air, la disponibilité estivale, l'incertitude des lendemains – la banqueroute à nos portes, l'automne sera chaud – et la lourdeur des comptes en banque rendent fébriles, avides de jouissances inédites. Slows ardents au bord des piscines californiennes, attouchements lascifs, ersatz de copulations parmi les fourneaux de barbecues... On drague et on s'éclate, dans les remugles de sueur et de cochon grillé, on se flanque dans l'eau bleue, bains de minuit, oui, madame, tout le monde à poil, je suis soûle, toutes ces femmes schlass autour de moi, la grande orgie décadente, comme à Byzance; c'est l'été.

Retours nocturnes, Augusto qui chante *Strangers in the night* en singeant son pote Sinatra, et qui me pelote, pelote et repelote, fais gaffe, chéri, tu files au fossé, la BMW qui frétille, grogne et cahote sur la route noire du Conquet.

« Tu passes à la villa?

– Non, Augusto. T'as vu l'heure? Dépose-moi, je suis morte. »

Le cours Dajot, la maison de la rue de Denver, froide et pincée comme une vieille fille. Je n'ai pas sommeil, j'ai trop bu. Je mets des musiques tonitruantes, à me défoncer les tympans, toutes les fenêtres ouvertes, pas de voisins, et puis si on entend, m'en fous.

Seule, un cigarillo au bec, comme la mère Ockrent d'Antenne 2 quand elle pose pour *Jours de France*, étalée dans le séjour en travers de la moquette, regardant le frémissement des étoiles et écoutant, sous le tumulte des baffles, venue de quelle galaxie, une autre musique si fragile et si belle que je pleure :

Tu te rappelles
toi l'enfant née d'une gazelle
le rêve balbutiait en nous
son chant éphémère...

Aucune nouvelle du frère de Djamel. Il n'a pas renouvelé ses tentatives pour me revoir. Moi non plus je n'ai pas bougé. Quelle est cette adresse d'hôtel qu'il m'avait jetée au téléphone ? Je ne sais plus, je ne veux pas chercher. Il aurait pu me relancer, il ne l'a pas voulu.

Je fais avec mélancolie ce constat qui devrait me satisfaire. Je me dis : il a renoncé, il m'a écoutée, c'était la solution de sagesse. Peut-être est-il reparti ? Ce picotement dans ma poitrine, ce manque, oui, comme si quelque chose m'avait été arraché, d'essentiel, quelque chose de pur et de vrai, une main amie, la dernière étoile...

Et je replonge, je patauge, vertiges noirs, encanaillements et gueules de bois. Cette party-partouse à P., chez Le D. le chirurgien-dentiste, tous ces corps enchevêtrés, Augusto hilare et fraternel, plus jaloux tout d'un coup, ça c'est inouï, l'Augusto-des-copains, l'Augusto-de-l'été.

Parfois, on prend les motos. On a chacun la sienne maintenant qu'oncle Julio est mort. On file dans le soleil qui tombe, vers la Pointe Saint-Mathieu, Portsall, Landéda. On se soûle de vitesse, on rentre quelquefois tard la nuit.

La garden-boum costumée de la Saint-Auguste se rapproche. On a lancé des tas d'invitations aux quatre points cardinaux, on escompte la présence à *La Rascasse* de l'ensemble du cheptel mondain disponible, pour ce qui devrait être le show numéro un de la saison, un « must » de l'été brestois, comme dirait Truchaud.

Préparatifs royaux, les experts de la bouffe locaux mis à contribution, plusieurs équipes de spécialistes requis pour la sonorisation et l'illumination des jardins. Augusto a l'œil à tout. Il peaufine des détails d'éclairage et de décoration. Il adore ça, la foule et la mascarade nocturne, les grandes constructions baroques, mi-fêtes galantes, mi-jeux du cirque. Cinquante ans plus tôt, j'en suis sûre, les torches de Nuremberg l'auraient fasciné. Il a lâché une fois :

« J'aurais bien aimé faire du cinéma! »

C'est vrai : il y a du Fellini loupé dans Augusto, et du Caligula.

Moi-même, je m'affaire à mon déguisement avec une fièvre qui m'étonne, j'assiège les boutiques idoines, je cours jusqu'à Landerneau où l'on m'a signalé un tailleur sans clients reconverti dans l'habit de carnaval. Longtemps je louvoie entre Pompadour et Cléopâtre, ne me décide pour aucune des deux, me rabats sur le kimono rapporté par Père d'Orient, pièce de prix, vénérée comme une relique et bardée d'antimite, qu'il ne m'aurait certes pas autorisée à galvauder en si médiocre circonstance.

Mais Père ne le saura pas : son dernier coup de fil reçu ce jour (on est à quarante-huit heures maintenant de la party champêtre) ne prévoit pas un retour imminent :

« Pas encore de conclusion positive, a-t-il déclaré, mais c'est une question d'heures, j'attaque à fond et j'ai l'espoir que d'ici..., etc. »

Le soir même, je confie à Augusto le larcin projeté. Il trouve cela très cocasse. Je dois dire que la fugue prolongée de nos deux tourtereaux l'arrange lui aussi : Père présent à Brest, Augusto se serait cru tenu d'inviter « futur beau-papa » à son raout costumé et celui-ci d'accepter. Or rien de moins accordé aux généraux à particules, même venteux, qu'une féerie concoctée par Augusto (estomacs délicats s'abstenir). D'où prévisible gêne partagée à relents de scandale. Lucie et son Truchaud visitant le Périgord, je serai donc la seule Beau de Malestroit aux saturnales de samedi.

« Dommage, dit Augusto en m'accompagnant sur le court. J'aurais bien aimé tâter les nichons de ta sœur. Bien schlass elle doit être mettable, non?

– Tais-toi! Tu n'es qu'un affreux bouc! »

Le bouc se rengorge et tout faraud commence à m'expédier ses balles. On s'échauffe un petit quart d'heure, je joue plutôt mieux ce soir, on dirait. Le crépuscule se prépare à l'ouest dans des frémissements de satin et de moire rouge, la mer au bas de la falaise chuchote son incantation.

Et je l'aperçois. Il est au volant de la 4 L amande à l'arrêt sur le chemin, à une cinquantaine de mètres, légèrement masqué par un tronc de pin. Il observe, immobile. Je ne distingue pas ses traits, mais je sais que c'est lui et mon cœur pile net, puis rue contre mes côtes. Il ne faut pas qu'Augusto le voie.

Je détourne la tête, je laisse choir la raquette.

« Qu'est-ce qui te prend? »

Je me masse le coude droit, je grimace :

« Une douleur aiguë, là. Je ne peux plus serrer les doigts. »

Il s'approche en mâchant son Hollywood à la menthe, palpe la zone sensible, rend son oracle :

« Tennis-elbow! On met les pouces, c'est plus prudent. »

Il ramasse la raquette, me prend la taille, on sort du court.

« Ça ne va pas mieux, Aude? s'inquiète Augusto. Bon Dieu, mais tu ne vas pas tourner de l'œil? T'as vraiment une sale binette, dis donc! »

KARIM

Il ne bougeait pas, il espérait qu'ils allaient réapparaître et reprendre l'échange interrompu. C'était la première fois qu'il assistait à leurs jeux sur le court, mais il était déjà venu à plusieurs reprises à la propriété. Il avait longé à pied la haute muraille hérissée de tessons qui courait jusqu'à la falaise. Et, posté à la grille toujours fermée, il avait longuement suivi du regard les méandres de l'allée qui se perdait entre les massifs touffus, essayant en vain de découvrir la maison, saisi d'une émotion étrange.

Il n'analysait pas très bien cette sorte de charme malsain que le lieu exerçait sur lui. Il n'y venait pas à cause d'Aude, ni même pour Davila, qu'il pouvait voir ailleurs, soit au magasin de sports, soit au Menhir, route de Quimper, où l'homme passait chaque matin. Non, il y avait quelque chose d'autre qui l'attirait en cet endroit et faisait battre son cœur tandis qu'il attendait aux portes du domaine altier, niché sur son éperon rocheux, derrière la double muraille d'arbres et de pierres, quelque chose, il le sentait confusément, qui concernait la disparition de Djamel.

Il s'arracha à sa méditation. Le court demeurait vide, les deux partenaires avaient bien renoncé au match commencé.

Il mit en route, roula quelques mètres sur le chemin caillouteux. Il ralentit, inséra la 4 L dans un refuge entre les pins. Il sortit et s'engagea dans un sentier qui dégringolait à flanc de falaise vers la mer.

La crique était déserte. Seules quelques mouettes à capuchon noir dont il dérangeait la somnolence s'envolèrent avec des criailleries coléreuses. Il se déshabilla, se glissa dans l'eau transparente. A larges brasses il gagna le large. Les rayons qui moussaient sur les vaguelettes l'éblouissaient. Il s'arrêta, s'étendit sur le dos, bras en croix, s'abandonna à la poussée souple de la houle, dans le soleil rasant qui dorait son visage et sa poitrine. Des mouettes planaient à quelques mètres au-dessus de lui, comme clouées à l'azur, l'eau grésillait contre ses oreilles, quelque part sur la rade le moteur d'un petit bateau hoquetait.

Karim apercevait enfin la face cachée de la propriété mais même vue de la mer, *La Rascasse* ne se livrait pas. Il n'en distinguait que la lourde toiture pentue et la partie supérieure de la façade, tamponnée de quatre baies carrées, tout le reste de la demeure disparaissant derrière un mur de ciment planté dans le roc à l'aplomb de l'abîme.

Quelque chose brilla à l'une des fenêtres. Il ne remarquait personne. Il songea au reflet d'une longue-vue, se demanda si c'était pour lui. Est-ce qu'il aurait pu attirer l'attention de si loin?

Lentement, son regard descendit le long de l'escarpement jusqu'au chaos de récifs. Son cœur avait recommencé à sauter. Il ferma les paupières. Les paroles de la jeune fille revenaient résonner sous son front chaud de soleil avec un relief étonnant :

« Les motos... les motos entre les arbres. Et lui qui courait, qui courait... »

Djamel. Djamel intégré à ce décor sauvage, l'imprégnant de sa présence. Oui, Karim l'éprouvait à nouveau dans sa chair, un événement grave s'était passé à *La Rascasse*, et c'était en relation directe avec la mort de son frère.

« Et lui tout seul, qui courait... »

Certitude intime, affolant ses nerfs, malgré sa raison qui renâclait encore, lui opposait la contradiction majeure : le cri de Djamel tombant du pont Malchance, à vingt-cinq kilomètres de la propriété.

Il rouvrit les yeux, se heurta à la bâtisse hautaine, lovée sur l'avancée rocheuse comme un repaire de flibustiers. Le point brillant à la fenêtre avait disparu. Il se remit à nager, rallia la côte. Il se sécha quelques minutes, se rhabilla et remonta le lacet sinueux, maintenant plongé dans l'ombre. Le soleil à l'ouest se mouillait dans la mer incendiée, des lambeaux ensanglantés s'effilochaient sur la nappe huileuse. Un cormoran s'envola d'un brisant avec une longue plainte déchirée et traversa la crique en fouettant l'eau de ses ailes puissantes.

Karim retrouva la voiture, repartit aussitôt.

Un message l'attendait à l'hôtel. Le Vigan avait téléphoné et lui fixait rendez-vous le soir même à 20 heures 30, à La Taverne de la Tour, rue Borda, à Recouvrance.

La Taverne de la Tour était un troquet plutôt crado, mais pittoresque. Chichement éclairée, banalement meublée, la salle, tout en longueur comme un compartiment, amusait l'œil par la surabondance des souvenirs décoratifs, grâce auxquels le tenancier, ancien bosco du Commerce, se remémorait sa carrière aventureuse : masques grimaçants, poissons chinois ballonnés et translucides, gorgones et coraux des mers perdues, sans oublier la robuste Asiatique ramenée dans le paquetage d'une escale indochinoise et qui officiait au comptoir, impassible et chiffonnée comme reinette en avril.

Le Vigan avait choisi une table isolée au fond de l'estaminet. Il lui fit signe. Karim remonta le couloir, serra la poigne tendue, s'assit, pendant que son ami commandait au patron, qu'il tutoyait (yeux jaunes d'hépatique et bajoues vineuses, deux larges dents de rongeur affleurant la lèvre inférieure), un Ricard pour lui et pour Karim un demi-pression.

« Le collier te va vraiment bien, dit Le Vigan. Je te regardais venir : t'es beau tout plein! »

Il redevint aussitôt sérieux. Il se pencha un peu en avant :

« Bon, que j'ouvre mon sac et déballe les provisions. Crois-moi, j'ai pas chômé pendant ces dix jours! Et tout de suite, à propos d'une éventuelle relation entre Aude de Malestroit et ton frère... C'est un point qui t'intéressait aussi, je crois? »

Karim opina en silence.

« Autant t'annoncer la couleur : je suis à cent pour cent bredouille. J'ai cuisiné sur ce chapitre une bonne douzaine de gusses : néant. S'ils se sont vus, ç'a été bougrement discret. Bien. Venons-en à nos deux fiancés, Aude et Augusto Davila. »

Il s'interrompit. L'homme aux yeux jaunes approchait en raclant ses babouches contre le ciment, déposait les consommations, repartait. Le Vigan leva son verre :

« Tchin! »

Il mouilla ses lèvres au breuvage.

« Sur Aude, j'ai pu piquer pas mal de choses, grâce à, comme on dit, « l'amicale complicité » d'une petite secrétaire qui est de service en août à Sainte-Barbe, la boîte à rupins où la demoiselle de Malestroit fait ses études : elle a réussi à éplucher pour moi en douce divers registres administratifs. »

Il ouvrit un carnet, se contorsionna pour loger ses longues guibolles sous le guéridon, lut :

« Aude de Malestroit, dix-huit ans en juillet. Bonne scolarité. A toutefois loupé son bac en juin dernier. A sa décharge, des problèmes de santé qui l'ont tenue éloignée de l'école près de quatre mois, en fin d'année. Un machin à la mode, du sytle dépressif. »

Karim releva l'information :

« A quelle époque, dis-tu? »

Le Vigan décolla les yeux de son papier :

« Pratiquement, tout le premier trimestre scolaire, plus un bout du second. Pourquoi? »

Karim faillit dire quelque chose, mais il se contint, fit signe que son ami pouvait continuer.

« L'alliance entre Aude et Davila est assez surprenante à priori, si l'on tient compte de l'énorme différence d'âge (Davila navigue dans la quarantaine) et de milieu social. On est là en présence de deux mondes : les de Malestroit sont une vieille lignée aristocratique, alors que les deux Davila n'avaient pour eux que leur galette, atout du reste non négligeable et qui a dû faciliter la compréhension réciproque. »

Karim fronça les sourcils :

« Les deux Davila? Tu fais allusion à l'oncle?

– Oui. Tu es au courant?

– Très peu.

– Que je t'explique en quelques mots. Ils sont arrivés à Brest vers 76, 77, deux pieds-noirs, Augusto et son oncle Julio, sans autre famille. Très soudés. C'est Julio qui a monté le Menhir, l'affaire de loisirs de la route de Quimper. Sans doute avait-il également des intérêts dans le magasin de sports Squash que le neveu a ouvert l'an passé, rue de Siam : jusqu'alors Augusto travaillait avec son oncle. Début mai de cette année, Julio pose sa chique et Augusto, seul héritier, récupère l'ensemble du gâteau. »

Karim était de plus en plus intéressé :

« Comment est-il mort?

– L'accident idiot : Julio s'est noyé dans sa propre piscine, oui, chez lui, à *La Rascasse,* une propriété superbe qu'il possédait sur la côte.

– Des témoins?

– Non. Le domestique rentre à la maison tous les soirs, au bourg de Plouzané. C'est lui qui en reprenant son service le matin a découvert le corps flottant sur l'eau. Hydrocution, remontant à la veille au soir, a dit le toubib. L'eau de la piscine ne devait pas être bien chaude à cette époque et Julio n'était sans doute pas à jeun : il était du genre bon vivant. »

Le Vigan se tut, le temps que l'ancien bosco qui croisait dans les parages eût réintégré sa base. Il reprit :

« Naturellement on n'a pas manqué de remarquer combien cette disparition profitait à Augusto et d'en tirer toutes sortes de supputations. Mais le type n'a jamais été inquiété. Il est d'ailleurs archicertain que les deux hommes étaient très liés. »

Il s'arrêta pour boire une gorgée de « jaune », se torcha la moustache du dos de la main. Karim but aussi et demanda :

« Au moment de l'accident, est-ce qu'Augusto et Aude se fréquentaient déjà?

– Attends. »

Le Vigan consulta une note :

« Sauf erreur, on commence à les voir ensemble à l'extrême début de cette année.

– Donc plusieurs mois avant.

– Oui. Vraisemblable même qu'ils s'étaient rencontrés plus tôt. Le général de Malestroit, en tout cas, et Davila n'étaient pas des étrangers l'un pour l'autre. Ils avaient l'occasion de se retrouver dans, à ma connaissance, au moins deux associations. Primo, La Frairie Saint-Mikaël.

– C'est quoi? »

Le Vigan eut un rire carnassier. Ses yeux de visionnaire jetaient des flammes.

« Tu ignores les richesses brestoises! La Frairie Saint-Mikaël est un rassemblement d'hommes qui se sont fixé comme idéal « la défense des valeurs chrétiennes occidentales », lesquelles sont, comme chacun sait, en grand péril. Président : le général de brigade Gonzague Beau de Malestroit. On y découvre du fort beau linge. En plus d'Augusto je citerai :

Hamel[1], expert maritime et l'un des piliers de l'équipe de football locale, Valette, chef de clinique au CHU de l'hôpital Morvan, queutard distingué et animateur du mouvement « CROISSEZ ET MULTIPLIEZ », le vieux F., celui qu'on appelle « Le Grand Ex », qui fut conseiller général et sénateur et ne se console pas de n'être plus rien, Monsieur Jean[1], organiste à Saint-Côme, spécialiste en patrologie, etc. Tu vois, rien que le dessus du panier! Autre pôle de rencontre entre nos deux compères... »

La phrase resta en suspens et Le Vigan se mit innocemment à se lisser la moustache. Un jeune couple venait de prendre place à une table voisine et le type aux dents de lapin cinglait sur eux en traînant la savate. Le Vigan se courba un peu plus, tamisa sa voix :

« Je te parlais donc de l'association Africa. Malestroit a opéré en Afrique du Nord comme officier d'active. Augusto Davila, après avoir perdu ses parents en Oranie vers 55, dans des conditions assez atroces, a été élevé par Julio. Jeune homme, il milite, disons dans la mouvance de l'O.A.S. Le groupe Africa se présente comme une amicale d'anciens d'Algérie et n'a rien en principe de clandestin : il a son bulletin, ses réunions régulières, son banquet annuel, et il est à peu près certain que le général et Augusto s'y côtoient. Julio, l'oncle, en faisait également partie.

– Et Kef? dit Karim. Lui aussi a servi en Algérie : la presse en a parlé au moment de sa mort.

– Exact, comme tous les jeunes de sa génération. Mais je n'ai pas trouvé trace de son appartenance à ladite amicale. Par contre, il connaissait vraisemblablement Davila. Tu as peut-être appris que Kef, après avoir été tenté par une carrière de boxeur,

1. Voir *Les Sirènes de minuit.*

mais il était bien trop cossard pour persévérer dans cette voie, avait choisi de monnayer parallèlement la jolie gueule dont le Bon Dieu l'avait pourvu (il avait un faible pour les gonzesses mûrissantes et fortunées) et ses biceps. C'est ainsi que Julio Davila utilisera quelque temps ses compétences.

– Tiens donc!

– Oui, comme gardien de nuit, route de Quimper. Il ne s'en séparera d'ailleurs que pour des raisons techniques, ses installations ayant été placées sous surveillance électronique. »

Karim suivait une idée :

« Kef était donc très sportif...

– Disons qu'il cultivait sa forme.

– Il pratiquait la moto?

– Possible. Je ne sais pas. Pourquoi? »

De la main Karim eut l'air d'écarter la question :

« Non, laisse, ça n'a aucune importance. »

Le Vigan eut un petit geste d'agacement, qui fit danser sa tignasse épaisse :

« Si tu cessais de me parler par charades? Qu'est-ce que tu cherches exactement? »

Karim fixait avec sympathie la bonne bouille de chien fou, dont les yeux s'étaient voilés d'une ombre de reproche :

« Mon frère a été assassiné, dit-il à voix basse. Je l'ai senti dès la première heure. Maintenant, j'en suis sûr! »

Le Vigan resta quelques secondes muet.

« Et que viennent faire dans cet assassinat, si assassinat il y a, Kef, le général de Malestroit, Davila? Je ne te suis pas très bien, vieux! »

Karim fit une grimace désolée. Malgré la confiance qu'il portait à son ami, il n'était pas encore prêt à aller plus loin.

« Un jour, Erwan, plus tard, je te dirai tout, je te le promets. Pardonne-moi. »

Le Vigan écarta les bras :

« Un jour, naturellement. »

Il eut un sourire désenchanté et fataliste, il dit :

« C'est parfait. »

Il referma son carnet, régla les consommations. Ils se levèrent, sortirent du bistrot. A la voiture, ils se séparèrent.

« Je reste bien entendu en ligne, dit Le Vigan. Tiens, voici mes coordonnées. »

Il griffonna des adresses sur un feuillet d'agenda, qu'il détacha et remit à Karim.

« Il m'arrive d'être chez moi. Sinon, téléphone au canard. Salut.

– Merci, Erwan », dit Karim.

Il le regarda s'éloigner dans la rue obscure, le dos légèrement voûté, l'allure sautillante : on avait l'impression qu'il marchait sur des ressorts.

Karim introduisit la clef dans la serrure de la 4 L, changea d'avis, eut envie de se dégourdir les jambes. Il descendit la rue Borda, puis la rue d'Armorique. Quelques promeneurs, des couples nonchalants, des noctambules rôdant autour des boîtes du quartier. L'enseigne rouge d'un night-club clignait de l'œil, aguicheuse. Une musique de « blues » s'échappait d'un bar, dont il entrevit en passant les pratiquants mâles accoudés au comptoir dans la pénombre suggestive.

Karim marchait, le cerveau en feu. Il n'avait pas eu tort d'espérer qu'Erwan Le Vigan, Brestois de souche, fureteur intrépide et par son activité du moment bien introduit dans la ville, récolterait pour lui un maximum de renseignements. Mais voilà, la mariée était presque trop belle! Comment faire le tri dans ce fourmillement d'informations? Augusto, Julio, Kef, Malestroit... Des bouts de pistes qui se frôlaient, se croisaient, divergeaient, sans qu'il pût à partir de tous ces éléments se tracer une direction de recherche claire. Et Aude? Aude et Djamel? Le Vigan sur ce point avait été muet.

Il débouchait dans la rue de la Porte. En bas de l'artère, une intensification des lumières annonçait l'entrée du pont de Recouvrance. Il s'arrêta. « Comment et quand Aude a-t-elle connu Djamel? » La question le taraudait, la question essentielle, et son corollaire : l'impression grandissante que Marie-Marthe savait quelque chose, qu'elle lui avait dissimulé. Parce qu'elle ne voulait pas le lui dire? Ou parce qu'elle ne le pouvait pas?

Il soupira, tourna les talons, accéléra pour rejoindre la voiture.

Il rentra au Tonkinois, salua d'un « Bonsoir, madame » distrait l'excellente hôtesse toujours à son poste et visiblement disposée au dialogue, retrouva sa chambre.

Durant plusieurs minutes, il tourna en rond dans la pièce, brassa toutes les données dont il disposait, essaya de les ajuster aux diverses hypothèses maintes fois envisagées : erreur sur la personne, machination politique, vengeance... Ne réussit qu'à s'enfoncer un peu plus dans le brouillard. Une conviction ferme : Augusto n'était pas étranger à la mort de son frère. Un mystère toujours aussi opaque : quel type de rapport avait-il bien pu exister entre Djamel et Aude de Malestroit?

Il s'arrêta devant le téléphone mural à la tête du lit. S'il appelait Marie-Marthe tout de suite? 10 heures. L'intimité chaleureuse du foyer de Bellevue. Elle serait encore sur pied, elle aurait couché Samy et lirait ou regarderait la télé en fumant près de la lampe en faïence bleue. « Marie-Marthe, si enfin tu me disais... ce soir de novembre où vous vous êtes disputés tous les deux... pourquoi? »

Il étreignit le combiné, sans le détacher du support. Son regard tomba sur le bristol qu'il avait posé sous le cendrier-réclame du chevet. Il le dégagea de la main gauche, relut l'invitation : « Augusto Davila a le plaisir de vous convier à la soirée costumée et masquée qu'il donne le samedi 28 août 198. dans sa propriété *La Rascasse...* »

Il releva les yeux. Cela faisait près de deux semaines que le carton trouvé chez Aude traînait sur le chevet. Après y avoir pris l'adresse de Davila, Karim s'en était désintéressé et l'avait presque oublié. Et il le redécouvrait, à cet instant. Pourquoi son cœur battait-il si fort?

Le 28, c'était dans deux jours.

DEUXIÈME PARTIE

La plaie et le couteau

1

Samedi 28 août

KARIM

Il attendit que la soirée fût bien avancée avant de quitter l'hôtel. La demie de 10 heures tombait à l'église Saint-Louis quand il s'engouffra dans la voiture. Il posa le carton sur le siège passager et démarra, prit la direction de Recouvrance.

Il avait dégoté le costume en début d'après-midi chez un loueur du quartier du Pilier-Rouge, un ensemble de pierrot, noir à pastilles blanches. Malgré l'insistance du commerçant, il avait refusé de l'essayer dans la boutique, l'avait emporté comme une proie. Il se rappelait le plaisir presque enfantin avec lequel, dans la chambre, il avait passé la blouse et le pantalon satinés et avait souri à cette silhouette insolite, et le contrecoup immédiat, le sentiment d'une bouffonnerie inconvenante qui lui avait fait arracher le vêtement avant même d'avoir vérifié s'il était à ses mesures.

Il stoppa à la grève de Porsmilin, bien avant la propriété. A tâtons, il se changea dans la voiture. Il sortit, verrouilla les portières, cacha les clefs sous le véhicule, contre la roue arrière gauche. Il grimpa l'escalier, le lacet abrupt, prit la voie côtière.

Très tôt, il perçut des fragments de musique et des clartés commencèrent à luire entre les arbres comme des falots. Une voiture déboucha d'un chemin de terre derrière lui, ses phares l'épinglèrent au talus. Il entendit des voix joyeuses, des têtes pittoresques et masquées se penchèrent hors des portières, tandis que la Mercedes le dépassait :

« Ho! Ho! le pierrot barbu! »

Il agita la main, on le salua d'un staccato de klaxon. Les feux rouges s'effacèrent au tournant. Il poursuivit sa route.

La rumeur de la fête s'amplifiait. Le long du chemin, dans les renfoncements entre les arbres, les voitures des invités s'entassaient au petit bonheur. Il y en avait aussi, sur plusieurs rangées, serrées en demi-lune, à l'entrée de la propriété et autour du court de tennis éclairé, et il en arrivait encore : un coupé Peugeot manœuvrait devant la grille quand Karim s'y présenta.

Il passa le portail ouvert non sans une petite crispation, mais il se rassura : personne ne pouvait le reconnaître. Le costume ample qui gommait les formes, la calotte très enveloppante, la haute collerette, le masque lui garantissaient l'incognito, il y avait veillé.

Il avait emporté le carton d'invitation, mais on ne le lui demanda pas. Il descendit l'allée à grands pas. Le pantalon était un peu long, la lisière en rasait le sol, mais dans l'ensemble ça allait, et il marchait souplement, bien à l'aise sous la casaque flottante. L'allée s'enfonçait entre les arbres, balisée de bornes lumineuses. D'autres lampes de couleur avaient été dissimulées dans les feuillages des massifs et composaient une palette de féerie. Dans des haut-parleurs invisibles, John Lennon chantait *Imagine.*

Le parc insensiblement se peuplait de silhouettes paisibles ou fugaces. Il croisa des couples qui flânaient main dans la main, d'autres immobiles au bord du chemin, buvant l'éternité, lèvres jointes.

Une colombine effarouchée traversa la voie devant lui, serrée de près par un capucin lubrique.

Quelques dizaines de mètres encore et il débouchait au cœur de la fête, à proximité de la maison. Des girandoles scintillaient aux arbres, dessinant tout autour des jardins une guirlande ininterrompue. L'esplanade devant lui grouillait d'une multitude caquetante et bigarrée, pot-pourri de siècles et de latitudes. Des gens buvaient et mangeaient, assis à de petites tables nappées de blanc, d'autres dansaient au pied de la terrasse, autour des bassins cernés de lampions multicolores. Des laquais révérencieux, habillés à la française, perruques poudrées et gants blancs, circulaient avec des plateaux garnis.

Karim prit une coupe, continua d'avancer lentement, dans le brouhaha fait de conversations légères, de rires débridés, de pépiements de femmes excitées.

Les haut-parleurs diffusaient un air à boire et une farandole sinuait entre les tables. On voulut l'y incorporer, il s'esquiva, laissa passer la couleuvre hurlante.

Il arrivait à la piscine. Tout autour de la grande pièce d'eau tracée en forme de cœur on avait tendu des fils auxquels se balançaient des lanternes vénitiennes. Karim songea que c'était là que l'oncle Julio était mort il y avait seulement quatre mois. Insouciants, naïades et dauphins s'ébattaient dans l'eau bleue, les maillots modernes contrastant avec le loup qui masquait le visage des baigneurs, et ce détail apportait à la scène une note d'irréalité un peu extravagante.

Il musarda autour du bassin. Une gitane soudain l'investit, se souda à lui, fit travailler son ventre, lascive.

« Enlève ton masque, beau pierrot, enlève ton masque! »

Il essaya de déchiffrer le message du regard effronté dans la double meurtrière du loup ivoire. Elle continuait de s'échauffer contre lui. Ses phalanges tachées de rouge cru caressaient les poils de son menton, cerclaient ses lèvres, couraient sous la collerette. Elle voulut saisir l'élastique. Il s'y attendait, il bloqua sa main.

« Tu es donc si moche?

– Oui, plaisanta-t-il. Un trou à la place du nez! Où est Aude de Malestroit?

– Aude? Pourquoi?

– J'ai envie de lui parler. »

Elle prit du recul pour mieux l'examiner. Ses yeux étaient deux escarboucles ardentes :

« Alors cherche, beau pierrot! C'est le jeu ce soir, tu ne savais pas? »

Elle se dégagea prestement, secoua le tambourin à son oreille :

« Aude, c'est peut-être moi? »

Elle eut un rire perlé et s'enfuit, mutine. Deux secondes de perplexité. Non, il ne s'agissait pas d'Aude, Aude était beaucoup plus menue, et il n'avait pas reconnu la voix.

Il retrouva l'esplanade, il cueillit une deuxième coupe de champagne, s'approcha du buffet qui, sur toute la longueur de la maison, alignait sa mosaïque de victuailles. Il grignota quelques canapés, s'offrit un filet de poulet. Il avait la villa dans son champ visuel, de face. Il apercevait la terrasse de travertin au haut des trois marches, le parterre de plantes décoratives dans leurs caissons verts et, à travers les baies ouvertes, deux lustres énormes qui brûlaient de leurs essaims d'ampoules, des flamboyances de glaces et de cristaux.

Autour de lui, sur les marches, sur la terrasse, on

jouait à s'intriguer, on flirtait, on se frottait rythmiquement, dans la stridence des voix maquillées, posées à l'aigu du diapason. Toute une Babel hétéroclite, le gracieux côtoyant le burlesque, le cernait, l'effleurait, le bousculait parfois, parmi les effluves musqués des parfums et des corps en sueur.

Karim regardait, il épluchait un à un les travestis graciles qui passaient, essayait de deviner sous les voiles le modelé des visages. Laquelle de ces silhouettes était Aude?

Il posa son verre, cependant que la sono attaquait *Le Lac Majeur*. Il déambula parmi les couples tendrement imbriqués, bourlingua d'un siècle à l'autre, furtif et sévère, songeant à toutes ces chairs flasques et ruisselantes, à ces poitrines dévastées, à ces croupes adipeuses que transcendait la magie de la parure et de l'heure, imaginant par jeu la réalité de telle bedaine mâle tendant le pourpoint de brocart. Qui? Un ponte de la Chambre de commerce? Un magistrat du siège? Un doyen de Fac en train de se dévergonder à bon compte?

Il s'éloigna de la maison, chercha la paix relative des grands arbres du parc. D'autres aussi fuyaient la foule. A mesure que la soirée s'avançait, l'excitation collective gagnait, les derniers freins de la timidité et de la pudeur lâchaient et l'aimable partie champêtre virait à la kermesse libertine. Des couples de fortune erraient dans les bosquets en quête de l'ombre et du lit. Il entrevit dans la réverbération des bornes lumineuses des formes allongées ou plaquées contre les fûts des arbres, la blancheur des peaux nues.

Il accéléra. Il commençait à être écœuré, au propre comme au figuré : il avait bu trop vite, lui qui n'absorbait guère d'alcool, la tête lui tournait. Et il avait un peu honte d'être là, célébrant malgré lui de cette licence programmée, dont le Grand Maître était Davila, Augusto Davila, l'homme dont il était certain qu'il avait trempé dans la mort de son frère.

Il emprunta une sente parmi les arbres, la suivit jusqu'à la haute muraille qui ceinturait la propriété. Il longea l'enceinte. Maintenant, il était bien seul et ne lui parvenait plus de la fête qu'une écume sonore, assourdie. Il atteignait l'arrière de la villa. Il devina une suite de constructions basses, coiffées de zinc, la masse cubique d'un bûcher. La porte d'un appentis était entrouverte. Sans trop savoir pourquoi il poussa le battant de bois, fit un pas, explora l'ombre, repéra les disques livides d'une réserve de bouteilles vides empilées, des agrès maritimes, un établi.

Dans le couloir médian, quelque chose brillait. Il approcha, sa main rencontra la froideur d'un phare, caressa les contours d'une motocyclette, une grosse cylindrée apparemment. Un autre véhicule était garé plus au fond en travers du couloir.

Karim continuait à effleurer la forme ventrue d'un doigt machinal. Il se disait, restons calme, deux motos remisées au fond d'un garage, qu'est-ce que ça prouve? Les battements de son cœur démentaient son raisonnement. Il entendait les paroles d'Aude vivant son rêve d'épouvante :

« Les motos dans les arbres... Et lui qui courait... »

Etait-ce le signe enfin qu'il attendait? Il sortit de l'appentis et fit le tour de la maison par son pignon ouest qu'il ne connaissait pas.

Une tache claire surgit de la nuit et lui barra la voie, une nymphe en fine tunique de gaze soulignant la ligne du corps et la gorge libre tressautante. Elle l'embrassa à pleine bouche, tandis qu'une main précise entreprenait de le caresser.

Il maîtrisa son dégoût.

« Aude, dit-il, la fiancée de Davila, c'est laquelle? »

Elle suspendit son massage, rigola :

« La plus belle, bien sûr! Tu l'as vue, la petite geisha? Mais fais gaffe, Pierrot, pas touche! Le Davila est une teigne, méfiant comme un hidalgo! Laisse tomber la geisha, d'accord? Je suis là, viens. »

Elle se détacha, se mit à courir, la tête tournée vers l'arrière, espérant une chasse qui ne vint pas. Vite lassée, la femelle changea de cible.

Karim finit de contourner la bâtisse. Il retrouva l'aire illuminée, l'orgie des mouvements, des formes et des voix. Il chercha encore parmi les groupes, pensa vingt fois que c'était elle, crut enfin la reconnaître sous le kimono or et noir, la chevelure blonde ramassée en un haut chigon par deux larges peignes de nacre. Elle était dans un petit cercle, au bas des degrés de la terrasse et bavardait avec exubérance.

Il s'approcha, saisit hardiment sa main gantée et l'attira. Elle ne protesta pas : cette nuit toutes les audaces semblaient naturelles. Il l'enlaça dès qu'ils furent sous le couvert, elle accepta le jeu, elle plaqua son corps frêle contre le sien avec un tel abandon qu'il en fut troublé. Sa peau exhalait un parfum agressif, le même qu'à leur rencontre chez elle, il se souvenait, et il ne pouvait pas ne pas l'associer à une autre image, le corps juvénile qui s'offrait, nu, ce soir-là.

Bien qu'ils ne fussent guère éloignés de l'épicentre de la fête, ils furent durant quelques instants miraculeusement seuls, dans la pâle clarté du sous-bois. Il s'étonna de son silence : est-ce qu'elle ne l'avait pas déjà reconnu? Elle avait placé ses bras en anneau sur la collerette et, se tenant un peu en retrait, elle le regardait.

Les haut-parleurs s'étaient arrêtés, et une voix éraillée montait, dominant la trépidation sonore :

Je vais vous raconter l'histoire
De Pineau, curé de chez nous!

Une chorale discordante, hommes et femmes mêlés, lui fit écho :

Pineau cu-papa
Pineau cu-maman
Pineau, curé de chez nous!

Elle eut un rire sourd :
« C'est Augusto. Son air favori quand il est bien parti! »
Malgré le ton léger, la voix lui parut altérée.
« Aude, vous allez enfin me dire... Djamel (il sentit la crispation des mains gantées sur sa nuque) Djamel est déjà venu à *La Rascasse*? Les motos dont vous m'avez parlé, c'était ici? »
Elle ne répondit pas. Sa respiration parut se précipiter. Inexplicablement, le corps d'Aude de Malestroit revint chercher le contact avec celui de son partenaire. Là-bas, la chorale poursuivait sa prestation paillarde :

Sortons ob-papa
Sortons ob-maman
Sortons observer le couchant!

Aude fut traversée d'un long frisson. Elle décolla ses bras, murmura :
« Il vous tuera. Partez vite. »
Et elle s'enfuit, disparut à l'angle de la maison.
Il était de nouveau seul, tout imprégné de son

parfum violent. Il se remit à marcher loin de la foule, vers le fond du parc.

« Il vous tuera. »

C'était la seconde fois qu'elle l'avertissait, il était certain qu'elle n'exagérait pas et il n'éprouvait pas de peur, au contraire, une sorte de joie grave. Il se disait qu'il n'était pas seul, son frère se trouvait là; il sentait la chaleur de sa présence sur le chemin, à côté de lui. Karim avait ralenti, il posait ses pas avec précaution, comme on fait dans un lieu consacré. Les yeux mi-clos, la tête basse, concentré, il évoquait la figure du disparu. Et c'était une figure de bonheur. Djamel, ses dents éclatantes, ses prunelles de lumière, Djamel chantant ses rêves, face à l'océan, sous un ciel d'étoiles...

Il rouvrit les yeux, s'en voulut de sa pensée comme d'une profanation. Car le Djamel qui avait suivi ce parcours une nuit de novembre (Karim le savait maintenant) avait le visage de l'angoisse, un visage qu'il ne connaissait pas, et qu'elle avait vu, elle :

« Et lui tout seul qui courait, qui courait... Un animal blessé... Il suppliait, le pauvret, ses deux bras écartés, comme un jésus... »

Tous ces mots incrustés dans sa mémoire, il les avait répétés cent fois, sans comprendre, et à cette minute encore tout n'était pas éclairé. Il savait seulement que ce parc avait été le cadre d'une tragédie atroce, à l'abri des sanctions humaines, et le dernier cri de Djamel, alors qu'il tombait du pont Malchance dans la nuit pluvieuse, voulait dire cela aussi : son message enfin reçu.

Karim s'arrêta. La sueur collait la blouse à ses épaules, à ses bras. Devant lui, une grande composition en plâtre, sur son socle de pierre. La nuit était assez claire et ses yeux s'étant bien adaptés à la pénombre, il reconnut l'effigie, une Diane, saisie en pleine course, la main droite à hauteur de l'oreille arrachant une flèche au carquois. Rappel symbolique d'une autre chasse en ces lieux, terrible?

« Et lui qui courait, qui courait... »

Il tomba sur les genoux, resta prostré, comme abîmé dans la prière. L'humidité du sol transperçait l'étoffe mince du pantalon. Il se releva, s'assit sur le socle de la statue, ne bougea plus, comme incorporé à la pierre froide.

Des minutes s'écoulèrent, ou des heures. Dans une quasi-catalepsie, il devina des formes furtives qui s'étaient égarées aux abords de sa retraite et se concertaient à mi-voix. Rires. Plaintes. Halètements. Sueurs, humeurs, pâmoisons, petites morts... Griseries, certitudes et mensonges – l'éternel et pitoyable carrousel de la vie...

Et il y eut des groupes là-bas qui remontaient, bruyants, vers le portail, le dernier baroud des voix enrouées, des ronflements de voitures, des cancans de klaxons, les feux croisés des lanternes au loin, des morceaux de chansons et l'écho long des au revoir.

Les ampoules et les bornes de l'allée s'étaient éteintes, les haut-parleurs se taisaient. Karim eut froid. Il interrogea sa montre, s'aperçut qu'il était près de 5 heures : il avait dû s'assoupir un long moment. Il se leva, ankylosé et grelottant dans la fraîcheur rêche de l'aube. Une grive lève-tôt esquissait un premier trille, à l'est dans une trouée une pâleur se mettait en place.

Karim rattrapa la grande allée et, pareil à un somnambule, il prit la direction de la maison, dont les lumières continuaient à tacher l'obscurité parmi les arbres. Il déboucha sur l'esplanade vide. Seul un homme assez âgé boitillait entre les tables, un plateau dans les mains. Il se figea, regarda passer ce pierrot des ténèbres sans un mot.

Karim monta sur la terrasse, lentement. Les portes-fenêtres de la villa étaient restées ouvertes et il les aperçut aussitôt, Aude et Davila, assis sur l'un des canapés du salon. Ils avaient ôté leurs masques, mais portaient encore leurs vêtements de carnaval, elle, sa chevelure blonde libérée croulant sur les épaules du kimono, lui, en personnage oriental, sultan ou maharaja, sans coiffure, son crâne déplumé luisant comme celui d'un bouddha d'ivoire.

Karim franchit le seuil. Il nota leur stupeur : tous deux se redressèrent, ouvrirent la bouche. Karim fit halte à quelques mètres d'eux et remonta son masque sur le front.

« La merveilleuse apparition! »

C'est lui qui s'exclamait. Il arborait un air ravi, sa courte moustache frétillait. Il se leva, s'inclina devant Karim, les mains jointes contre la poitrine, à l'hindoue :

« Que le noble visiteur daigne s'asseoir dans notre modeste demeure! »

Karim ne bougeait pas. Il regardait Aude qui, elle non plus, ne le quittait pas des yeux. Un rictus de contrariété enlaidissait la frimousse délicate. Davila dit :

« Non? »

Il eut une grimace navrée, se rassit auprès d'elle, lui caressa la hanche d'un doigt comme distrait :

« Chérie, comment le trouves-tu notre pierrot surprise? »

Elle allongea les lèvres :

« Triste à pleurer, dit-elle. On dirait un croque-mort! »

Elle se pencha sur Davila, l'embrassa longuement, puis se frotta contre lui avec de petits râles. Et tandis que la main de l'homme lui flattait le buste, elle enveloppait Karim d'un regard hostile, presque haineux. Davila butina sa bouche, se décolla un peu :

« Pierrot mon ami, qu'est-ce que je peux pour vous? Mais d'abord, à qui ai-je l'honneur? Il me semble que les présentations n'ont pas été faites?

– Vous savez très bien qui je suis, dit Karim.

– Mais non, assura Davila. Parole! »

Il sollicita d'un hochement de tête l'avis de sa partenaire.

« Jamais vu ce type », dit Aude.

Karim ricana :

« Votre numéro ne m'impressionne pas. Vous m'avez parfaitement identifié. Si vous n'avez pas encore deviné pourquoi je suis ici, je vais vous le dire. Davila, je suis venu vous demander raison de la mort de mon frère Djamel! »

Il n'était pas très content de sa formule, trop théâtrale, jugea-t-il, ça faisait Monte-Cristo ou Lagardère. (Il s'était jadis passionné pour ces histoires.)

Davila ne cessait pas de sourire, tout en pelotant mollement les seins de sa voisine, laquelle le remerciait de temps à autre d'un lappement amoureux. Et toujours ses yeux sur Karim comme des couteaux de feu.

« Foutre! fit Davila. Comme vous y allez! J'ignore l'allusion. Je suppose que le chagrin vous trouble l'esprit, à moins que ce soit l'insomnie? ou l'alcool?

– Arrêtez votre cirque, dit Karim. Kef, ça vous dit quelque chose? »

Davila prit Aude à témoin, roula des pupilles étonnées :

« Qu'est-ce que ça devrait me dire?

– Ne jouez pas au plus fin, Davila! Vous crevez de trouille! J'ai retrouvé votre trace et vous savez bien que je ne vous lâcherai plus! Votre seul problème :

comment vous débarrasser de moi. En m'égorgeant sous les yeux de votre fiancée? ou en faisant appel à un homme de main? Qui? Pas Kef en tout cas : vous l'avez déjà liquidé!

– Qu'est-ce qu'il déconne? » dit Davila d'un ton changé.

Il repoussa sa compagne.

« Attention, bonhomme, je déteste qu'on me bave dessus! A plus forte raison, continua-t-il en martelant les syllabes, un bougnoule!

– Le bougnoule méprise l'assassin!

– Ça suffit! » glapit Davila, qui d'une détente se mit debout. Ses yeux avaient pris une dureté minérale. Sous la peau que la barbe bleuissait on distinguait le jeu puissant des muscles maxillaires.

« Finie la rigolade, mon gars! Parle clair. Pourquoi tu es venu chez moi? Je ne crois pas t'avoir invité? Alors? Qu'est-ce que tu veux exactement, hein? »

Karim n'hésita qu'une fraction de seconde :

« Vous confondre, dit-il. Je demande le témoignage de votre fiancée! »

Davila tourna la tête vers Aude :

« Ça veut dire quoi? »

C'était elle à présent que les yeux métalliques transperçaient, et Karim regretta sa sortie. Aude restait très calme. Elle se leva, s'étira, bâilla, dit avec ennui :

« Ce type me casse les pieds. Complètement givré! Flanque-le dehors, Augusto! »

Ses yeux brillants ne lâchaient pas Karim, et il mesurait qu'il s'était conduit comme un gamin et qu'en tout état de cause elle n'avait pas d'autre solution, pour sa sécurité personnelle, que de le désavouer.

Davila réfléchissait, tout en arpentant le salon, grotesque dans sa longue robe jaune chiffonnée. Il transpirait, du fard s'étalait sur ses joues en grosses larmes clownesques. Karim affrontait à nouveau le regard inamical d'Aude et essayait de lui transmettre son propre message : qu'il était désolé de sa maladresse. Il avait un peu perdu de vue Davila.

Le coup de poing l'atteignit à la tempe droite avec une violence inouïe. Il heurta une lampe en céramique, ricocha contre une table gigogne, s'écroula sur le dos, groggy. A travers un nuage rouge il entrevit en gros plan le mufle cruel, puis ses paupières se fermèrent. Dans une demi-conscience, il sentit qu'on l'agrippait aux cheveux et qu'on le halait sur le carrelage. Il gémit quand on lui fit dégringoler les trois marches de la terrasse. On s'arrêta, on lui attrapa les chevilles et on se remit à le tirer. Sa tête, son dos raclaient le gravillon, heurtaient des objets, se meurtrissaient.

Nouvelle halte. On le souleva à pleine tignasse, on pesa contre sa nuque. Il reçut une gifle humide, l'eau s'engouffra dans sa bouche. Il voulut cracher, suffoqua. Ses tympans sifflaient, il se dit, je vais mourir, comme Djamel. Pas encore. On l'extrayait de l'eau, bien réveillé à présent. Il toussa, vomit peut-être. Son cœur lui faisait très mal, le sang canonnait dans sa tête.

Il entrouvrit les paupières, se heurta à la pâle draperie des étoiles. On riait, on parlait. Qui? Il ne savait pas, il songeait, mon costume de pierrot va être dans un état, comment est-ce que j'expliquerai au marchand que... Idiot de penser à ça. Des lèvres se collèrent à son oreille, il y eut des mots, hurlés ou chuchotés, il ne pouvait pas le dire :

« Tizi-Ouzou, disait la voix, à Tizi-Ouzou j'en ai crevé quelques salopards de ton espèce! »

Et derechef la poigne de plomb sur sa tête. Il ferma la bouche, ses poumons écrasés éclataient. Il descella les lèvres, aspira un flot amer. Gargouillis, tempête dans son crâne. Il roula vers le néant noir.

Une lumière d'outre-tombe, des scintillations, des rumeurs, cette note ténue, hyperaiguë, insupportable. Inconscience, conscience, comment savoir? La machine grippée qui se décidait à repartir, le jeu des bielles, familier. Lueurs, bruits, deux syllabes nettes tout à coup :

« Arrête! »

La voix résonne dans sa tête, il l'a bien identifiée, la voix d'Aude, c'est elle qui vient de supplier, toute proche. Un cri violent, démesuré, qui vibre encore. Plus rien. La stridulation de ses tympans martyrisés, son souffle hachant menu le vide des abysses.

La griffe qui le tient aux cheveux s'ouvre, il tombe, roule au sol comme un paquet geignant. L'herbe est mouillée sous sa nuque. Dans l'encoche entre ses paupières la nuit pose des courses éperdues d'étoiles. Puis une forme floue s'interpose, une voix âpre murmure :

« Partez tout de suite. Avant qu'il ne change d'avis. »

On l'aide à se mettre debout. Est-ce que c'est elle? Non, un bras ferme le hisse, une odeur rude l'atteint, pipe et cuir. Un homme. Karim fait un immense effort, il écarte les paupières, le reconnaît : le type qui débarrassait les tables tout à l'heure.

« Allons, marchez! » ordonne-t-il durement.

Le bras glisse sous son aisselle, le soutient, le porte. Ses talons ratissent des gravillons, puis un sol mou. Il se laisse traîner sans vergogne. Sa tête ballotte de haut en bas, il est sans forces, et cette déchirure à la poitrine...

La longue marche entre les arbres, le frottement des tennis contre la terre, les pas de l'homme, désaccordés, couic, ploc, couic, ploc. La sueur poisse le visage de Karim. Il pense bêtement, un chemin de croix, Djamel aussi, au même endroit. Il a l'impression que la nuit est plus pâle. Il se force à tenir les yeux ouverts quelques secondes. Oui, ils sortent du couvert, il reconnaît le portail, ils passent.

Le type s'arrête :

« Vous êtes en bagnole? »

Sa voix s'est adoucie. Karim secoue la tête :

« Loin... plus loin...

– Vous pouvez marcher? »

Il dit oui, balbutie un remerciement.

« Disparaissez vite, dit le type, ça vaudra mieux. »

Il tourne brusquement le dos, refranchit le portail. Il se perd dans la nuit du parc.

Davila était revenu s'asseoir au salon avec Aude. La silhouette déjetée de Candéla se dessina en noir sur le seuil de la porte fenêtre.

« Voilà, dit-il, il est parti. »

Davila ne réagit pas. Affalé sur le canapé, un verre de whisky à la main, il regardait quelque part dehors, très loin. Son vêtement était en désordre, les manches de la robe hindoue, trempées jusqu'aux épaules, luisaient.

Aude, immobile dans un des fauteuils, l'observait. Candéla se balança d'un pied sur l'autre, toussota. Davila parut enfin remarquer sa présence. Il serra les dents :

« Qu'est-ce que tu fous encore ici?

– Je peux partir?

– C'est ça, évacue! Drope, nom de Dieu!

– Au revoir, mademoiselle Aude », dit Candéla.

Il disparut. Quelques instants plus tard, ils entendirent le cliquetis rythmé de sa bicyclette. Le bruit s'évanouit.

Aude frissonna, frotta ses coudes contre ses côtes. Le petit matin s'annonçait, frisquet et strié d'appels d'oiseaux. Elle se leva, s'agenouilla devant Davila, mit son front contre sa cuisse. Il ne broncha pas et elle releva la tête. Il buvait, très lentement, le regard toujours accroché à un songe.

« J'ai froid, Augusto. Tu ne veux pas qu'on rentre dans la chambre? »

Il posa le verre sur un guéridon, fit craquer les jointures de ses doigts.

« Ce bougnoule devient envahissant, tu ne trouves pas? »

Elle ne répondit pas. Elle examinait avec attention la face carrée, les maxillaires vissés, les dents aiguës qui paraissaient, dans le retroussis du sourire, s'être refermées sur une proie et ne la lâcher plus. Les yeux de Davila, désormais très lucides, posèrent sur la jeune femme leur flamme dure.

Et Aude eut tout à coup très peur.

2

Dimanche 29 août

Paris, 9 heures. Le général sortit de l'église Saint-Nicolas où il venait d'entendre la messe grégorienne. Sur le parvis il enfila ses gants noisette, huma la douceur de l'air. Il s'éloigna d'un pas de promenade par la rue encore peu fréquentée à cette heure matinale.

Le général était un homme heureux. Depuis l'avant-veille dans l'après-midi il avait le droit de se dire : mission accomplie. Il n'avait pas encore vu le ministre, absent de Paris tout le mois, mais son chef de cabinet avait été formel : le patron serait bien à Brest en novembre pour le départ de la *Jeanne* et acceptait de procéder à la décoration solennelle de Malestroit sur le front des troupes.

Aujourd'hui, le général savourait sa victoire et il s'en allait guilleret, l'âme lavée de frais, en cette agréable matinée d'août finissant. Il musardait, flânait devant les vitrines, lorgnait attendri les minettes qui passaient pimpantes. Un clochard lui tendit la main. Le général se rappela le prêche de l'officiant, se cita une forte parole de saint Paul sur la charité et donna cinq francs. Il se trouva humain et sensible et en fut tout émoustillé.

C'est juste après son aumône qu'il remarqua la fille, tapie dans une encoignure. Noire, sculpturale, une poitrine à damner un anachorète. Il ralentit, se dit : chiche, je monte? Vingt minutes de rêve tropical... Les Négresses il aimait. Il évoqua le bon temps, le Dahomey et l'Indochine et l'Algérie... Toutes ces indigènes qu'il avait tenues sous lui...

Il s'était arrêté et la regardait. Elle se détacha de sa toile, le sourire étalé sur ses dents nacrées, elle zézaya :

« Bonzou? Ze te plais? »

Il renifla une senteur poivrée, parfum gratiné de sueur, et la sensation lui fouetta les reins. « Mangeuse de manioc, estima-t-il, Côte-d'Ivoire ou bien... » Le sang aux joues, il épia les alentours, vit deux très jeunes gens qui approchaient sur le trottoir enlacés. Ils se mirent à rire dans son dos, et il se dit qu'ils se gaussaient de lui. Il toisa la Négresse avec rage : il aurait aimé la fouetter jusqu'au sang!

Il s'éloigna dignement, se consola en constatant combien l'hygiène de ces peuplades demeurait rudimentaire. Parbleu, elle lui aurait refilé une maladie! Il broda sur le thème, appela de ses vœux le coup de balai purificateur qui redonnerait au pays son âme défigurée. Ils s'en étaient encore entretenus, à la dernière réunion de La Frairie Saint-Mikaël : « Epouillons la rue! A la porte sauvages et métèques! » Il se voyait déjà quant à lui conduisant la grande purge dans sa bonne ville de Brest, il savait de quoi il parlait : il avait fait la bataille d'Alger. Si la patrie réclamait son bras, il répondrait : présent!

Sur ces hautes spéculations, le général atteignit le métro et gagna le quai, non sans épancher à nouveau son fiel contre la faune bigarrée qui polluait les couloirs. Il attrapa un train, débarqua sept stations plus loin.

Le logement de la cousine Angéla qui leur cédait

son trois-pièces durant leur séjour à Paris était à deux cents mètres. Il pénétra dans l'immeuble, monta au quatrième, ouvrit. Gouvernante était au piano et chantait rêveusement le grand air de *Madame Butterfly*. Il écouta à la porte du séjour, trouva la voix, les arabesques de l'accompagnement et les rondeurs joufflues de la croupe étalée sur le siège fort émouvantes. Il s'avança, l'âme coquine et par-derrière empauma les seins de la diva.

Elle poussa un cri effarouché :

« Gonzague, mon ami, quel enfant vous faites! »

Il se mit à la peloter vaillamment, le nez dans son chignon.

« Continuez, mamie, dit-il. La musique sublime de Puccini et vos mamelles au creux de mes mains, est-il mets plus délectable? »

Elle se remit à jouer avec langueur, s'arrêta.

« Mon Dieu, où ai-je la tête! Augusto a téléphoné tout à l'heure. Il voulait vous parler. »

Il abandonna aussitôt les globes opulents, se redressa :

« Augusto? Pourquoi?

– Il ne l'a pas dit. »

Dans la psyché devant elle, elle remarqua que le visage de Malestroit s'était rembruni. Le général péta mollement, lâcha un « Tonnerre de Brest! » sans éclat. Elle le gronda avec indulgence :

« Voyons, mon ami, voyons! »

Elle ne s'était vraiment jamais faite à ce caprice de la nature dont il ponctuait ses humeurs et ses états d'âme.

« Vous pourriez le rappeler?

– Certes, certes. »

Il gardait une expression soucieuse.

« Il n'a rien dit de particulier?

– Non... Ah! leur fête costumée à *La Rascasse* a

été un très beau succès. Augusto a bien regretté que vous n'y soyez pas. »

Il ronchonna :

« Moi non. »

Il parut indécis, déclara :

« Oui, je vais l'appeler. »

Il passa dans le vestibule, referma la porte.

Elle laissa courir ses doigts sur les touches, songeuse. Augusto n'avait pas téléphoné sans motif sérieux, et c'était bien ce qui inquiétait le général. Encore une bêtise de cette tête folle d'Aude, sans doute. Elle soupira, essaya de replacer sa voix sur les cimes de la *Mer calmée*, s'interrompit en entendant se rouvrir la porte du hall.

Le général revenait, la tête basse et la lippe dure.

« Simone, nous allons devoir repartir un peu plus tôt que prévu. »

Elle eut un air dépité : elle se plaisait beaucoup à Paris.

« C'est Aude? Qu'est-ce qu'elle a fait?

– Non, il ne s'agit pas d'Aude. Augusto a des problèmes et aimerait m'en entretenir sur place. Après tout, il n'y a plus rien qui nous retienne ici? Puisque j'ai obtenu gain de cause. J'aimerais être à Brest demain soir. »

Elle cacha sa déconvenue, s'excita in petto : quel était donc ce nouveau mystère? Elle se leva, rabattit le couvercle du piano :

« Comme vous l'entendrez, mon ami. Je m'occupe des bagages. »

KARIM

10 heures 43

Le téléphone qui hurlait à son oreille le ramena violemment aux choses du réel. Le cerveau confus, il tâtonna contre la cloison, détacha le récepteur. Il reconnut à peine la voix de Mme Lecossec.

« Il y a des policiers qui veulent vous voir.

– Hein? »

Il se mit sur son séant, bien réveillé du coup.

« A quel sujet?

– Ils n'ont pas dit. Vous pouvez descendre?

– Oui. Quelle heure est-il, madame Lecossec?

– Près de 11 heures.

– 11 heures! Bon, le temps de faire un brin de toilette et...

– Non, mon gars! »

Une voix d'homme brutale avait pris le relais.

« La toilette attendra. Vous rappliquez immédiatement, O.K.?

– Ça va, dit Karim. J'arrive. »

Il se leva, passa sa figure sous le robinet, se donna un coup de peigne. Il s'observa : une peau terreuse, des yeux gonflés par le manque de sommeil (il n'avait dormi que quelques heures), mais la face ne portait pas de traces de violences, c'était déjà ça.

Seulement, pourquoi les flics? Il s'habilla, descendit.

Ils battaient la semelle à la réception. La paire parfaite, le duo de rêve! Complémentaires jusqu'à la caricature : un gros soufflé, bourré d'emphysème et une interminable haridelle efflanquée à la poitrine creuse.

Le fil de fer se planta devant Karim, l'œil torve, exhiba son carton barré, exigea la réciproque :

« Vos papiers! »

Karim sortit son vieux passeport, que le type éplucha en le tenant entre deux doigts d'un air dégoûté. Il releva les yeux :

« Pas de visas? Ça ne vaut rien! Où est votre carte de séjour? »

Karim secoua négativement la tête. Un embryon de sourire étira les lèvres minces. L'autre, le bibendum, esquissa une manœuvre enveloppante, la main bloquée contre sa poitrine, comme Reagan quand il salue la bannière.

« Vous savez que vous êtes en infraction avec la loi française? s'enquit l'escogriffe.

– Oui, admit Karim d'un ton las.

– Alors on est bien d'accord : vous nous accompagnez gentiment au poste, O.K.? »

La lueur s'avivait dans le regard, une lueur que Karim connaissait bien : sentiment fruste de la puissance, mépris du faible, tentation de la cruauté, elle disait tout cela; elle était la même sous toutes les latitudes et sous tous les régimes, chez le flic français cotisant à la C.G.T. et chez l'argousin d'Hassan qui le tabassait, frères de morgue et de fureur.

Il dit :

« Je vous suis. »

Il adressa un signe amical à la brave Mme Lecossec, pietà éplorée derrière son comptoir, il sortit avec ses deux chaperons. Trois minutes plus tard, la commerciale Peugeot les déposait à l'hôtel de police. Ses tueurs en flanc-garde, Karim traversa le hall sous le regard vide du planton. On l'introduisit dans une longue pièce grise et triste, obscurcie de fumée de cigarette. Trois pupitres séparés, dont deux étaient déjà en service : d'un bord le flic à sa machine, de l'autre le patient, une fille trop maquillée qui se tripotait les yeux avec un mouchoir brodé, un vagabond barbu comme un patriarche, assoupi, le menton contre sa poitrine.

Karim fut instamment convié à s'asseoir devant la table inoccupée, le mal-nourri posa en face ses fesses maigres. L'emphysémeux resta debout et attaqua bille en tête :

« Qu'est-ce que tu fous en France?
– Je préférerais qu'on ne se tutoie pas », observa Karim.
Une seconde de stupeur. Les joues enluminées du gros virèrent à l'aubergine.
« Ah! voui? »
Il était tout près, il leva le bras, hésita quand même, biaisa vers l'insulte :
« Saloperie! Change de ton, ou gare à ta gueule!
– T'excite pas, Martial », dit le maigrichon, qui allumait un ninas en toussant.
Ses yeux étaient très froids.
« Donc, monsieur (il eut un rictus : la formule lui déchirait la bouche), vous vous trouvez à Brest depuis le... (il se pencha pour contrôler)... depuis le 11 juillet. Pour quelle raison, monsieur (autre grimace) êtes-vous en France? »
Karim hésita un peu. Qu'est-ce que le flic savait? qu'est-ce qu'il ignorait encore?
« Mon frère est mort ici. Il est enterré au cimetière de Kerfautras. J'ai souhaité me recueillir sur sa tombe. Je pense que vous comprenez ça?
– Ça va! grinça le représentant de la loi. N'en rajoutez pas, O.K.? Quand il est décédé, votre frère?
– En novembre dernier.
– Nom, prénoms...
– Bougataya Djamel.
– Epelez. »
Il écrivit sous la dictée.
Le rougeaud rageur alors battit des ailes :
« Djamel, Djamel... Ça me revient : c'est pas un mec qui s'est balancé du pont du Bouguen?
– Oui », dit Karim d'une voix âpre.
Les duettistes échangèrent un regard appuyé et subtil. L'asperge se renversa contre le siège, aspira

son ninas, souffla avec bruit un pinceau gris-bleu :

« Navré pour votre frère. Mais aujourd'hui il s'agit de vous. Vous savez ce qui vous pend au bout du nez? »

Karim ne releva pas la menace. Les deux compères marquèrent un temps de flottement. Puis :

« Avise le patron, Martial, dit le flic au ninas. A lui de jouer. »

L'enflé obtempéra et quitta la salle d'un pas chaloupé, les poteaux bien écartés (ses cuisses à la fourche avaient des privautés).

Durant quelques minutes, l'échange fut suspendu. Une machine à écrire dans une autre pièce bégayait. Inclinée sur le bureau, la fille peinturlurée murmurait des choses comme en confidence à son confesseur, qui remuait la tête avec une componction blasée. Le clodo barbichu, cueilli en plein rêve, débouchait effaré sur la vacherie humaine et protestait :

« Vingt dieux, mon gars! En v'la des façons! »

Derrière son écran bleuâtre, l'échalas, détaillait Karim. Il conclut un monologue intime sur cet aveu capital :

« J'aime pas les Arabes.

– Je suis Berbère, dit Karim.

– Y a une différence? » rétorqua le malgracieux.

Karim fut sur le point d'expliquer; un réflexe de fierté le retint et il dit simplement :

« Non, aucune.

– Vous voyez! » triompha l'imbécile.

Il croisa les jambes, plissa les paupières.

« Notez bien, reprit-il, dans un évident effort de compréhension, je leur veux pas du mal, aux Arabes, mais qu'ils restent chez eux! Les Arabes en Arabie, voilà ce que je dis. On n'a rien en commun,

O.K.? Rien de rien. Alors, chacun son bord, nous ici, vous et votre ramadan, et vos smalas de mouquères, vos youyous et vos salamalecs... »

Karim l'entendait à peine. Il observait l'homme en veste bleu pétrole, debout à quelques mètres, qui l'examinait avec attention. La trentaine enrobée, massif, deux sillons sévères creusant la lèvre supérieure, des traits flétris et lourds.

Gêné, Karim rompit le contact, revint au confessionnal, se heurta au visage hostile du flic qui sur la rive opposée continuait à déblatérer. A travers une vapeur il picora des mots « insécurité... dégradation des mœurs... chômage... » Il pensait fortement à Djamel, il interposait entre lui-même et cette haine élémentaire le visage lumineux de son frère. Alors, ce que pouvait raconter ce pauvre type...

L'homme en veston bleu avait disparu. Gros-Bedon rappliquait en marchant sur des œufs comme s'il avait tout largué dans ses braies.

« Changement de programme, annonça-t-il. Jef Chabert désire le voir.

– Chabert? s'étonna l'autre. Qu'est-ce qu'il veut?

– Pas bien pigé, mais il a l'air d'y tenir. Le patron est d'accord. »

Le grand flandrin se mit à la verticale, rafla sur la table notes et papiers, dit :

« Venez. »

Karim le suivit hors de la salle. Un couloir qui sentait l'ammoniaque et la peinture, une enfilade de portes impersonnelles. Le flic s'arrêta :

« Bougez pas. »

Il frappa, entra, referma. Deux minutes après, il ressortait :

« Allez-y. »

Karim passa l'huis, on tira la porte dans son dos.

La pièce baignait dans un brouillard bleu. Derrière le bureau métallique un type avait pris place, allongé sur le siège plus qu'assis, un bout de clope détrempé et noir lui pendouillant aux lèvres, et Karim reconnut l'homme qui avait semblé s'intéresser à lui quelques instants plus tôt. Il désigna une chaise, Karim s'assit.

Le flic peaufinait son examen. Il avait des yeux noisette très doux, qui surprenaient dans cette trogne mal équarrie, encore durcie par une barbe de trois jours. Il avait enfilé sa veste de toile bleue sur le dossier du siège. La chemise de crépon blanc à larges rayures était grasse à la pliure du col et les cendres de cigarettes avaient étoilé le plastron de chiures roussâtres.

Il se redressa légèrement, passa ses doigts en fourche dans sa chevelure :

« Jef Chabert, dit-il. Vous êtes Karim?

– Oui. »

Le mégot lui brûlait la lèvre. Il l'expédia d'une pichenette dans un cendrier croulant de cadavres, prit sur la table son paquet de gauloises tout écrasé, le tendit à Karim, qui déclina l'offre. Il battit le briquet, demanda :

« Ça va? »

Il souriait, et Karim remarqua de nouveau, sous l'enveloppe rude, la douceur quasi enfantine de l'expression.

« Ils ne vous ont pas trop secoué, dit-il, les confrères? Non? »

Karim aussi sourit :

« La bonne moyenne. J'ai l'habitude.

– C'est pas des mauvais bougres, affirma Chabert, mais flics avant tout, vous saisissez? C'est le système qui veut ça. »

Il souleva un papier dactylographié devant lui :

« Il y avait ce pli dans notre boîte ce matin. Lisez vous-même. »

Il tendit le feuillet, que Karim parcourut, quelques lignes sans signature :

« Je vous signale qu'un individu nommé Karim Bougataya, un Marocain évadé de prison et recherché par la police de son pays, se trouve à Brest depuis le 11 juillet dernier. C'est un dangereux spécialiste de l'agitation étudiante. Il loge à l'hôtel Le Tonkinois, rue d'Aiguillon. »

Il reposa la lettre sur la table.

« Et c'est pour ça que vous m'avez fait venir?

– Mon collègue des Renseignements Généraux, corrigea Chabert. Je n'y suis pour rien. C'est seulement en vous voyant tout à l'heure que... Bon. Qu'est-ce qui est vrai dans ce machin? Vous êtes réellement évadé de prison?

– Non. J'ai quitté mon pays sans la permission des autorités, nuance. Et je ne suis pas un agitateur. C'est grotesque.

– Vous imaginez qui aurait pu vous dénoncer? »

Karim réfléchissait. Un de ses compatriotes, parmi ceux qu'il avait interrogés au sujet de Djamel? ou parmi les autres? Beaucoup de monde connaissait sa présence à Brest. La référence au Tonkinois, par contre, était plus étonnante. Qui possédait son adresse? Marie-Marthe, Le Vigan, Aude... L'avait-il communiquée à Aude? Il ne savait plus. Au fond, n'importe qui pouvait l'avoir pris en filature et suivi jusqu'à la rue d'Aiguillon.

« Non, je n'en ai pas la moindre idée. »

Chabert secoua la tête :

« Je sais ce qui est arrivé à votre frère, et je regrette vivement de remuer tout ça, mais... Vous avez déclaré au collègue que vous étiez venu à Brest pour lui rendre un dernier hommage. C'est bien cela?

– C'est cela, oui, dit Karim sourdement.

– Vous ne comptez donc pas rester ici? »

Karim ne répondit pas. Il demeurait contracté, méfiant, malgré le ton cordial et les yeux d'enfant. La voix s'adoucit encore :

« Racontez-moi ce qui s'est passé là-bas. Pourquoi êtes-vous entré en France clandestinement. »

Karim eut une grimace amère :

« Je sortais de cellule, après dix-huit mois de cachot pour participation à une manifestation interdite! Libéré, si on peut dire : surveillance féroce, pointage au poste tous les jours, chicanes et vexations en série. Il fallait que je parte. Vous me comprenez?

– Très bien, dit Chabert avec sympathie. Mais voyons... Depuis que vous êtes là, vous auriez pu introduire une demande officielle? comme réfugié politique? Vous ne l'avez pas fait. Pourquoi?

– Je comptais m'en occuper. Après...

– Après?

– Je vous ai dit que j'étais venu pour mon frère. Pas seulement pour pleurer sur sa tombe. Pour savoir. Savoir pourquoi on l'a assassiné! »

Il s'était épanché, sans retenue et sans calcul, dans un grand élan, soutenu par la flamme chaude du regard du flic.

Chabert posa sa gauloise, arrondit les lèvres :

« Assassiné? Qu'est-ce qui vous permet de croire... Votre frère ne s'est pas suicidé? »

Karim se replia sur lui-même. Déjà il regrettait son accès de franchise. Chabert attendit un peu. Il extirpa une fiole d'un tiroir avec des mimiques de conspirateur, la présenta sans façons à Karim :

« Une petite rincette? Non? Musulman, c'est juste, pas d'alcool. Et ça marche toujours ce truc? »

Il se passa de réponse, porta le goulot à ses lèvres, aspira une solide lampée, referma le flacon avec un claquement de babines. Sans aucun souci de transition, il se mit à parler de Kef.

« Oui, je suis sur l'affaire, avec le commissaire Bodart, le grand chef. Vous êtes au courant?

– Oui, comme tout le monde. »

Chabert éructa, se massa l'abdomen.

« L'enquête vasouille, autant vous le dire. Assassinat? Suicide? On n'a pas encore de certitude, bien que pas mal d'éléments, à mon sens, plaideraient pour la première hypothèse. Le scénario, dans ce cas de figure, je le vois assez bien. L'assassin, qui connaît les horaires de travail de Kef au Globe, se laisse enfermer, dans les toilettes par exemple, à la fermeture du magasin. Il profite du passage du gardien, qui vient de neutraliser le système d'alarme de l'étage, pour l'assaillir. Vraisemblable que c'est lui-même qui a téléphoné à la police pour accréditer l'image d'un désespéré au cerveau déjà dérangé. Motif? On nage. On sait que Kef a été mêlé peu avant à une petite histoire pas très nette : il y a ce type qui a déclaré à Balavoine, le directeur, avoir été tabassé. Kef avait dû être engagé pour le boulot : il n'était pas très regardant dès lors qu'il s'agissait pour lui de se faire un peu de galette. Sur le point de se déboutonner, il est descendu par le commanditaire. Seulement... »

Chabert allumait une gauloise, s'emplissait les poumons avec volupté.

« On est sidéré par le fossé entre la cause, une banale correction, et la conséquence. Donc, il y a autre chose. »

Il regarda Karim songeusement.

« Vous vous demandez peut-être pourquoi je vous raconte tout ça?

– En effet.

– Le bonhomme venu se plaindre au directeur du Globe, vous ne le connaissez pas?

– Mais non. Pourquoi?
– Une idée. Si c'était vous?
– C'est une plaisanterie?
– Vous croyez? Votre style, votre qualité d'étranger – dont les témoins ont noté ce détail – votre silhouette... Et puis votre barbe!
– Pardon? »
Chabert tapota le bureau :
« J'ai là votre passeport : visage glabre. Pourquoi avez-vous laissé pousser votre barbe?
– C'est interdit dans ce pays?
– Certes non, dit Chabert avec bonne humeur. Le collier est assez prisé chez les jeunes, je sais. Je sais aussi qu'on n'a encore rien trouvé de plus efficace comme camouflage du visage! La parade classique de ceux qui ont quelque chose à cacher. Depuis quand portez-vous ça?
– Quelques semaines.
– On pourra vérifier. Votre logeuse doit avoir des souvenirs, non? Dites donc, ce serait marrant si on découvrait que ça se situe autour du 21 juillet, jour de la mort de Kef!
– Cela ne prouverait rien.
– Je vous l'accorde : coïncidence. »
Une pause, et il changea encore de cap : Karim s'essoufflait à le suivre dans ses volte-face.
« Votre frère s'est officiellement suicidé en se jetant du pont du Bouguen. Kef, selon la donnée de départ, qui n'a pu être infirmée jusqu'à présent, se serait lui aussi donné la mort en enjambant la rambarde au Globe. Coïncidence de style encore : la vie n'est que rappels et redites. »
Il s'offrit une ration supplémentaire de gnole. Il maniait le carafon avec la prestesse d'un magicien. Il poussa un soupir pesant :
« On va procéder à toute une série de contrôles et de confrontations, vous vous en doutez. Bala-

voine n'a pas oublié son visiteur, la secrétaire aussi se rappelle les faits. Ils diront si oui ou non il s'agit de vous. »

Il ajouta avec un soupçon de tristesse, comme s'il s'excusait :

« Je pense qu'ils diront oui. »

Il parut indécis, rêva, et prit Karim à témoins des difficultés de sa tâche :

« Balavoine est en visite familiale dans le Sud-Finistère, m'a-t-on dit, et nous n'avons pas encore pu joindre Mlle Kermarrec, la secrétaire. D'ailleurs, un dimanche... »

Il bâilla, se gratta l'aisselle.

« Je pourrais vous garder. Mais non. Revoyons-nous demain, 8 heures? Vous serez là?

– Bien sûr. »

Chabert se contenta de cette promesse. Il se mit debout lourdement, se cambra, se frotta les hanches. La ceinture de toile dessinait un gros tortillon au niveau de l'estomac.

« Si un souvenir vous revenait, vous savez où me toucher. Demandez Chabert, Jef Chabert. Je suis de service toute la journée. Demain, vous aurez affaire au commissaire Bodart. »

Il dégagea du paquet de gauloises la dernière survivante, l'alluma, écrasa dans sa main l'enveloppe vide.

« Le patron n'est pas du genre patient. Surtout quand il est en face de barbus jeunes, de surcroît étrangers. C'est physique chez lui, vous voyez? »

Une moue compatissante et il l'accompagna à la porte, lui serra la main :

« Demain 8 heures. »

Karim remonta le couloir et traversa le hall sans être inquiété. Il gagna l'hôtel, où Mme Lecossec l'accueillit avec transport :

« J'ai eu peur! Qu'est-ce qu'ils voulaient?

– Contrôle d'identité, dit Karim. Mes papiers ne sont pas en règle, il paraît.

– Ils vous ont relâché, c'est l'essentiel. Ah! que je n'oublie pas : une personne vous a demandé, à deux reprises. Une dame. »

Elle chaussa ses lunettes, lut sur un bloc :

« Marie-Marthe Lautrou. »

Karim qui avait le pied sur l'escalier s'était arrêté.

« Elle n'a pas laissé de message?

– Elle a dit que vous la rappeliez dès votre retour. Je n'ai pas fait allusion à ce qui s'était passé avec les policiers, j'ai dit simplement que vous étiez sorti. »

Il remercia, monta les marches quatre à quatre, se précipita sur le téléphone :

« Marie-Marthe?

– Ah! c'est toi! Ça fait une éternité que je...

– Je sais. Qu'est-ce qu'il y a?

– Un type a téléphoné il y a environ trois quarts d'heure. Il voulait savoir si un nommé Karim logeait chez moi.

– Qui?

– Il n'a pas donné son nom, a tout de suite coupé. J'ai d'abord pensé que c'était la police, mais... Ce n'est guère leur style de se renseigner par téléphone? Qu'est-ce que tu en dis? »

Il réfléchit. Non, pas la police, quelqu'un d'autre était sur sa trace. Quelqu'un qu'il croyait connaître.

« Marie-Marthe, j'ai toutes les raisons désormais de croire que c'est Davila, le fiancé d'Aude de Malestroit, qui a liquidé Djamel, et il sait que je le sais. La police aussi s'intéresse à moi, je sors du commissariat. Elle risque avant peu de me mettre des bâtons dans les roues.

– Qu'est-ce que tu vas faire? Je peux t'aider?

– Je ne sais pas, peut-être, oui. »

Il effectua un bref examen de la situation.

« Ecoute bien, Marie-Marthe. Il faut que je quitte immédiatement Le Tonkinois. Je vais essayer de me mettre à l'abri quelque part, c'est le plus urgent.

– Tu iras où ?

– Je ne vois pas très bien encore. Il vaut mieux du reste que tu l'ignores : c'est moi qui reprendrai contact avec toi. Si la police vient, dis-lui que je suis reparti, que j'ai quitté Brest... Paris, oui parle de Paris.

– Tu peux compter sur moi, Karim. Prends bien garde à toi.

– C'est cela. Oh ! Marie-Marthe, encore un service à te demander : est-ce que ça t'ennuierait de me laisser la Coccinelle ? Parce que la 4 L amande, j'ai l'impression que des tas de gens l'ont déjà dans leur collimateur, des gens qui ne me veulent pas du bien !

– Je comprends. Bon, je m'en occupe. Par précaution, je vais moi-même la garer... attends... rue du Maine, devant la droguerie, tu vois ?

– Oui.

– Elle sera ouverte. Je glisserai les clefs sous le tapis, côté conducteur.

– Merci. Ça ne te prive pas trop ?

– Mais non. Tu sais, avec le gosse, je ne sors guère. Alors, rue du Maine, d'accord ? Tu peux venir, elle sera en place d'ici cinq minutes.

– Encore merci. Adieu, Marie-Marthe. Je te fais signe dès que possible. »

Il raccrocha, empila vaille que vaille ses affaires dans la petite valise de carton rouge. Il descendit à la réception.

« Je dois m'en aller, madame Lecossec. »

Elle hochait la tête, le visage très grave :

« Vous avez des ennuis, monsieur Karim ?

– Oui. Il est possible qu'on revienne vous interroger à mon sujet. Dites que je suis reparti pour Paris. »

Elle le regarda d'un air pénétré :

« Pour Paris, répéta-t-elle. C'est parfait, je transmettrai. »

Il régla sa note, serra longuement la main de la charmante dame. Elle avait les larmes aux yeux :

« Je vous souhaite bonne chance. Et quand vous repasserez par ici...

– Promis, madame Lecossec. Je ne vous oublierai pas. »

Il sortit du Tonkinois, rejoignit la 4 L, qu'il avait garée place Wilson. Il rallia Bellevue, abandonna la voiture dans le parking de la Sécurité sociale, rue de Savoie, rattrapa la rue du Maine, toute proche. La Volkswagen était bien là. Il observa les alentours, se glissa sur le siège, ramassa les clefs. Il mit en route et conduisit un moment au ralenti à travers le quartier assoupi en ce début d'après-midi. Il calculait. 13 heures. En principe, les flics lui ficheraient la paix jusqu'au lendemain matin. Mais pas Davila : le coup de fil à Marie-Marthe indiquait que la chasse avait déjà commencé. Et si on en croyait Aude, il disposait en ville d'assez de complicités pour rendre vite illusoire la sécurité de Karim. Une exigence prioritaire : dénicher un asile.

Aussitôt, il pensa à Le Vigan. « Je reste en ligne », avait dit le garçon l'autre soir. Oui, Karim pouvait compter sur lui.

Il stoppa devant un poste public, essaya successivement les numéros que lui avait fournis Le Vigan. Il ne l'obtint ni à son domicile, rue du Commandant-Drogou, ni à la permanence du journal, où on savait seulement qu'il devait passer ce dimanche dans la soirée.

Tant pis. Il irait l'attendre chez lui. Il reprit la

V.W. Rue du Commandant-Drogou. Il avait du mal à localiser cette artère. Un petit vieux le renseigna :

« Vous tournez à Kermenguy. C'est la longue rue qui descend jusqu'à Kérinou. »

Il dit merci, repartit. Il voyait bien l'endroit à présent : une rue tranquille, pas très éloignée des Facs; des compatriotes y avaient logé naguère.

Quelques minutes après, il s'immobilisait devant le 274. C'était une bicoque délabrée et biscornue, sur laquelle des générations de Brestois impécunieux avaient posé au petit bonheur leurs pattes inventives et de ce fait toute en verrues, appendices et boursouflures. La perte était adornée d'une verrière aux carreaux brisés, la façade n'avait pas connu la peinture depuis des lustres et exhibait de larges cloques pustuleuses.

Karim franchit la grille rouillée, restée à demi ouverte, traversa un carré de terrain en friche hérissé d'herbes folles, gravit des marches de béton, frappa, à tout hasard : il n'y avait pas de sonnette. Aucune réponse, Le Vigan était toujours absent. Il remarqua un carnet et un crayon au bout d'une ficelle accrochée à un clou sous la verrière : « Laissez votre message », y conseillait le maître du logis sur la couverture. Karim songea à écrire un mot. Mais pour lui dire quoi? Il n'y avait pas un endroit où on pût le joindre. Il préféra revenir s'installer dans la V.W. et guetter le retour de son ami.

Sa faction dura près de trois heures. Le jour piquait du nez quand il perçut le geignement cadencé d'un pédalier mal huilé. Et Erwan Le Vigan sortit du tournant au-dessous de lui, se déhanchant et pesant ferme sur ses pédales.

Karim ouvrit la portière, se redressa. Le cycliste posa le pied à terre, le souffle court :

« Tiens! Tu m'attendais?

– Oui. Erwan, est-ce que tu pourrais me loger un moment? »

Le Vigan essuyait son front ruisselant.

« Tes actions ne sont pas en hausse, on dirait?

– Non. Je suis obligé de me cacher.

– Les flics?

– Les flics, oui, mais pas uniquement. Quelqu'un veut ma peau.

– Bigre! Bon, entrons. On en discutera devant un verre. »

Ils remontèrent le jardinet. Le Vigan gara sa bécane dans un appentis et le fit entrer. Il le précéda à l'étage par un escalier branlant et craquant, qui puait le moisi. Il poussa une porte; ils pénétrèrent dans une grande pièce carrée, mal éclairée, dont la tapisserie se desquamait par larges pans, noire d'humidité. Un matelas à même le plancher, une chaise de bois composaient l'ameublement.

« C'est pas L'Océania, commenta Le Vigan, mais ici tu seras peinard. Le coin est tranquille, ni vis-à-vis, ni voisins chiants. Je te sers un pot?

– Merci, je n'ai pas soif.

– Comme tu veux », dit Le Vigan.

Il ouvrit la fenêtre, regarda dehors :

« T'as changé de bagnole?

– Non, c'est celle de Marie-Marthe.

– Il serait préférable que tu la rentres : faut penser aux petits curieux de passage. Remise-la devant l'appentis. De la rue, on ne la remarquera pas. »

Karim procéda comme on le lui conseillait. Il remonta à l'étage, portant la valise de carton rouge. Le Vigan le laissa s'installer, puis il vint le rejoindre.

« Tu m'excuseras, mais je dois partir sur Lesneven. Ils y ont mis sur pied une « nuit celtique » et il paraît que ça peut encore intéresser des lecteurs, moi je veux bien. »

Karim eut une expression stupéfaite :

« Lesneven? A bicyclette? »

Le Vigan éclata de rire :

« Soixante bornes aller-retour, je suis pas Hinault, hé! connard. A vélo jusqu'au journal. Le photographe maison me véhicule. Je rentrerai sans doute tard. Alors fais comme chez toi : le frigo est plein, prépare-toi des œufs, si le cœur t'en dit, ou des pâtes, ou... Tu verras. La cantine est à côté, mais les chiottes nichent au-dessous, le téléphone idem. Si t'as envie de quelque chose, fouille : le château t'appartient.

– Merci, Erwan, dit Karim d'une voix basse. Je n'ai besoin de rien. »

Le Vigan l'observait avec sollicitude.

« Je reste, si tu préfères. Un coup de bigophone à la boîte... tu veux?

– Mais non, va à ton boulot.

– Ce type qui te cherche... »

Karim n'était plus en situation de poursuivre ses cachotteries :

« Davila. C'est lui qui a tué mon frère. »

Le Vigan continuait à darder sur lui ses bons yeux de chien fou :

« L'ordure... Remarque que ça m'étonne à peine. Davila, hein? Dis donc, vieux, c'est un sacré morceau? T'as des preuves? Pourquoi tu sonnes pas les flics? Tout seul, qu'est-ce que tu espères? »

La vraie question, en effet, déjà souvent débattue entre Marie-Marthe et lui-même, et qui aujourd'hui se reposait avec acuité. Oui, qu'est-ce qu'il pouvait faire, lâché par Aude, traqué par Davila et sa clique, et d'ici peu hors-la-loi? « Demain 8 heures », avait dit Jef Chabert.

« La police... J'ai toujours essayé de la tenir à

l'écart. J'avais pour cela quelques raisons personnelles.

– Je te comprends, dit Le Vigan. Ils t'en ont fait baver, hein, les cognes? Français ou Marocains, la même vermine!

– Attends, Erwan, je crois qu'il y a autre chose. Je me disais que c'était un problème à régler par moi-même, quelque chose comme une affaire d'honneur, tu vois? Finalement, ce n'était peut-être que de l'orgueil. »

Il se tut. Debout devant lui, Le Vigan secouait doucement la tête, les doigts glissés dans les poches de son jean. Dans la pénombre qui s'épaississait, Karim voyait la flamme du regard posé sur lui.

« Demain matin, je suis convoqué au commissariat central, à 8 heures.

– Tu iras?

– Je ne sais pas.

– Excuse-moi, Karim, mais je perds les pédales! Ta convocation, quel lien avec Davila?

– Au départ, il n'y en avait aucun : contrôle de ma situation d'immigré. Mais je pense que ça ira beaucoup plus loin. Tu connais un inspecteur appelé Chabert? »

Le Vigan eut un petit rire :

« Jef? Bien sûr! Une figure de la police brestoise! Buveur, bambocheur, joyeux luron, très mal dans sa peau de flic, ce qui, à priori, est une référence! Oui, un bon garçon, je crois. Ses frasques, comme ses démêlés avec « Gros-Dard » sont bien connus. Pourquoi? Tu l'as rencontré?

– Oui.

– Et tu lui as dit... au sujet de Davila?

– Non.

– Il aurait pu te rendre service. Je t'ai demandé tout à l'heure si tu avais des preuves contre Davila...

– Non. Aude de Malestroit ne dira rien.
– Qu'est-ce qu'elle aurait à dire? »

Karim était las de sa prudence frileuse. Le Vigan pouvait tout entendre.

« J'ai pas mal de choses à t'expliquer, mais... Tu n'oublies pas ton rendez-vous au journal? »

Le Vigan eut un rire joyeux :

« Je me sens brusquement fiévreux! J'essaie de me traîner jusqu'au combiné et j'avise mon photographe que je me trouve à la dernière extrémité! Bouge pas. »

Il quitta la chambre, dégringola l'escalier et exécuta son numéro au téléphone. Il remonta.

« Viens dans la cuisine. On va bouffer et tu me raconteras ça. »

Karim fit un récit détaillé de ce qu'il avait vécu depuis son arrivée à Brest, tout en dégustant l'omelette au bacon que son ami avait préparée avec le tour de main d'un célibataire industrieux. Le Vigan resta quelques instants muet. Il avait une expression soucieuse.

« En somme, dit-il, pour l'essentiel (je n'oublie pas le témoignage du Congolais : intéressant, mais très subjectif), tout repose sur la bonne volonté de cette fille? Et si elle refuse de parler...

– Elle ne parlera pas.
– Qui sait? Davila la terrorise. Si on réussissait à l'arracher à ses griffes... »

Il y rêva, se renfrogna :

« Pas commode. Or il ne faudrait pas que tu te présentes chez les poulets sans biscuit. Te vexe pas, mais ta parole contre celle d'Augusto Davila... auprès de nos distingués chevaliers de la matraque, tu ne feras pas le poids!

– Tu me parlais de Chabert.
– Chabert n'est rien! Un sous-fifre démonétisé!

C'est Bodart qui mène le bal et j'estime suicidaire dans ton cas de te jeter entre les pattes de ce porc! Un sale gonze, combinard, dur aux faibles, à plat ventre devant le Veau d'Or! Il ne fera pas ça, pour t'aider, au contraire! Davila, Bodart, au fond c'est la même race : tu n'as aucune chance. Ajoute que les Beau de Malestroit par ricochet seront aussi éclaboussés. Alors, mon gars, avant de semer une merde de cette importance, faut surtout bien regarder où l'on pose les arpions! »

La nuit cernait la maison. La pièce était fraîche, presque froide. Des moustiques vrombissaient autour de l'ampoule sale qui se balançait au bout de son fil torsadé et projetait sur la table de bois blanc une rondelle mouvante.

Le Vigan à plusieurs reprises remplit le verre de Karim :

« Bois, vieux, oublie un peu tous ces minables. On trouvera le joint, fais-moi confiance. »

Karim se laissait investir par la chaleur de l'alcool. Oui, ne plus tirer de plans, vivre l'instant, se frotter à cette amitié rude et vraie. Ses paupières étaient lourdes. Il se rappela qu'il n'avait presque pas dormi la nuit précédente. Il se mit debout.

« Je vais me coucher. Tu veux que je t'aide pour...

– Deux assiettes, tu rigoles! Allez, file, et fais de beaux rêves.

– Bonne nuit. »

Karim entra dans la chambre au papier lépreux et tira devant la fenêtre la couverture brune qui servait de rideau (Le Vigan lui avait recommandé de ne pas toucher aux abat-vent qui menaçaient ruine). Il regarda par l'entrebâillement la rue déserte qu'un lampadaire avant le tournant éclairait chichement. Il songea à Davila et à ses chiens qui le cherchaient par la ville, à Marie-Marthe qui à cette heure sans doute ne dormait pas encore. Dernière soirée tranquille? Demain attendait déjà à la porte, avec sa charge d'inconnu.

Il tomba sur le matelas et n'eut pas même le courage de déplier les draps que Le Vigan avait posés sur la chaise. Il s'endormit tout habillé.

Lundi, 11 heures 40

Un rayon de soleil traversant la meurtrière du rideau piquait son visage. Il ouvrit les yeux. Sa montre n'avait pas quitté son poignet, et il lut : midi moins vingt. Il avait dormi d'une traite près de douze heures!

La demeure était silencieuse. Tout engourdi, il se leva, passa à la cuisine. Le Vigan était parti en lui laissant un mot sur l'ardoise pense-bête auprès du fourneau : « Le café est au chaud. A midi. »

Il prit le bol de verre sur la cafetière électrique, se servit. A ce moment il se souvint qu'il était convoqué par la police à 8 heures. Il eut une poussée d'humeur : pourquoi Le Vigan ne l'avait-il pas réveillé? Il se calma aussitôt. Est-ce qu'il y serait allé? La veille il avait été incapable d'arrêter une ligne de conduite. Maintenant en tout cas, les dés étaient jetés, il se trouvait en pleine illégalité.

Il eut un rire silencieux : les flics d'un bord, Davila et sa bande de l'autre, c'était fou ce qu'on s'intéressait à lui depuis quelques heures! Il déjeuna de biscottes et de confitures de fraises, tout était préparé sur la table. Il fit sa toilette.

Le Vigan rentra alors qu'il finissait de se coiffer.

« Ça va mieux? Bien dormi? J'ai pas eu le cœur ce matin de te secouer. »

Il alla vider dans la cuisine le filet de provisions qu'il tenait à la main, en annonçant à la cantonade « un steak-chips, dont tu me diras des nouvelles! »

Karim le rejoignit peu après. Le Vigan était en train de graisser la poêle sur feu doux.

« Tu sais que ça bouge? Les flics. Rassure-toi, la ville n'est pas en état de siège. Mais on te recherche. »

Il étala la viande dans le beurre grésillant, manœuvra adroitement la poêle pour répartir le beurre liquéfié.

« J'ai téléphoné au Tonkinois. Beaucoup de réticences de la part de ma correspondante, mais j'ai pourtant fini par lui faire dire que les poulets sont revenus à l'hôtel, deux fois, et ont passé ton ex-chambre au peigne fin, Zeus sait pourquoi, mais va donc demander de la logique à ces enfants de putain! Autre chose : si mon information est juste (ça paraît énorme, mais ma source est en général sérieuse), Bodart aurait déjà obtenu de faire mettre la ligne de Marie-Marthe sur écoute. Eh oui, mon petit père, t'es devenu une star locale! Jef Chabert, natürlich, s'est fait taper sur les pinces pour avoir relâché l'oiseau, Bodart est dans tous ses états. Ça donne à peu près ceci. »

Il s'écarta du fourneau, se mit à marcher de manière burlesque, ventre en avant, en se grattant furieusement le postérieur et en poussant des « pop, pop, pop » tonitruants. Karim ne put se retenir de rire :

« C'est Bodart?

– Copie conforme, affirma Le Vigan, qui réintégrait son poste devant la gazinière.

– Et Marie-Marthe?

– Mystère. Pas osé la contacter, because grandes-oreilles-indiscrètes-branchées. »

Il tendit l'index, comme frappé d'une inspiration.

« Tu vas l'appeler, toi.

– Hein? Mais les flics?

– Justement. Tu l'appelles de Paris! Tu piges? Bodart l'enregistre. Ça te permet de respirer un peu. D'autant que Davila lui-même finira bien par le savoir : c'est tout bon pour toi! »

A contrecœur, Karim accepta de se prêter à la mystification. Il prépara ses phrases, décrocha :

« Marie-Marthe?

– Oh! Karim, c'est toi? Comme je suis contente!

– Je viens d'arriver à Paris. Oui, c'était finalement plus prudent. Des copains m'hébergent. Je ne m'attarde pas, je tenais à te rassurer.

– Oui, Karim, si tu savais comme j'étais inquiète!

– Tout ira bien. A bientôt. Embrasse pour moi Samy. »

Il coupa aussitôt.

« T'as été sublime! rigola Le Vigan. A table, l'artiste! »

Ils déjeunèrent.

« Bon. Tu as donc un répit, pour réfléchir sérieusement. Ça m'a trotté dans la caboche toute la matinée, et je ne vois que deux issues. La première : on kidnappe la donzelle.

– Quoi? Aude?

– Affirmatif. On se la garde le temps qu'il faut pour qu'elle déballe ses trésors, et après, main dans la main, on file à la maison poulaga. »

Karim fit un signe de dénégation :

« C'est impossible. »

Le Vigan mastiqua un moment sa viande, songeur, puis :

« Non, possible, je pense, mais posant problème : on n'est pas vraiment gréés ici pour ce type de boulot.

– Tu avais une deuxième solution?

– Oui, une solution d'attente, de survie, si tu préfères. Tu te mets au vert, loin de la ville. Ici ça va vite devenir malsain pour toi. A moins de rester cloîtré. Brest n'est qu'un gros village : dès que tu pointeras le nez dehors, Davila le saura et il aura tôt fait de te débusquer. Alors prends le large. Tiens, Paris, par exemple. Tu l'as dit aux flics tout à l'heure, et c'est vrai que c'est encore la meilleure des planques. Je te passerai des adresses, des potes à moi chez qui tu pourras crécher, qui te refileront même à l'occasion des papelards. Tu fais le mort, on laisse la fièvre retomber, et à la première opportunité on fonce. Naturellement on reste en liaison. Qu'est-ce que t'en dis?

– Oui, dit Karim, je pense que tu as raison. »

Le Vigan consulta sa montre et se leva.

« Une heure déjà! Faut que je me sauve. Oui, c'est ma semaine de folie : un petit reportage à Brasparts sur un ancien ingénieur de la capitale qui élève des brebis au pied du roc Trévézel. Un gars comme ça! »

Il enfila son blouson, prit sa pochette.

« Tu ne bouges pas, hein? Si tu t'emmerdes, va à ma piaule au-dessous et pioche dans mes bouquins. A ce soir, on recausera de tout ça. Tchao, vieux. »

Il partit. Karim but son café, débarrassa la table, lava les couverts sur l'évier en écoutant une salsa des Caraïbes au transistor posé sur le frigo. Voilà. Tout allait rentrer dans l'ordre. La suggestion de Le Vigan était sage, il n'irait pas à la police, les risques étaient trop grands; Aude nierait en bloc ses propos antérieurs, il ne pourrait compter sur personne. Au mieux, il se retrouverait seul dans la rue, Davila collé à ses pas. Et quand on repêcherait son cadavre dans un bassin du port, on dirait : il s'est suicidé, comme son frère.

Non. Il n'avait pas l'âme d'un kamikaze, il le mesurait à cette minute, dans la solitude triste de la vieille bâtisse. Hâte de voir un visage ami, d'échanger les mots de tous les jours, d'entendre un gazouillis d'enfant. Et déjà l'angoisse qui rôdait autour de lui, affûtait ses premiers traits. Il refusait cette existence de tension et de drame. Parfois, il s'était demandé comment les grands criminels recherchés par toutes les polices du monde, ces gibiers nazis, par exemple, traqués sans merci dans leurs retraites sud-américaines, avaient réussi à survivre des trente à trente-cinq années sans succomber à la folie. Lui il en serait incapable. Il allait partir, il gagnerait Paris sans trop de problèmes, puisqu'on l'y croyait déjà, il se fondrait dans la Babylone anonyme. Plus tard, il appellerait Marie-Marthe, elle accourrait avec Samy, ils rebâtiraient la vie...

A ce point de sa méditation, il fut étreint par une tristesse incommensurable, et il pensa à Djamel. Il n'avait pas été sur la tombe depuis plusieurs jours, et maintenant il allait partir, bientôt, demain peut-être. Aurait-il le temps de lui dire adieu?

Il ne se cacha pas qu'il prenait de gros risques, mais l'appel fut le plus fort. Il sortit de la maison, monta dans la Coccinelle et roula en direction de Kerfautras. Il éplucha les alentours du cimetière avant de s'extraire de la voiture. Il passa le portail, remonta les allées jusqu'à la tombe.

Aussitôt, il remarqua la rose rouge, toute fraîche, et son cœur se mit à palpiter. Impression d'irréalité, sentiment d'avoir remonté le temps et de se retrouver plusieurs semaines en arrière, cet après-midi du 11 juillet où tout avait commencé. « Elle » était revenue!

Il épia le cimetière vide. Piaillements monotones des moineaux, mélancolique pâleur d'une lumière de fin d'été, silence, que bousculait par intermittence un roulement de voiture dans la rue Jean-

Jaurès. L'espérance en lui qui tirait ses dernières salves...

Mais non. Il n'y aurait pas de recommencement, ni de miracle. Trop tard. Il était épuisé, il ne voulait plus s'acharner à suivre cette fille dans ses vagabondages pervers. Ses yeux durs, l'autre nuit, la haine dans ses yeux... Ce qui s'était passé entre elle et Djamel, il ne le saurait jamais, il arrêtait sa quête, trop tard, il tirait l'échelle.

Il ferma les paupières, chassa de son esprit la jolie frimousse d'Aude de Malestroit. Ne plus penser qu'à Djamel, dont il allait se séparer, ne pas abîmer ces minutes rares où il était encore avec son frère. Il se concentra. Le soleil tiédissait son front, une alouette ivre au-dessus de lui bégayait d'allégresse. Le visage de Djamel, les yeux clairs de Djamel pétillant dans la lumière. Ils voguent de conserve à travers les années et l'espace, jusqu'à la halte authentique, le paradis de l'enfance.

Et le film lentement défile. Djamel rentrant de la fête des Moissons, à Zélagha, juché sur l'âne Youssef, ses mollets nus qui battent contre les flancs gris, bombés comme des outres... Djamel à la Chasse aux Rats, des cailloux plein ses menottes, riant dans la stridence des hululements des femmes... Djamel qui se bat comme un petit coq, qui roule dans la poussière, à la porte de l'école coranique... Djamel, tendant son poignet et le sang qui coule : « A la vie à la mort. Tout ce qui sera tien, bon ou mauvais, je jure... »

Pardon, frère. J'avais cru que j'étais plus fort. Et voici que je suis devant toi, les mains vides. Pardon. Je vais repartir, parce que j'ai échoué, parce que j'ai peur. Marie-Marthe me rejoindra et le petit Samy, nous vivrons ensemble, nous essaierons de refaire la chaîne brisée. Tu peux comprendre, Djamel, dis-moi que je ne me trompe pas. Un jour, je serai à nouveau là et nous nous en irons tous les deux. Tu dormiras dans la terre chaude, sous la pierre blanche et l'arbuste épineux. La nuit, tu regarderas le chemin de lait dans le ciel et les parfums de notre terre couleront jusqu'à toi. Je ne t'abandonne pas, mon petit, je m'éloigne, pour être sûr de revenir. Pardon.

Il rouvrit les yeux. Son regard cerna la corolle rouge sang posée sur le tumulus. Il l'observa attentivement. Non, elle n'était pas toute fraîche comme son imagination le lui avait fait croire un instant plus tôt, certains des pétales déjà paraissaient flasques.

Il fronça les sourcils, se pencha pour mieux voir. Il remarquait un détail, qui avait échappé à son attention : quelque chose était fixé en travers de la tige, une sorte de minuscule cylindre gris, accroché à une épine presque sous le calice. Il le dégagea, déroula le mince rouleau de papier humide. Trois lignes à l'encre pâlie, sans signature. Trois des vers du poème préféré de Djamel « Quel oiseau ivre... »

Affolé, il regarda autour de lui, fouilla à travers la forêt des croix, ne vit qu'une vieille femme accroupie, qui binait la terre d'une jardinière avec un râteau d'enfant. Aude était là pourtant peu de temps auparavant, elle était venue pour lui, pour lui laisser un message.

Il partit en courant, retrouva la VW, rentra chez Le Vigan à toute allure et appela aussitôt. Il attendit, le cœur déchiré d'appréhension.

« Allô? »

C'était elle. Il appliqua le micro contre ses lèvres, murmura les trois vers de Tahar Ben Jelloun :

Ma main
suspend la chevelure de la mer
et frôle ta nuque...

Et sans hésiter, grave et frémissante, elle continua :

mais tu trembles dans le miroir de mon corps
nuage
ma voix
te porte vers le jardin d'arbres argentés.

Il l'écoutait, pantelant, bouleversé. Et c'était dans la pièce maussade et grise une aurore autour de lui, un grand soleil revigorant qui le pénétrait, le réchauffait, lui faisait dire, la voix cassée par l'émotion :

« Je me trouve au 274, rue du Commandant-Drogou. Vous pouvez venir?

– Oui, dit Aude, tout de suite. Il y a si longtemps que je vous cherche! »

3

AUDE

... Oui, si longtemps! Deux journées, un siècle d'angoisse. Depuis l'autre nuit, je sais qu'Augusto a résolu la mort de Karim, et j'ai tout tenté. C'est moi qui, à peine rentrée de *La Rascasse,* ai tapé les quelques lignes où je dénonçais le Marocain et les ai glissées dans la boîte du commissariat. Je m'étais dit que si on le retenait à la police, ne fût-ce qu'une journée ou deux, durant ces heures-là au moins il serait protégé.

Un peu avant 13 heures, n'y tenant plus, j'ai appelé au Tonkinois (le nom m'était revenu, c'est Karim qui m'en avait parlé le lendemain de notre rencontre à la maison), et j'ai compris que c'était raté. Les policiers s'étaient bien présentés rue d'Aiguillon et avaient emmené le jeune homme au poste – ma correspondante l'a reconnu, du bout des lèvres – mais ils ne l'avaient pas gardé, contrairement à ce que j'espérais. Karim était rentré à l'hôtel et venait juste de le quitter, définitivement cette fois. « Pour Paris », a précisé la dame avec une spontanéité qui m'a chiffonnée.

Je me suis résignée à téléphoner à Marie-Marthe Lautrou. Elle m'a récité la même comptine : Karim avait pris au volant la route de Paris. Elle n'avait aucune autre information. Je l'ai avertie que le

Marocain courait un très grave, un très imminent danger et je l'ai conjurée de me dire toute la vérité avant qu'il soit trop tard.

Elle a eu l'air subitement affolée, elle a lâché avec un ton de sincérité manifeste :

« Si je savais où et comment le joindre! »

J'ai senti que ma première impression était bonne : Karim se trouvait encore à Brest, mais elle ne pouvait réellement pas me renseigner! Je l'ai laissée, de plus en plus inquiète.

Il avait été entendu avec Augusto qu'on se reverrait ce dimanche seulement dans la soirée et qu'entre-temps on se reposerait tous les deux des excès de la nuit. Vers 15 heures pourtant, malade d'appréhension, j'ai téléphoné à *La Rascasse.* J'ai eu Candéla, qui m'a déclaré qu'Augusto s'était absenté. Deux types, il ne les connaissait pas, avaient débarqué d'une CX en début d'après-midi. Ils s'étaient aussitôt enfermés avec Augusto dans la villa. Une demi-heure après, les trois hommes étaient repartis ensemble.

Candéla a perçu mon agitation, sans la comprendre. (Il devait croire que je me faisais du mouron pour Augusto!) Il a essayé gentiment de me calmer. En pure perte, bien entendu. Je me disais, ça y est, ils sont en train de quadriller la ville, tôt ou tard ils le retrouveront, ils le retrouveront!

Je devenais fada à tourniquer dans la maison avec mes pensées de mort. A 3 heures, 3 heures un quart, je suis sortie à mobylette. J'avais besoin de m'occuper, de remuer, de voir des gens. J'ai roulé sur les quais du port de commerce déserts, et j'ai poussé jusqu'au Moulin-Blanc. Il y avait l'affluence des dimanches d'été, des tas de personnes qui se doraient sur le sable, une activité fourmillante comme toujours au port de plaisance.

Je me rappelle ma terreur soudain, quand j'ai

remarqué l'attroupement à l'extrémité de la plage. J'ai abandonné la mobylette et je me suis approchée, les jambes flageolantes. J'ai vu un gosse allongé près du bord, au milieu des curieux apitoyés, et qui pleurait parce qu'il venait de se faire piquer à l'orteil par une vive.

J'ai repris ma bécane, je suis rentrée vers 4 heures et demie. Le téléphone a sonné presque immédiatement. C'était Père qui m'annonçait son retour pour le lendemain soir. Il a été très bref, il m'a déclaré qu'il avait conclu positivement son affaire avec le ministre et n'avait donc pas de raison de s'incruster à Paris. Sa voix ne m'avait jamais semblé aussi sinistre. J'interprétais peut-être tout en noir, mais j'ai trouvé étrange ce subit empressement à abréger sa cure parisienne.

A 17 heures, je suis partie pour *La Rascasse*. Augusto était là.

« Il paraît que tu m'as appelé ? J'ai dû descendre en ville : un problème urgent à régler. »

J'ai remarqué qu'il ne s'était pas rasé ce dimanche, ce qui ne lui arrive jamais. Il était très calme, mais je voyais la lueur dure dans son regard, tandis qu'il me parlait. J'ai fait ma chatte, comme je sais si bien faire, j'ai dit que s'il voulait je resterais à *La Rascasse* toute la nuit, parce que le lendemain Père et sa pompe rappliquaient et adieu la liberté.

Il a dit :

« Non, je suis mort. Je me couche tôt et je dors. Toi aussi rentre et fiche-toi au pieu. T'as une mine à faire peur. »

J'ai repris le chemin de Brest, désespérée. J'étais certaine que la chasse continuait et que d'un moment à l'autre ils allaient retrouver le frère de Djamel.

J'abordais les faubourgs de Saint-Pierre quand

l'idée m'est venue, l'inspiration de la dernière chance : la tombe de Djamel, Karim y viendrait peut-être? J'ai pris la direction de Kerfautras. En passant par la rue Yves-Collet, j'ai arraché une rose au massif devant l'église Saint-Michel. Sur un bout de papier, j'ai jeté quelques vers de « notre poème ». Je suis entrée dans le cimetière alors qu'on allait fermer et j'ai lancé mon message, comme une bouteille à la mer.

Et il y a eu encore une nuit et toutes ces heures aujourd'hui, d'angoisse folle, moi claquemurée, rivée au téléphone, abrutie de fatigue, la tête farcie de présages affreux, espérant le miracle, pourtant.

Et voilà. Il est là devant moi, il attend, des perles de sueur au front. Il a vraiment le même regard de source que Djamel. Je laisse s'apaiser ma respiration, je fais le vide en moi. Je me dis que l'avenir n'est pas encore écrit, tout est encore possible... Quelques secondes d'éternité où je tiens mon sort entre mes doigts : je parle, et un monde bascule. Ultime vision de ce que je sacrifie, bilan, état des lieux. Ma vie d'avant le déluge, le chemin uni de son existence, le « brillant mariage » bientôt, tout le gotha indigène assemblé, compliments fleuris, clop-clop des lèvres suintant leurs vœux de bonheur, Mme Davila, la riche, l'enviée, les copines de Sainte-Barbe en extase, petits fours à perpétuité, Morzine, Seychelles, régates et parties bourgeoises.

Dans ma main fermée qui hésite encore, je serre la tempête. Et j'ouvre les doigts et je choisis l'apocalypse, je crie, je hurle et mon sang coule, rouge, charriant le beau et l'atroce, le pus et la lumière. Je parle, je dis tout, emportée par le flux tonique et dévastateur. Ma rencontre avec Djamel et le long silence, ma famille aux cent coups quand elle a su que j'étais enceinte, ses efforts infructueux pour obtenir de moi le nom du coupable, la pause, l'embellie trompeuse.

Et puis un jour l'horreur.

... Elle ne sut jamais comment ils avaient trouvé sa trace. Un étudiant marocain vivant avec une Française et ayant d'elle un enfant, la cible n'avait pas dû être très difficile à cerner pour des gens riches en relations influentes dans les milieux les plus divers de la ville.

Tout commença ce mardi 17 novembre. Elle sortait du Celtic, où elle avait vu en matinée *Les Aventuriers de l'arche perdue*, deux heures de détente pure, le type de divertissement dont elle avait besoin à l'époque. Elle rejoignait sa mobylette, qu'elle avait garée un peu plus loin, en bordure du square Laennec. (Elle continuait à pratiquer cet engin peu approprié à sa situation. Curieusement, personne dans la parentèle ne l'avait mise en garde : peut-être avait-on inclus « l'accident » dans les prévisions et s'en remettait-on pieusement à l'insondable dessein de la Providence?)

Quelqu'un derrière elle prononça son prénom. Elle se retourna d'une pièce : c'était lui! Il accourait, la main ouverte, il ne l'embrassait pas, mais l'étreinte de ses doigts était chaude, il avait un bon sourire.

« Heureux de te rencontrer et d'être sans doute le premier à te souhaiter une bonne fête! C'est bien demain la Sainte-Aude?

– Ah? Tu t'es souvenu, Djamel!

– Je comptais t'appeler chez toi, mais je t'ai vue sortir du cinéma. J'y étais moi aussi. Ça t'a plu? »

Elle se demanda souvent par la suite si les retrouvailles avaient été fortuites. Elle n'y croyait guère, elle pensait qu'il l'avait épiée à sa sortie de la maison et l'avait suivie jusqu'au Celtic, où il avait attendu le moment favorable pour l'aborder discrètement, après toutes ces semaines de silence.

Djamel avait l'air très content de la revoir, et pourtant, c'était difficile à expliquer, elle lui trouvait quelque chose de raide, de figé, elle n'osait pas se dire, d'inquiet. Il lui déclara que si elle le voulait bien ils se reverraient.

« Je te téléphone, Aude, c'est promis. Qui sait, j'aurai peut-être bientôt des nouvelles agréables! »

Il n'explicita pas sa pensée, mais son visage maintenant riait. Elle lui dit que, oui, il pourrait l'appeler quand il le désirerait. S'il n'y avait personne à la maison, eh bien, Père venait d'installer un répondeur, qu'il y laisse un message.

Il se récria :

« Mais ce n'est pas à ton père que j'ai envie de... de... »

Il bafouillait, il n'osait pas prononcer les mots, comme cela, en pleine rue, mais ses yeux parlaient pour lui. Il termina sa phrase :

« ... de dire des choses gentilles! »

Et ça lui suffisait à Aude, elle traduisait, elle comprenait qu'il était en train de lui revenir, son Djamel aux yeux d'eau vive, son vrai Djamel de l'été. Elle lui dit que ce que Père pouvait penser de leurs relations, elle s'en fichait bien, elle n'avait pas honte! Mais oui, il valait mieux sans doute, par prudence, qu'ils conviennent d'un code.

Il souriait, il avait l'air ému, il regardait son petit ventre, et il murmura :

« Mon fils du mois de juin... »

Un couple approchait sur le même trottoir, et Djamel interrompit l'entretien :

« Eh bien, on est d'accord : si j'ai besoin de te parler, je te fais signe. Sois tranquille, je m'arrangerai. »

Il lui serra à nouveau la main, dit :

« A bientôt. »

Et au bout de la rue il lui adressa un petit signe amical avant de disparaître.

Elle recommença à espérer et à faire des sauts chaque fois que le téléphone sonnait. Le répondeur était installé dans le bureau de Père. Plusieurs fois, elle lui demanda si on ne l'avait pas appelée, il dit non. Mais elle ne s'y fiait pas trop. Dès qu'il avait le dos tourné, elle allait contrôler à l'appareil. Trois jours s'écoulèrent.

Le vendredi 20 novembre, dans l'après-midi, elle était seule. Gouvernante, dont la cousine de Normandie était malade, passait le week-end auprès d'elle. Elle était partie au train de 11 heures après des tas de lècheries et de recommandations. Père et Aude avaient mangé séparément, cela leur arrivait assez souvent à présent. Elle avait l'impression que depuis leurs affrontements il redoutait les tête-à-tête avec elle, et de son côté elle n'y tenait pas. Il était sorti avant 14 heures, pour une de ses innombrables réunions, Laissez-les vivre, ou La Fraternité de Coëtquidan, elle ne savait plus très bien.

Elle décida alors de se faire belle pour la rentrée. Car c'était une affaire réglée, elle se représentait le lundi suivant à Sainte-Barbe. Père de guerre lasse avait paru se résigner à cette fatalité, Gouvernante l'avait examinée sur toutes les coutures et avait affirmé que si elle surveillait ses toilettes, personne ne remarquerait son état. Sanglée dans une tenue de camouflage, nantie d'un certificat du docteur Bricou-Marsac lui interdisant tout sport à l'école, elle se préparait donc à affronter la curiosité de ses condisciples. Elle avait montré de la bonne volonté et promis de garder son secret jusqu'à... Jusqu'à quoi? Personne n'envisageait le (long) terme, on n'en parlait pas, on cabotait à vue, et pour le reste, Inch'Allah!

Elle téléphona donc au coiffeur, elle obtint un rendez-vous immédiatement chez Karine, elle y alla. Elle rentra à la maison avant 16 heures. Père n'était pas encore là. Comme chaque fois qu'elle était sortie et que la voie était libre, elle s'introduisit dans le bureau, elle vérifia au répondeur. Il n'y avait encore rien de Djamel, mais un inconnu avait laissé ces mots : « Au général. Appelez-moi où vous savez. C'est urgent. »

Le caractère hermétique du message la mit en alerte. En même temps elle se disait qu'elle avait déjà entendu cette voix, une voix modulée comme celle des Méridionaux et très sèche, presque cassante. Elle chercha, mais ne réussit pas à la localiser.

Elle remonta à l'étage, le cœur un peu serré, sans bien comprendre la cause de son émotion. Père rentra sur ces entrefaites, elle l'entendit pénétrer dans le bureau. Deux minutes après, il décrocha le téléphone. Elle mesura la seconde précise où il détachait l'appareil d'après le léger déclic sonore au second poste placé dans la chambre paternelle où elle venait de se glisser. Elle attendit le temps qu'il formât le numéro et elle décrocha elle aussi. D'habitude, on était averti qu'une tierce personne était à l'écoute par une vibration très particulière sur la ligne, mais Père ne remarqua rien : il était dur d'oreille, il disait toujours que ça n'avait rien d'étonnant après ce qu'il avait enduré en 40 sur la Somme, les obus qui pétaient à deux mètres, c'est ce qu'il disait.

Un homme était au bout du fil, elle reconnut la voix chantante. Il disait :

« Oui, c'est moi.

– Alors? demanda Père.

– Tout est O.K. pour la réception ce soir, 23 heures 30.

– Il n'a pas tiqué pour l'heure?
– Même pas!
– Et vous êtes sûr que personne...
– Vous connaissez le coin? Le désert, à cette époque de l'année! Aucun risque.
– Mais, insistait Père – sa belle voix racée, la voix de Judas – s'il la voyait avant?
– Non. Je lui ai fait jurer le secret. Sur le Coran, bien entendu! (Petit rire.) Tranquillisez-vous : il n'a pas intérêt à déballer l'affaire. Il sera coopératif et discret, très discret. (Nouveau rire court.) Vous n'oubliez pas nos conventions?
– Vous avez ma parole de soldat.
– Parfait. Alors, on se souhaite bonne chance. Je vous salue. »

Il coupa. Elle reposa le combiné, qui cogna plusieurs fois contre le socle, tant ses mains tremblaient. Elle resta un moment sur place, stupide, à observer derrière la fenêtre le ciel triste de novembre, le vol sauvage des nuées lourdes.

Puis elle songea que Père pouvait monter et la surprendre, elle se traîna jusqu'à sa chambre où elle s'enferma à clef.

Elle essaya de mettre un peu d'ordre dans sa tête. Djamel, il s'agissait de Djamel, un mauvais coup était en train de se tramer contre lui. « Ce soir, 23 heures 30 ». Qu'est-ce qu'elle pouvait faire? Elle revoyait son visage souriant, trois jours plus tôt, ce mélange de tension et de bonheur inexplicable. « J'aurai peut-être bientôt des nouvelles agréables. » Un piège, oui, on allait l'attirer dans un traquenard. Père était dans le complot, et elle en était à peine étonnée : il avait rusé, jeté du lest; jamais il n'avait renoncé à tenir sa revanche. Et l'autre? Qui était cet homme dont la voix ne lui était pas inconnue?

Père n'avait pas encore quitté le bureau, elle

l'entendait qui se raclait la gorge avec bruit. Elle était si désemparée qu'elle envisagea de descendre et de lui parler. Il nierait tout, bien sûr, il inventerait une parade, parviendrait même peut-être à la neutraliser. Elle gâcherait sans profit son seul avantage, qui était d'avoir à son insu percé la machination. Le plus urgent : prévenir Djamel du coup fourré qui se préparait.

Elle réussit à s'extraire de la maison sans que Père, toujours enfermé dans son cabinet de travail, s'en rendît compte, et elle gagna la place Allende sur sa mobylette. Dans le hall de l'immeuble elle éplucha les boîtes à lettres. Elle repéra une « Marie-Marthe Lautrou », elle se dit que ça pouvait être cela, Djamel avait prononcé ce prénom. Pas de trace de son nom à lui, ils ne devaient pas être passés devant le maire, mais ce n'était pas le moment d'en tirer des conclusions.

Elle monta les quatre étages, trouva leur porte, la même carte d'identité punaisée, mais sur laquelle on avait écrit « Djamel » au crayon à bille sous le nom de Marie-Marthe.

Elle vint à son coup de sonnette, son gosse dans les bras, qu'elle était en train de langer. Aude ne l'avait aperçue que de loin, une fois, mais elle n'avait pas oublié le visage intelligent et sérieux sous les fines lunettes métalliques.

« Est-ce que je pourrais parler à Djamel?

– Djamel n'est pas là. »

Elle la détaillait de pied en cap et dans ses yeux, derrière les carreaux ronds, Aude lisait qu'elle avait déjà compris beaucoup de choses.

« Où est-il?

– Je ne sais pas, il est sorti. Pourquoi? »

A nouveau, le regard glissait sur Aude, lentement. Elle était très pâle.

« Dès qu'il sera de retour, dites-lui que je suis

venue. Aude. Qu'il prenne contact avec moi tout de suite. Dites-lui bien qu'il insiste pour me parler en personne, c'est très important. »

Elle redit :

« Pourquoi? »

Le bébé s'était mis à pigner et elle eut un mouvement d'impatience pour le faire taire. Aude voyait sa main crispée sur le petit bras potelé. Elle aurait dû tout lui dire à cet instant, c'était la dernière perche que le sort leur tendait. Elle ne le fit pas. Prudence? Pitié? Désir de le sauver toute seule? Jalousie? Elle ne savait pas. Elle dit seulement :

« Il ne faut pas qu'il entreprenne quoi que ce soit avant de m'avoir vue.

– De quoi parlez-vous? Pourquoi irait-il vous voir? Qui êtes-vous? »

Les questions maintenant se bousculaient. Elle s'était appuyée au chambranle, décomposée, ses lèvres frémissaient, il y avait une flamme haineuse dans son regard, cependant que le gosse, négligé, continuait de piailler.

Aude répéta :

« Dites-lui de me contacter de toute urgence. Aude. Il saura. »

Et elle repartit. 17 heures 30. La nuit était déjà venue. Un vent aigre qui sentait la pluie lui cisaillait les reins et faisait zigzaguer la bécane comme un bateau ivre.

Alors qu'elle traversait le hall, Père passa la tête à la porte du bureau.

« C'est toi, Aude?

– Oui, j'étais chez le coiffeur.

– Ah! c'est très bien. »

Il referma la porte. Elle monta, elle attendit l'appel. En vain.

Ils dînèrent ensemble. Gouvernante avait tout préparé, Aude servait. Père se montra très loquace, ce qui était, pensa Aude, sa façon à lui de masquer sa propre nervosité. Il venait de découvrir que ce Charles, Xavier, Marie de Malestroit, avant de mourir glorieusement au siège de Saint-Jean-d'Acre, avait convolé par deux fois, et cette donnée capitale qui ouvrait des pistes inexplorées le rendait lyrique. Tandis qu'il galopait avec son ancêtre, Aude admirait la dextre aristocratique qui pelait une calville, elle se disait, c'est impossible qu'il trempe dans une saloperie comme celle qui se mijote, pas mon père.

A un moment, elle fit un pas vers lui, la question déborda de ses lèvres :

« Père, je voulais vous demander...

– Oui? »

Il descendait de l'empyrée et posait sur sa commensale son regard myosotis étonné. Elle sourit, elle fit retraite :

« Non, Père, excusez-moi, rien d'important. »

Il se contenta de cette réponse misérable et remonta en selle pour sa chevauchée épique. Funeste timidité : un mot d'elle, qui savait, et la machine pouvait encore être arrêtée.

Père continua de galoper avec ses preux. Puis il tira sa montre du gousset, se leva :

« Je dois sortir. Encore une de ces assemblées à parlotes dont la nécessité n'est pas aveuglante. Mais comment y échapper? »

Il partit vers 20 heures 45. Pour amuser ses nerfs, elle débarrassa la table, rangea les couverts dans le lave-vaisselle. Puis elle entra dans le cabinet de travail, déclencha le répondeur, mais l'enregistrement, et pour cause, était déjà effacé. Assise dans le fauteuil du bureau, elle ressassa dans sa tête les mots de l'étrange conversation téléphonique, essayant d'y déceler un signe, un repère, une piste. Rien. La voix, pourtant, cette voix qu'il lui avait déjà été donné d'entendre... Les yeux fermés, le corps et l'esprit concentrés, elle s'efforça de l'écouter, telle que la trace en subsistait sur la cire de sa mémoire. Elle passa au crible les personnes qu'elle avait rencontrées récemment, qui avaient rendu visite à Père. Travail d'Hercule : il avait tant de relations!

Deux ou trois fois pourtant, elle eut l'impression qu'un visage se rapprochait, qu'une scène allait naître de la nuit où résonnait cette voix aux inflexions chantantes, mais la vision reculait, se désagrégeait, se dissipait dans le vide.

Et Djamel qui n'appelait pas! Elle n'en pouvait plus d'être confinée dans ce rôle de figurante imbécile, alors qu'à sa porte le drame courait la poste. Elle chercha dans l'annuaire et trouva une « Lautrou Marie-Marthe, 12, place Salvador-Allende ». Elle composa le numéro. La femme était à la réception, elle avait aussitôt identifié la voix d'Aude, elle disait d'un ton morne :

« Il n'est pas encore rentré. Oui, je le préviendrai. »

Aucune question. Elle avait renoncé, eût-on dit, à en savoir davantage.

Plus tard, Aude renouvela sa tentative, et cette fois, malgré son insistance, on ne décrocha même pas; il n'y avait que ce grelot sinistre qui s'étirait.

Elle se mit à trépigner, à crier, de rage impuissante, 21 heures 50. Dans une heure et demie... Ce n'était pas possible! Un homme était en danger de mort peut-être, et elle tranquille elle continuait à compter les coups, dans la maison bien chaude! Faire quelque chose, bon Dieu! S'adresser à Père, lui dire qu'elle savait, se rouler à ses pieds, le menacer... Oui, n'importe quoi pour sauver Djamel!

Elle téléphona partout, à son club d'Anciens Coloniaux, à la Frairie Saint-Mikaël, au groupe Africa, à la Société archéologique, à dix autres associations où il avait ses habitudes. Chou blanc. Ou il n'y avait personne au bout du fil, ou elle apprenait que le général n'était pas là, ou que la réunion statutaire n'avait lieu que le lendemain, etc.

22 heures 25. La voix de soleil cependant ressurgissait, elle taquinait son cerveau enfiévré. Et le petit rire, en contrepoint, déplaisant, tranchant comme un coutelas. Puis l'esquive à nouveau, la page blanche. Elle devenait folle, à ce jeu de cache-cache! La police... Elle y songea quelques secondes. Pour lui dire quoi? Une voix sans visage, un rendez-vous de nulle part, ils lui riraient au nez. Et pendant ce temps...

Un dernier essai chez Marie-Marthe, et elle ressortit. La nuit tenait ses promesses. Une petite pluie s'était mise à tomber, qui transperçait son blouson. Pluie de novembre, pluie de mort. Elle frissonnait, de froid, de peur. Elle traversa une ville de fin du monde, lugubre sous la faction des hauts lampadaires que le suroît agitait comme des spectres.

Alors qu'elle approchait de Bellevue, la corne de brume lança son mugissement désolé vers le port. Elle pénétra dans l'immeuble en courant, elle escalada les marches parmi les relents de l'été et de bouffes grasses, tandis que le vent forcissait et poussait une mince plainte de matou dans la cage d'escalier où des vasistas battaient.

Elle sonna. On ne répondit pas. Elle crut percevoir un frôlement de pas, derrière la porte, et elle se dit qu'un œil au mouchard l'observait, mais elle avait pu se tromper, elle ne commandait plus à ses sens ni à ses nerfs. Elle insista, longuement, et au fond de l'appartement le bébé se mit à pleurer, si fort qu'elle fut saisie de panique à la pensée que les voisins finiraient par intervenir.

Elle redescendit en se disant : je vais l'attendre en bas, aussi longtemps que nécessaire, il faudra bien qu'il passe à un moment ou à un autre. Et en même temps elle comprenait que c'était trop tard, qu'il ne viendrait pas. Elle s'arrêta près de la mobylette. 22 heures 40. La pluie s'épaississait, devenait une poussière de farine glacée qui lui cinglait la face. Bêtement elle se dit que son brushing de l'après-midi en prenait un sacré coup. La corne de brume étirait sa plainte d'« ankou ». Autour d'elle, les quatre cubes des immeubles éclairés étaient pareils à des navires égarés dans le brouillard. Elle pensait à toutes ces vies qui s'y terraient, et c'était le monde entier qui avait cassé ses amarres et roulait au fond de la nuit comme un grand vaisseau désemparé.

Elle se mit à pleurer. Son bermuda trempé de pluie collait à son ventre, où son petit se tenait au chaud, et elle le caressait et elle lui murmurait, on coule, mon pauvre bonhomme, on est perdus, il n'y a plus rien que nous deux, tout seuls, abandonnés...

C'est alors qu'elle vit son visage. Il jaillit dans sa tête sans crier gare, comme un météore. Un visage carré, moustache taillée et crâne lisse, la luisance grasse d'un regard sur elle et la voix charmante, le rire vulgaire... Davila, ses lèvres forment le nom, Augusto Davila.

Elle l'avait rencontré pour la première fois quelques mois plus tôt. C'était à la sortie de la grand-messe de Pâques à l'église Saint-Louis. (Une tradition familiale, cette messe, Père costume sélect et cravate neuve, le moulin à patenôtres sous le bras, gouvernante avec un atroce chapeau de paille enrichi d'un bouquet fleuri, Aude bien sage entre les deux.) Sur le parvis, Père avait bavardé avec ce type et avait tenu à lui présenter sa fille. Les yeux de l'homme sur elle, cette sorte de coup d'œil qui évoque quelque chose de poisseux et de sale, qui vous déshabille et vous fait rougir et fuir le contact...

Si elle l'avait presque oublié, lui par contre se souvenait d'Aude quand, plusieurs mois après, par hasard, ils se retrouvèrent face à face dans le magasin de la rue de Siam :

« Mademoiselle Aude! Comment ça va? »

La glu du regard, la moustache qui palpitait, pendant qu'il lui assenait ses galanteries épaisses, et le petit rire sec :

« Mes amitiés au général! »

Père à qui elle demandait quelques explications lui avait répondu en trois phrases hautaines :

« Augusto Davila nous vient d'Afrique du Nord. Son oncle dirige le centre de loisirs du Menhir. Je les vois parfois l'un et l'autre à la Frairie Saint-Mikaël. »

Cela s'était arrêté là.

Et voici qu'il émergeait de la nuit à l'instant crucial, intact, comme peint au couteau dans sa mémoire.

« Ce soir 23 heures 30... Tout est O.K. pour la réception... »

Elle repartit comme une possédée, elle stoppa aux premières lumières d'un café encore ouvert, rue de Kermenguy, elle entra. Peu de monde, quelques hommes tapant le carton autour d'une table, près du juke-box, où Yves Duteil chantait *Prendre un enfant dans ses bras*, une femme seule au bar, en manteau de pluie, les cheveux défaits et les yeux vides, regardant les gouttes qui piétinaient contre la vitrine.

Elle commanda un jus de tomate, demanda l'annuaire. Dans la rubrique « Brest », elle releva un « Davila Augusto, place Wilson », mais ça ne lui convenait pas, la « réception » avait lieu ailleurs : « Le coin est désert à cette époque », avait dit la voix au téléphone. Elle compulsa fébrilement le répertoire, piqua au hasard dans les listes d'abonnés des communes avoisinantes : Le Relecq-Kerhuon, Plougastel, Gouesnou... Pas de Davila. Elle ne savait plus où elle en était, elle leva les yeux, rencontra ceux du patron, un noiraud malingre au visage mélancolique, qui l'observait en rinçant des verres. Le disque s'était arrêté.

« Cherchez quelque chose?

– Oui. M. Davila.

– Le commerçant?

– Oui. Il n'est pas chez lui. Il n'aurait pas un autre domicile ailleurs? je veux dire en dehors de Brest?

– Probable, estima le type d'un ton désabusé. Qui au jour d'aujourd'hui n'a pas sa résidence secondaire? »

Un des joueurs de cartes redressa la tête :

« Davila, vous dites? Vous parlez d'Augusto ou de Julio?

– Julio?

– Oui, l'oncle. Parce que lui a sa propriété hors de la ville. Une sacrée baraque sur la côte, les pieds dans l'eau, vers la plage de Porsmilin, et au moins un hectare de parc. »

L'information n'était pas à négliger :

« Porsmilin, vous dites? C'est quelle commune, au fait?

– Voyez à Locmaria, dit le patron.

– Merci. »

Elle tourna les feuillets de l'annuaire, plongea dans la colonne des noms. Son ongle s'immobilisa, souligna la rubrique qui l'intéressait : « Davila Julio, *La Rascasse*, chemin de la Corniche. »

« Je peux téléphoner? »

Sans un mot, le gringalet souffreteux fit glisser le combiné sur le comptoir. La femme accoudée se redressa et écarta son verre. Aude forma le numéro, attendit plusieurs secondes. Est-ce que ce ne serait pas encore la bonne adresse? ou s'il était déjà trop tard? Non, on décrochait :

« Allô? »

La voix d'Augusto Davila. Il s'impatientait vite, demandait avec une pointe d'irritation :

« Allô? Qui est à l'appareil? Allô? Répondez, bon Dieu! »

Elle reposa le combiné sur la fourche, jeta une pièce de dix francs et gagna la porte sans toucher à sa consommation, cependant que derrière la fille grognait un mot cru et que tous riaient.

Elle roula longtemps dans le vent âpre qui lui coupait la respiration. Sous les gifles puissantes la mobylette se cabrait et chassait sur l'asphalte, le moteur toussait, à demi asphyxié, repartait rageusement. Elle pédalait, jetait toute son énergie dans cette lutte inégale et dans les descentes elle lançait la machine à tombeau ouvert.

A Locmaria, un vieil homme emmitouflé qui faisait pisser son boxer la renseigna sur le chemin de la Corniche. Après s'être fourvoyée plusieurs fois, elle le dénicha. L'une après l'autre, à la lueur du phare de la mobylette, elle déchiffra les plaques des villas qui bordaient la côte de loin en loin, toutes closes, abandonnées. Elle roulait sur un mauvais chemin raviné, dans une solitude sauvage, déchirée par le picotement des gouttes sur les feuilles, la rumeur continue des pins au-dessus de sa tête et le battement des vagues contre la falaise.

A travers les lances obliques de la pluie, elle lut enfin une enseigne en fer martelé, plantée dans du granit bleuté : *La Rascasse.* Elle regarda en clignant des yeux le domaine tranquille, derrière la haute grille fermée, dont une chaîne pourvue d'un cadenas doublait la serrure. Ayant coupé les gaz, elle crut entendre un ronronnement de moteur, très sourd, étouffé. Elle s'approcha en poussant la mobylette, colla son visage à la grille. Elle devina l'amorce d'une allée, des masses de feuillages mouvants de part et d'autre, crépitants sous l'ondée. Elle ne distinguait pas la bâtisse.

Elle gara la mobylette entre les arbres, à gauche du portail, et longea la muraille, massive, hérissée de tessons qui luisaient vaguement. Elle ne percevait plus le bruit du moteur. Est-ce qu'elle se serait trompée?

Elle avait parcouru une trentaine de mètres, lorsqu'elle entrevit à main droite une aire dégagée, les losanges d'un grillage emperlé de gouttelettes, délimitant un court de tennis. Devant la porte d'entrée, une petite auto stationnait, dont le pare-brise jetait une clarté morte. Elle s'avança, et son cœur sauta dans sa poitrine. C'était une vieille Volkswagen de couleur claire, avec une minuscule poupée noire accrochée au rétroviseur intérieur, et ce détail fit sourdre le flot des images, la lente promenade en voiture cette nuit de juin vers la côte de Lanildut, le bras de Djamel sur son épaule et la négresse qui balançait ses hanches ceintes de paille multicolore.

Elle revint en courant au sentier de pourtour, elle marcha encore, jusqu'à ce qu'elle remarquât une porte basse percée dans le mur. Elle la poussa, elle céda aussitôt sous sa pression avec un faible couinement. Elle entra dans la propriété, stupéfaite et défaillante d'angoisse, elle fit quelques pas, comme dans un rêve, avec l'impression troublante de vivre une scène déjà écrite, très ancienne. A nouveau le bruit de moteur atteignit son oreille, ample, paisible, secoué de brèves saccades coléreuses. Non pas un moteur, mais deux, dont les voix se superposaient, se confondaient et parfois se dissociaient en une sorte de contrepoint syncopé.

Une lueur frémit devant elle dans l'ombre dense. Elle s'arrêta, s'adossa à un fût gluant, avec la certitude que les trois coups de la tragédie avaient été frappés. Le mugissement des machines s'amplifiait, deux grosses motos dont les phares maintenant croisaient leurs broderies entre les arbres.

Et elle l'aperçut, Djamel, son pauvre amour. Il courait dans la sente, serré de près par la bête grondante. De temps à autre il tournait la tête et la lanterne éclaboussait son visage glacé de sueur et de pluie, brûlait ses yeux hallucinés. Il continuait à courir dans le tunnel blanc que trouait le filet grouillant de la pluie. Elle ne distinguait pas les traits du chasseur, il n'était qu'une forme compacte et noire soudée à sa monture. Loin devant, un deuxième monstre progressait parmi les arbres et les massifs, très lentement, comme s'il demeurait en réserve, attendant un signal.

Appuyée à son tronc visqueux, pétrifiée, elle essaya de crier :

« Djamel! »

Nul son ne franchit ses lèvres. Et elle resta là, impuissante, spectatrice horrifiée d'une mise à mort dont elle devinait de façon prémonitoire les phases cruelles.

Djamel tomba. Il se releva aussitôt et repartit. A plusieurs reprises il disparut quelques secondes de sa vue et seuls subsistaient de la chasse d'enfer le ronronnement voilé des lourdes machines et les réverbérations éparses. Puis le grondement s'étoffait, un éclair giclait tout près contre l'écorce vernissée d'un tronc. Djamel revenait, il s'abattait, se redressait d'un bond, recommençait sa course éperdue. Il opéra soudain un crochet, il quitta la sente, s'enfonça au plus épais des feuillages en direction de la poterne, et il était si proche qu'elle entendait son souffle. D'un coup de reins, le guetteur lui coupa la route et le rabattit sur son complice.

Djamel reprit son chemin de croix. Il s'arrêta, épuisé, il se retourna, marcha à reculons, le bras replié sur son visage. Son pied buta contre le socle d'une statue, il faillit tomber à la renverse, vacilla un moment. Puis il se hissa sur le piédestal, trente centimètres, le pauvre refuge! Et il leva les deux bras, lentement, il regarda son bourreau, qui avait bloqué la moto sur son support et venait vers lui d'un pas lourd. Elle le voyait de dos, la tête énorme de Martien, la carrure massive tendant le blouson ciré par la pluie. A un mètre de Djamel, il s'immobilisa. Son poing gauche, ganté de cuir noir, tenait un pistolet qu'il pointa contre le buste de sa victime.

« Non! Non! »

Est-ce qu'elle avait crié? Elle n'entendit pas sa voix. Elle contemplait le visage de Djamel, son humble visage de suppliant, les lèvres qui battaient, murmuraient sans doute une prière, sa poitrine secouée par la houle de la course, et ses deux bras étendus, cloués aux barreaux de la pluie – on aurait dit un grand christ crucifié. En bas dans la crique la mer prolongeait sa plainte d'agonie.

Brutalement, l'homme leva l'autre bras, une matraque zébra l'air et s'abattit contre le visage martyr avec un floc affreux.

Pour la troisième fois, elle voulut appeler, elle se décolla de l'arbre, et aussitôt tout se mit à tourner autour d'elle à une vitesse vertigineuse, ses jambes s'affaissèrent. Elle roula à terre.

Le choc rythmé d'une goutte d'eau dégoulinant d'une branche l'arracha à l'inconscience. Un instant hébétée, elle revécut la scène de cauchemar, elle se remit debout. Plus une lumière. Elle repéra la statue et en fit le tour, espérant elle ne savait quoi. Personne. Le rodéo sauvage n'avait pas laissé de traces.

Alors dans la nuit barbare, ivre de détresse, elle cria :

« Djamel! Djamel! »

Et seuls lui répondirent les ricanements de la pluie et le lamento de la mer fouettant les récifs en contrebas.

Comme une pocharde, elle repartit cahin-caha vers la poterne. Celle-ci était maintenant fermée à clef. Elle suivit péniblement la ligne de la muraille, s'empêtrant dans les racines, titubant, s'étalant dans les trous d'eau. Elle arriva à la grille, elle s'agrippa, elle réussit Dieu sait comment à se hisser et à redescendre sans se rompre le cou. A peine de l'autre côté, elle vomit. Sa tête éclatait, elle claquait des dents. Elle retrouva la mobylette entre les pins, elle mit en route, et le vélomoteur l'emporta...

J'ignore comment j'ai pu rentrer et à quelle heure. Je revois seulement le visage de Père dans le hall, la stupeur qui contracte ses traits.

« Aude, d'où viens-tu? Que s'est-il passé? »

J'articule avec effort quelques mots :

« Mal à la tête... malade... je... »

La suspension se détache du plafond et ballotte devant mes yeux comme un encensoir frénétique, la figure de Père grossit, se déforme, devient une tête de Gorgone monstrueuse. Je perds à nouveau le contact.

Après... Le long tunnel blême, traversé de lueurs falotes, images glacées de couloirs nus, odeurs nauséeuses, tout ce banc mat autour de moi, au-dessus de moi, miroitements de verre ou de métal, bruits confus, mots disloqués, ombres qui tournent, rires convulsés de gargouilles, écœurante fragrance d'éther à jamais dans ma mémoire...

Quand le rideau s'est levé, j'ai su que j'avais tout perdu. Mes mains qui couraient sur mon ventre plat, libéré, inutile...

« Il le fallait, chérie. On a dû pratiquer une intervention d'urgence. »

Je n'ai pas protesté, je n'ai pas pleuré, mes yeux étaient secs. Je n'ai presque plus jamais pleuré, sauf parfois quand je suis bien soûle et que l'alcool fouaille mes souvenirs. Pas même quand on m'a passé le journal qui relatait en quelques lignes sèches le suicide d'un jeune étranger au pont du Bouguen.

Jamais on n'a prononcé le nom de Djamel devant moi, et moi je n'ai posé aucune question. J'avais toutes les réponses, elles hurlaient au secret de mon cœur. Je dormais (« Il faut dormir, chérie, beaucoup dormir »), le sommeil était devenu l'absolu, l'alibi et le mouillage sûr, et quand j'avais les yeux ouverts, j'écoutais, gentille, la musique de leurs paroles.

Père, gouvernante, Lucie, ma sœur, ont bien essayé, mais beaucoup plus tard, de savoir ce que j'avais fait cette soirée-là. J'ai dit :

« Je me rappelle ce mal de tête qui ne me quittait pas depuis l'après-midi. Peut-être le casque de la coiffeuse? J'ai voulu sortir, me faire fouetter par le vent et la pluie, et j'ai dû avoir un malaise, sans doute tomber de la mobylette, perdre connaissance. Je ne me souviens de rien. »

Ils n'ont pas poussé le scalpel plus avant. Père quant à lui était à cent lieues d'imaginer que j'étais moi aussi au rendez-vous de *La Rascasse*, ou si un doute l'a effleuré, il l'aura vite chassé : il est trop carré dans ses choix, trop pénétré de la justesse transcendante de sa cause pour se déchirer longtemps l'âme aux tortures du soupçon ou du remords. La police ne m'a pas interrogée. Pourquoi l'aurait-elle fait? Personne à Brest ne connaissait mon éphémère aventure avec Djamel. Si, quelqu'un aurait eu quelque chose à dire : Marie-Marthe. Elle avait en mémoire mon étonnante démarche auprès d'elle peu d'heures avant le drame, elle avait des questions à poser. Elle n'a rien dit aux policiers, elle n'a pas cité mon nom.

Plusieurs semaines après mon retour de la clinique, Davila est venu à la maison pour discuter avec Père d'un problème concernant La Frairie Saint-Mikaël. Par hasard, informé que j'étais convalescente, il a tenu à me présenter ses civilités. Je l'écoutais pérorer, ce charmant sourire aux lèvres dont j'ai appris à me composer un masque. Je ne souhaitais pas ressusciter certaines images, pas encore, elles étaient logées dans un coin de ma tête, pour moi seule. Je souriais, je me berçais de sa voix modulée qui se voulait charmeuse.

Il est revenu peu après avec un splendide bouquet d'orchidées blanches, il s'est attardé, il était plein d'attentions, empressé, cajoleur. A son départ, Père m'a prise à l'écart et avec une rudesse toute militaire il m'a déclaré que d'évidence ce garçon s'intéressait à moi et que personnellement il n'y voyait pas d'objection. Il mourait d'envie d'ajouter :

« Il t'accepte comme tu es, remercie-le! »

Mais il ne le pouvait pas, il lui fallait maintenir la fiction de la rencontre fortuite, alors que depuis des semaines, je le savais bien, j'avais été vendue, soldée « en l'état », comme une bagnole accidentée, après quels marchandages, et que j'étais le prix du sang.

Père a dit :

« Et toi? Tu veux bien? Je comprends ta surprise, tes réticences : tu es encore bien jeune, Aude, et après ce qui s'est passé... Oui, le choc est encore frais. Mais en père responsable, et qui n'aspire à rien d'autre qu'à ton bonheur futur, je me dois de t'avertir que... »

Et patati et patata, affaire à saisir, fifille, tu ne piges donc pas? Brûlant les étapes, j'ai dit :

« Davila, pourquoi pas? »

Et j'ai arboré mon sourire de rêve.

Père s'est écrié :

« Vive Dieu! Magnificat! »

Est allé d'un jarret martial annoncer l'heureuse nouvelle à gouvernante, laquelle est venue me tamponner les joues de ses babines suintantes. Dans la foulée, on a organisé fissa une petite bamboula à trois, champagne et amuse-gueules, gouvernante a bêlé au piano *Le Bel Anneau d'argent* et Père, une fois n'est pas coutume, s'est quasiment beurré d'allégresse.

Je suis donc devenue la fiancée d'Augusto. Chevaleresque bien qu'Espagnol, il a fait l'impasse sur mon berlingot perdu et c'est moi qui, bonne fille, ai évoqué ma liaison avec Djamel, ce Marocain à présent décédé. Augusto a dit :

« C'est le passé, point final, on n'en parle plus. »

Et c'est vrai, on n'en a plus jamais parlé jusqu'à ces dernières semaines. Tout avait été remis sur les rails. Augusto avait pris en main sa femme-enfant et en prélude aux saints nœuds du mariage l'initiait à la science du plaisir. Docile, l'élève mettait les bouchées doubles et bientôt, affirmait Davila, dépasserait le maître. Père qui comprenait beaucoup et gardait ses idées, ravalait de nobles cris, gouvernante entrait en transe en évoquant le beau roman d'amour, Lucie, par effet de repoussoir, méprisait un peu plus encore son fruit sec de Truchaud, Sainte-Barbe enviait la petite fiancée. Je laissais faire et dire, j'avais mon sourire.

Je rencontrais aussi l'oncle Julio. Augusto et lui étaient très liés.

« Il a été mon second père, m'avait expliqué Augusto. Après la dispartion de mes parents. »

Et il m'avait raconté en détail l'assassinat de sa famille par les fellaghas en Algérie. J'avais dit :

« Quelle horreur! »

Et je m'étais presque évanouie.

C'est comme cela que j'ai eu mes entrées à *La Rascasse*, la propriété de Julio. On y passait les week-ends assez souvent tous les trois. Julio et moi on était vite devenus très copains.

« Tu es ici chez toi, Aude, disait Julio. Tu viens quand ça te chante. Si je ne suis pas là, appelle Candéla : il s'occupera de toi. »

A partir du printemps, j'ai commencé à y aller seule, à cause de la belle piscine en cœur. Un jour que j'étais sortie de l'eau et que je me frictionnais, il est arrivé par-derrière et m'a entourée de ses bras. Il m'a dit que Candéla était absent et que lui il avait bougrement envie de me sauter.

Je lui ai répliqué :

« Vous alors! Je suis la fiancée d'Augusto! Qu'est-ce qu'il dirait hein? »

Il a ri.

« Je crois qu'il ferait une drôle de binette, bien qu'on se soit toujours tout partagé! Donc, il ne saura pas. »

Moi je pensais aux deux motos grondant entre les arbres...

J'ai soupiré :

« Puisque vous le dites... »

On a fait l'amour sur le divan de cuir du salon. Julio m'a confié qu'il aimerait que je passe de temps en temps, discrètement, à sa garçonnière de la rue d'Estienne-d'Orves.

« Ici, c'est pas commode, à cause de Candéla. »

Il m'a remis une clef de l'appartement.

Le lendemain, j'ai dit à Augusto ce qui s'était passé et je lui ai refilé la clef. Augusto est resté calme, il a dit :

« T'as bien fait de tout me raconter. Pas un mot à la reine mère! Je mets moi-même les choses au point. »

Je n'ai jamais revu oncle Julio. Deux jours après, Candéla, en venant prendre son service à 8 heures, a découvert le corps qui flottait dans la piscine. Le décès remontait à la veille au soir. Le toubib a parlé d'hydrocution, mais a tout de même conseillé de pratiquer une autopsie, laquelle n'a rien donné. Naturellement on nous a questionnés, Augusto et moi. Pour parer aux tracasseries des flics, Augusto m'avait demandé de déclarer qu'on avait passé la soirée ensemble chez lui, place Wilson. Ce n'était pas exact, mais j'ai dit : d'accord. L'enquête a tourné court, on a conclu à la mort accidentelle, étant donné qu'au moment de l'immersion oncle Julio avait plus d'un gramme d'alcool dans le sang. Ça n'a pas empêché certains, bien sûr, de penser à des choses, compte tenu que le neveu héritait de tout.

Moi je n'ai jamais su la raison véritable pour laquelle Augusto avait liquidé son beau complice Julio. Pour être tout à fait sincère, je n'espérais pas que ça arriverait si vite. Parce qu'ils s'aimaient bien, ces deux-là, et pour une question de cul je pensais qu'Augusto était capable de passer l'éponge, après un solide coup de gueule. Seulement, une dispute, savoir comment ça tourne, des fois... En tout cas, ça faisait un de moins, j'ai dit au Bon Dieu merci pour Djamel et j'ai attendu. Je ne savais pas très bien comment ça allait se passer pour Augusto, mais ça se ferait, oui, j'avais juré que ça se ferait, j'attendais, quelque chose ou quelqu'un qui devait venir. Et c'était vous. Voilà. »

... Il m'a écoutée jusqu'au bout sans intervenir une seule fois. Là il y a eu un très long silence, lourd de nos pensées à tous les deux. Lui, la mine grise, les traits marqués, travaillé de questions intimes et de peurs, moi lavée, vidée de toute cette sanie, délivrée.

Il se résigne à parler. Ses lèvres sont tordues par l'effort qu'il s'impose et son regard se dérobe :

« Depuis... Marie-Marthe... (Les mots passent mal.) Vous ne l'avez jamais revue?

– Non. Je n'ai pas cherché à la revoir. »

Ma réponse ne le satisfait pas. Il grimace :

« Mais elle? Elle aurait pu souhaiter vous rencontrer?

– Elle ne l'a pas fait. »

Cette détresse dans ses yeux. Il est soudain laid et vieilli, pitoyable.

« Comment se fait-il que Marie-Marthe... »

Il n'a pas achevé la question, qui depuis un moment le tourmente, mais je sais ce qu'il voudrait connaître, qu'il entrevoit déjà : la raison pour laquelle la jeune femme est restée muette. Mon silence à moi il croit le comprendre, peut-être l'approuve-t-il : on ne dénonce pas son père. Aussi bien ai-je montré que j'avais d'autres armes. Mais non, il ne s'agit pas de moi, je ne l'intéresse pas, il ne songe qu'à Marie-Marthe. Pourquoi la compagne de Djamel n'a-t-elle pas fait état de ma visite chez elle quelques heures avant le drame? Pas un mot à la police, pas un mot à lui-même... Elle a revu Djamel, elle lui a communiqué mon message, et il n'en a pas tenu compte. Ou si elle ne le lui a pas transmis ? Pourquoi ? Parce qu'il n'est pas rentré à la maison ce soir-là ? Mais dans ce cas...

« Djamel ne sera pas revenu chez lui à temps. La malchance... »

Il l'a dit tout bas, et c'est comme une exorcisation de son angoisse. Nos regards enfin se sont retrouvés, et j'ai compris deux choses : qu'il a maintenant une conviction, la même que la mienne, et d'autre part que le chagrin qui transpire sur son visage n'est pas uniquement dû à l'affection qu'il vouait à son frère.

Il me tourne le dos, il fait quelques pas dans la petite chambre humide. Il s'arrête, passe ses deux mains sur sa figure, comme s'il se décrassait d'un cauchemar. Il revient vers moi, me remercie, dit que j'ai été très courageuse. Je lui demande ce qu'il compte faire :

« Si vous avez besoin de moi, je suis prête. Je témoignerai.

– Même avec tout ce que cela signifie ? Pour votre père ? Et pour vous ?

– Oui. »

Il m'observe d'un air absent en secouant la tête, dit qu'il a besoin d'abord de parler à Marie-Marthe.

« Vous comprenez ? ajoute-t-il avec une sorte de fièvre. Il faut que je la voie ! Et je ne peux même pas y aller : son appartement est sans doute encore sous surveillance !

– Téléphonez-lui ! Elle viendra.

– Non, cela aussi est impossible. »

Et il m'explique qu'il est à peu près certain que le téléphone de son amie a été mis sur écoute. Je lui propose alors de me rendre pour lui à Bellevue :

« Ecrivez-lui un mot, je le lui remettrai. »

Il hésite un peu, puis il dit :

« Oui, c'est encore la meilleure solution. »

Il sort de la chambre, revient avec un bloc et une enveloppe. Il s'assoit au ras du sol, sur le matelas, pose le bloc contre ses genoux et rédige un court billet, qu'il me fait lire :

« Il faut que je te voie de toute urgence. Je me trouve au 274, rue du Commandant-Drogou. Viens discrètement. Je t'attends. »

« Ça ira, vous croyez?

– Très bien. »

Il glisse le mot dans l'enveloppe, la cachette d'un trait de langue. Il réfléchit tout haut que Marie-Marthe n'a plus sa voiture :

« Dites-lui de prendre un taxi. Qu'elle vienne tout de suite. Allez, mademoiselle, et faites bien attention que personne ne vous voie.

– Et moi?

– Vous? »

Il me jette un regard traqué.

« Je veux être seul avec elle. Attendez-moi chez vous. Je reprendrai contact. »

J'ai dit :

« Je comprends. »

J'ai quand même noté son numéro de téléphone, on ne sait jamais, et je l'ai quitté, j'ai gagné Bellevue. Avant de traverser la placette Allende, j'ai mis pied à terre. Mes yeux se sont portés sur le quatrième étage de l'immeuble jaune, j'ai aperçu Marie-Marthe. Elle est assise sur le balcon, elle bouquine. Auprès d'elle, je devine une nacelle d'enfant.

J'ai bien examiné la place, je n'ai rien relevé d'inquiétant. Pourtant je me méfie. Tout près un gamin évolue sur ses patins, le walkman aux oreilles.

« Hep? »

Il s'est arrêté, a débranché son zinzin.

« Un petit service. Tu vois l'immeuble là-bas, en face?

– Là où il y a le vieux Noir, assis?
– Oui. Est-ce que tu pourrais te charger de remettre cette lettre?
– Ben ouais... A qui?
– Attends. »
J'ai écrit sur l'enveloppe : « Marie-Marthe Lautrou », et la lui ai tendue.
« C'est au quatrième, à droite. »
Il me reluque par en dessous, intrigué.
« Tiens. »
Je lui ai refilé une pièce de dix francs.
« Tu la remets en main propre, hein? C'est bien compris?
– Cinq sur cinq », dit le gosse, qui hume un parfum d'aventure et rêve à Michel Vaillant, son héros favori.
Il s'est envolé en poussant sur ses patins. Je l'ai regardé se déchausser à la porte et pénétrer dans l'habitation en tenant d'une main son joujou à roulettes, la lettre de l'autre, et je suis repartie.

L'enfant arrivait au troisième palier quand il l'aperçut : une sorte de colosse dodu, blond et rose. Il était assis sur la première marche et léchait une grosse sucette au caramel. Il sourit :
« Salut, p'tit, dit-il d'un voix menue.
– Salut », dit l'enfant.
Il voulut continuer, mais l'homme tendit tranquillement une jambe jusqu'au mur et lui coupa le passage :
« T'as l'air bougrement pressé, on dirait?
– Ouais, je dois voir quelqu'un. »
Le type lorgna vers la lettre dans la main de l'enfant :
« C'est qui? »

Le gamin hésita, avant de lire sur l'enveloppe en ânonnant :

« Marie-Marthe Lautrou. J'ai à lui remettre ça. »

L'homme se redressa de toute sa hauteur et se mit à se balancer de gauche à droite au milieu de la marche, tout en suçotant le caramel. Il avait une tête de gros bébé sur un corps d'orang-outan, de longs bras et de tout petits pieds. Il sentait la lavande.

« Elle n'est pas chez elle, affirma-t-il. Je suis son voisin, elle est sortie. Donne, p'tit, je la lui apporterai dès qu'elle rentrera. »

L'enfant recula d'un pas :

« Non. On m'a dit : en main propre.

– Qui?

– Une dame sur sa mobylette.

– Je vois... La personne n'est pas chez elle, répéta le géant aux petits pieds. Je le sais bien, puisque c'est moi qui... »

Avec une vivacité surprenante il projeta la main en avant et saisit la lettre au vol.

« Rendez-la-moi! protesta le gosse. Vous avez pas le droit! »

Des larmes tremblaient dans ses yeux. Le type continuait à sourire et à saliver sur sa sucette.

« Prends ça. »

Il s'avança vers l'enfant et fit tomber deux pièces dans la poche de sa chemisette.

« Pour le dérangement, p'tit. Tu peux retourner t'amuser, je ferai le facteur. Allez, file! » ordonna-t-il d'un ton changé.

Il leva le bras. Effrayé le gosse dévala les marches quatre à quatre. Une fois dehors, en fixant ses patins il observa le pourtour de la placette. « Si elle est toujours là, je la préviens que... »

Mais la dame à la mobylette avait disparu.

4

Lundi 30 août, 15 heures 45

KARIM

Il était étendu sur le matelas dans la chambre humide, il ne bougeait pas, il attendait. Marie-Marthe allait venir. Dans quelques minutes elle serait devant lui et il lui poserait la question terrible :

« Pourquoi as-tu menti? »

Il avait fermé les yeux et il l'imaginait debout, interdite et le visage blanc, pareille à une condamnée. Et il la voyait aussi assise à côté d'Aude, dans la triste salle de police, les deux femmes qui avaient aimé Djamel mettant leur cœur à nu, déballant leur pauvre histoire à des flics indifférents... La victime et la coupable. Ou les deux victimes? Une question l'obsédait : comment avait-on attiré Djamel au rendez-vous de *La Rascasse*? En agitant quel leurre?

« Aude, j'aurai bientôt peut-être des nouvelles agréables... »

Quelles nouvelles? Est-ce que Djamel s'apprêtait à abandonner Marie-Marthe et Samy pour l'autre? Karim y songeait avec douleur et pitié. Il souhaita ne jamais connaître la réponse. La mort avait figé pour l'éternité le grouillement des calculs, des appétits, des passions et étendu avec pudeur son mystère : il ne soulèverait pas le voile.

Il se redressa sur les coudes, le cœur serré. La

porte extérieure couinait doucement sur ses ferrures. Marie-Marthe. Absorbé par sa rêverie, il n'avait pas entendu le taxi s'arrêter devant la maison.

Il se leva, enfila sa saharienne, ouvrit la porte de la chambre :

« Marie-Marthe? »

Elle ne répondit pas, mais s'engagea aussitôt dans l'escalier de bois. Les planches fatiguées craquèrent, écrasées par des pas pesants. Il ne s'agissait pas de Marie-Marthe.

« C'est toi, Erwan? »

Il n'eut guère à attendre la réponse. Un homme venait d'apparaître au sommet des marches et dirigeait sur lui le canon d'un automatique. Enorme, cent vingt kilos au moins de muscles et de graisse boudinés dans un complet de tweed clair et aussi distingué qu'un bouseux en smoking, il avait une grosse face glabre, tout en roseurs poupines.

« Amène-toi. »

Le flingue dessina un moulinet. Karim s'avança.

« Stop. T'es seul dans la baraque?

– Oui.

– Essaie pas de me pigeonner, mec », dit le type.

Il s'exprimait avec une lenteur crispante, d'une petite voix ridicule.

« Vous pouvez contrôler », dit Karim.

Le géant se gratta la joue avec perplexité :

« C'est à toi la bagnole en bas?

– Oui, mentit Karim.

– Bon, tu m'offres une balade, d'accord? T'as les clefs?

– Oui.

– Parfait, on y va. »

Karim ne bougea pas. Il observait, fasciné, les pieds du colosse, d'extraordinaires petons de gonzesse, minuscules et cambrés dans des mocassins fauves à lacets de cuir.

« Qu'est-ce que tu zyeutes? s'inquiéta l'homme. C'est mes pinceaux? »

La voix de fausset avait encore grimpé.

« Pas du tout, dit prudemment Karim.

– Si! affirma le type d'un air courroucé. Tu les as regardés. Et j'aime pas! Passe devant. »

Karim obéit et commença à descendre. Dans son dos le malabar susceptible pilonnait les degrés en respirant très fort. Il puait l'eau de lavande et la sueur aigre. L'un suivant l'autre, ils passèrent la porte extérieure.

« Il faut que je referme, dit Karim, qui se retourna à demi.

– Non, assura l'autre, c'est pas utile. Personne t'en fera reproche, mon gars. Allez, on continue. »

Ils parvinrent à la Coccinelle. Le type ouvrit la portière droite.

« Entre. »

Karim se glissa sur le siège.

« Tu te pousses sous le volant. Vite. »

Karim obtempéra, pendant que le mastoc aux mini-pieds logeait péniblement sa graisse sur le fauteuil passager.

« Mets le moulin. »

La Coccinelle déboucha du jardinet.

« A gauche. »

Ils rattrapèrent la rue Auguste-Kervern.

« Maintenant à droite. La place et le pont de l'Harteloire. »

Les ordres tombaient, articulés avec une nonchalance pesante dans le même registre grêle de fillette. Karim s'exécutait passivement. Il sentait le pistolet pointé à quelques centimètres de son flanc, dissimulé sous les bras croisés. Le parfum de lavande flottait dans l'habitacle, écœurant.

Dans la tête de Karim, après le coup de massue initial, c'était le grand branle-bas, une turbulence de pensées. « Ne pas me laisser mener à l'abattoir, tenter quelque chose pendant qu'il en est encore temps... » Dehors, le manège routinier des voitures, les passants qui traînaillaient paisiblement sur les trottoirs.

Karim leva légèrement le pied.

« Tu roupilles? » dit le gros.

Le canon du pistolet effleura sa saharienne.

« Fais pas le mariolle, mec. Ça part tout seul ces joujoux. »

Karim appuya sur la pédale. Quatre-vingts... Quatre-vingt-dix... S'il pouvait se faire siffler par un flic...

« T'emballe pas. Doucement. Doucement, je te dis!

– Faudrais savoir! » ronchonna Karim.

Ils remontèrent le boulevard de Plymouth, se dégagèrent de la ville.

« Où on va? »

Il n'eut pas de réponse. Tassé contre le siège, ses cuisses charnues lui massant l'abdomen, le lourchaud semblait avoir de plus en plus de mal à discipliner son souffle.

« La manette pour reculer le fauteuil, où c'est qu'elle niche? gémit-il.

– Vous pouvez toujours chercher, dit Karim.

– Un à un », admit le gros.

Il abaissa la glace, aspira bruyamment l'air :

« On crève dans cette foutue guimbarde, pas vrai?

– Où vous m'amenez? insista Karim. Chez Davila? »

Il y pensait, depuis qu'ils avaient pris la direction des plages.

« Je connais pas ce type, dit l'homme. Je connais personne. »

Filant à bonne allure sur la route du Conquet, ils eurent vite dépassé l'embranchement où débouchait le chemin menant à *La Rascasse*, sans que le colosse intervînt.

« Vous allez me liquider? »

Le gros tenta de déplier ses jambes, n'y parvint qu'imparfaitement. Il soupira avec énergie :

« J'ai rien contre toi, mon gars, déclara-t-il, rien de rien. J' fais mon boulot, hein? Bon, si t'es coopératif, t'as pas à te tracasser, ça se passera en douceur. J' suis pas méchant, j'aime pas voir souffrir.

– C'est Davila qui vous paie, avouez-le!

– Je te répète que j'en sais rien. Mais on m'a dit au téléphone : « Tu fonces à Brest, tu surveilles « le 12, place Salvador-Allende, dans le nouveau « quartier, et tu t'arranges pour alpaguer le guss « qui se présentera chez la femme Lautrou, au « quatrième. » J'avais même pas ta photo, rien qu'un descriptif pas très précis. Heureusement qu'y a eu le môme. Dès que je le vois qui s'amène avec sa bafouille en main, je me dis, Arsène, c'est pour toi. Le flair, quoi! Eh là, mon pote, qu'est-ce que tu... »

Karim venait de donner un petit coup de frein pour éviter un merle qui traversait la route.

« T'as raison, gars, dit le tueur. Pour moi aussi, les oiseaux c'est sacré, et les bêtes, j'aime toutes les bêtes. »

Un temps de méditation, et il reprit :

« Un suicide, c'est pas évident, tu sais, à réussir. Foutre non! Mais si tu t'y mets, ça ira. J'ai un truc. La pointe Saint-Mathieu, tu connais?

– Oui.

– J'y suis venu en colo, autrefois, plusieurs étés

de suite. Un jour, un des mômes a fait la culbute du haut de la falaise. Alors pour toi, forcément, j'ai tout de suite pensé au coin... »

Il manœuvra de nouveau ses piliers avec effort.

« Te mets pas martel en tête, gars, tu sentiras pas. En douceur, hein? J' suis pas méchant. »

Un tueur à gages, songeait Karim, de l'espèce la plus dangereuse, un fou. Il faut que je fasse quelque chose, c'est maintenant ou jamais. A côté, le malabar, de plus en plus mal à l'aise, expulsait l'air par saccades, comme un coureur de fond. Ni lui ni son voisin n'avaient accroché leur ceinture, et ce détail allait être utile à Karim pour l'opération qu'il projetait. Oui, voilà sans doute ma chance, se dit-il, ma seule chance...

Ils n'étaient plus très loin du Conquet. Karim rassembla ses souvenirs, photographia dans sa tête le profil de la route. Une grande descente, un faux plat, et la remontée le long du plan d'eau. Il réduisit progressivement la vitesse, sans provoquer de réaction de son voisin. Par avancées prudentes, sa main gauche se détacha du volant et se posa sur la commande d'ouverture de la portière.

Ils arrivaient au faux plat avant le tournant. Coup d'œil au rétroviseur : personne. Devant et derrière, la voie était libre. Karim banda ses muscles et jeta un cri perçant :

« Les flics! Derrière! »

Tout se passa très vite. Le haut-le-corps du gros qui se retournait instinctivement pour vérifier dans la lunette, le pied de Karim écrasant la pédale de frein, la portière violemment repoussée. Il sauta. Un choc à l'épaule gauche, une douleur fulgurante. Il rebondit, se laissa rouler jusqu'à la berme, roula dans le fossé. A demi assommé, il entendit un fracas épouvantable, comme une explosion. Il se força à regarder, aperçut la voiture enroulée par le travers autour d'un acacia, un panache de fumée noire, une roue qui tournait dans l'air à une vitesse folle.

Et brusquement une gerbe rouge jaillit. Une voiture débouchait du tournant, puis une autre, des freins hurlaient. Karim rampa dans le fossé, escalada le remblai, péniblement. Il s'insinua entre des épineux, s'écorcha aux ronces du talus, bascula de l'autre bord. Son épaule gauche heurta le sol mou et il lâcha une plainte. Une nuée obscurcit sa vue. Il perdit conscience.

AUDE

16 heures 40

Il m'avait dit : « Attendez-moi chez vous. Je reprendrai contact. » Au début, je ne me souciais pas trop. Ils étaient ensemble, et entre ces deux-là, je me disais, sûr qu'il y a un sacré contentieux à régler, il fallait voir la tête au pauvre gars tout à l'heure. J'ai guetté sagement son coup de fil. Du temps a passé.

A 5 heures moins 20, j'ai estimé que ça allait comme ça, et je l'ai relancé, rue du Commandant-Drogou. Personne. Ça m'a causé un drôle d'effet, cette sonnerie dans la vieille baraque vide. Etourdiment, j'ai failli téléphoner à Marie-Marthe, mais je me suis rappelée ce que le Marocain m'avait appris au sujet de sa ligne, et j'ai décidé de filer là-bas aux nouvelles.

La place Salvador-Allende était toujours aussi placide, avec sa demi-douzaine de gamins occupés à se raboter les fesses sur la glissière centrale et le grand Nègre roupillait au soleil à la porte de l'immeuble jaune. Marie-Marthe ne se trouvait plus sur le balcon, mais elle était chez elle. Elle devait faire une lessive ou quelque besogne du genre, car elle est venue m'ouvrir gantée de caoutchouc rouge et un tablier de plastique bariolé lui ceignant les hanches.

« Karim est chez vous?

– Karim? Non. Pourquoi?

– Vous ne l'avez pas vu?

– Quand donc?

– Mais tout de suite!

– Ça m'aurait été difficile : il est à Paris! »

C'était curieux, j'avais l'impression de revivre chaque détail, presque chaque mot d'une scène antérieure; oui, je me suis revue près d'un an plus tôt, ce soir de novembre où je m'étais présentée chez elle pour la première fois. Ça m'a fait froid dans le dos, j'ai aussitôt compris qu'un nouveau pépin était arrivé.

« Je peux entrer? »

Je l'ai suivie dans le petit séjour. Le beau bébé à la peau dorée était là, dans la nacelle doublée de cretonne rose qu'elle avait ramenée de la terrasse. Marie-Marthe ôtait ses gants de travail et dénouait les brides du tablier.

« Vous avez bien reçu sa lettre? »

L'étrange expérience se poursuivait. Je me dédoublais, je m'entendais poser la question et je connaissais d'avance la réponse.

« Quelle lettre? »

Je lui ai expliqué ce qui s'était passé avec le gosse aux patins à roulettes.

« Il aura mal pris la consigne, a dit Marie-Marthe. Ou alors il a eu la paresse de grimper les quatre étages? »

Je me suis nourrie de ce frêle espoir pendant qu'elle allait contrôler à la boîte du rez-de-chaussée. Elle est remontée, bredouille, bien entendu.

J'ai dit :

« Essayons encore rue du Commandant-Drogou. »

Elle ne connaissait pas cette adresse. Je lui ai donné le numéro, je ne l'avais pas sur moi, mais je m'en souvenais, je retiens bien ces choses. Elle a appelé, ça n'a abouti à rien, on n'y croyait pas d'ailleurs.

« Qu'est-ce qui a pu se passer d'après vous? a demandé Marie-Marthe.

– Je ne sais pas. Je sais seulement que Davila ne le laissera pas vivre. Il le tuera, comme Djamel. »

Elle s'est mise à pétrir sa poitrine, comme si elle malaxait à vif son cœur :

« Comme Djamel... Je ne comprends pas. »

Alors, je lui ai tout raconté, mais en très gros, en sautant les détails. Par exemple, j'ai carrément gommé ma dernière conversation avec Djamel à la sortie du Celtic : ç'aurait servi à quoi de la déchirer un peu plus? J'ai conclu :

« Davila sait que Karim l'a démasqué. Il mettra le paquet pour le liquider. Si ce n'est déjà fait. »

Marie-Marthe était comme un cadavre, pas une goutte de sang au visage, et toujours sa main étreignant son sein comme une griffe. Elle a allumé une cigarette, elle a dit, la voix blanche :

« Qu'est-ce qu'on peut faire? »

Le téléphone a répondu pour moi. Oui, à cet instant ça a sonné. On s'est regardées, avec la même pensée sans doute. Elle a décroché, a dit : oui. Elle m'a fait signe d'approcher, a voilé le disque de sa main :

« C'est la gendarmerie. »

J'ai pris le deuxième écouteur. Deux secondes de bruits indéfinissables, et une voix autoritaire a demandé :

« Madame Marie-Marthe Lautrou?

– Oui, c'est moi-même.

– Votre voiture est bien immatriculée : 4548 QT 29?
– Oui. Pourquoi?
– Qui la pilotait cet après-midi?
– Cet après-midi, je ne sais pas... personne... je... »
Elle bredouillait, je voyais ses prunelles étirées derrière les verres, qu'une buée voilait.
« Je ne l'ai pas utilisée depuis quarante-huit heures.
– Elle a donc été volée. Vous ne vous en étiez pas aperçue?
– Non. Pourquoi? Il est arrivé quelque chose?
– La bagnole s'est flanquée dans un arbre peu avant Le Conquet, il y a un peu moins d'une heure. Elle a pris feu, on n'a rien pu faire. Le conducteur a été complètement carbonisé.
– Mon Dieu...
– Impossible pour l'heure de l'identifier. On a pu remonter jusqu'à vous grâce à l'une des plaques minéralogiques qui s'est détachée au moment du choc. Madame Lautrou, vous auriez intérêt à vous mettre en rapport avec les services de police, le plus tôt possible, pour les formalités.
– Bien sûr. Je vous remercie. »
Nous avons raccroché.
« Pauvre Karim! a murmuré Marie-Marthe. Lui aussi! Aude, ce n'est pas un accident?
– Non. Je vous l'avais dit : il ne pouvait pas vivre ».
Marie-Marthe me tournait maintenant le dos et ne bougeait pas.
« Aude, il faut que je vous dise quelque chose... au sujet de Djamel... de cette soirée où il est mort...
– Vous croyez que c'est bien utile? Vous allez vous faire du mal. »
J'avais peur de ce que j'allais entendre. Elle s'est

retournée. Elle avait une expression un peu hagarde :
« Vous devez m'écouter! Vous la première! Puisque Karim n'est plus là pour me demander des comptes! »
Elle s'est assise près du berceau et du bout des doigts elle caressait la joue du bébé.
« Il ne m'avait jamais parlé de vous, jamais... »
Une pause. Je voyais son regard vide, errant très loin. Elle a repris d'une voix sans timbre (c'était comme un film poussiéreux et morne dont elle égrenait les images, mécaniquement) :
« Quand vous vous êtes présentée ce soir-là, ça a été le coup de massue. Oui, un monde s'écroulait. Et la jalousie déjà me mordait le cœur, noyait mon cerveau. Ce que vous disiez, je l'entendais, mais à travers un filtre déformant. Je ne retenais qu'une chose, oui, une seule phrase tintait dans ma tête : " Elle est sa maîtresse et il ira la rejoindre tout à l'heure! "
Elle s'est tue à nouveau. Sa main continuait à caresser le bébé, qui ronronnait comme un chaton. Puis :
« Djamel est rentré vers 8 heures, après avoir traînaillé dans les cafés, comme il faisait depuis quelques mois. Mais ce soir-là, il n'avait pas bu, il avait simplement tué le temps, il avait fui la maison, parce qu'il ne s'y trouvait plus à l'aise. Je n'ai rien dit, j'attendais que ça vienne de lui. On a dîné. Il a pris Samy dans ses bras, il lui a chanté une berceuse de son pays. Puis il l'a recouché. Et c'est là qu'il m'a dit qu'il devait sortir pour rencontrer un compatriote fraîchement arrivé de Casa, et qu'il risquait de rentrer tard.
« Il aura peut-être des nouvelles de Karim? »
Alors j'ai éclaté, oui, un torrent de récriminations, sans préambule, sans nuances :

« Tu vas la rejoindre! Avoue-le, que tu vas la retrouver! »

Il était abasourdi devant cette violence qu'il ne connaissait pas :

« Explique-toi, Marie-Marthe. De quoi parles-tu? »

Je ne l'écoutais pas. Une rage rouge me possédait, explosait en insultes :

« Salaud! Infâme salaud! »

Il a voulu me calmer, il a ressaisi Samy qui pleurait, terrorisé par ces éclats de voix. Je lui ai arraché le gosse :

« Ne touche pas à cet enfant! Fous le camp! Disparais, je te dis! Et ne remets plus jamais les pieds ici! »

Il m'a regardée un moment, jamais je n'oublierai la douceur de ce regard, il a dit avec beaucoup de calme :

« Tu n'es pas en état ce soir de m'écouter. Je reviendrai, Marie-Marthe, et je t'expliquerai. »

Il a embrassé Samy et il est parti. Je n'ai fait aucun geste pour le retenir. J'étais tombée à genoux contre le berceau, j'embrassais Samy en pleurant, et pourtant je savais dès cet instant qu'il allait au-devant d'un grand danger, oui, je le savais! Il aurait suffi que je coure après lui, que je lui rapporte le détail de vos paroles. Je n'ai pas bougé. Quand, bien plus tard, vous m'avez appelée, je commençais à mesurer les conséquences de mon coup de folie. Pourtant je n'ai pas eu le courage de vous avouer ce qui s'était passé, je vous ai menti. Et le combiné à peine reposé, une angoisse affreuse m'a saisie. J'ai essayé de vous joindre, mais je ne connaissais même pas votre nom! J'ai tourné un moment comme un fauve dans l'appartement, puis je suis sortie. J'ai noté que la Coccinelle n'était plus au parking et mon affolement s'est encore accru. J'ai dû vaguer très longtemps dans le quartier désert, sous la pluie, sans but. Je suis rentrée, crottée, épuisée, désespérée. C'est un peu après 1 heure et demie que deux policiers sont venus m'avertir que Djamel s'était jeté du pont du Bouguen.

Elle s'est tue. L'enfant continuait à roucouler sous les doigts tendres. J'ai demandé :

« Et après, Marie-Marthe?

– Après?

– Sans connaître la vérité, vous vous doutiez bien de quelque chose? Pourquoi n'avez-vous jamais parlé aux policiers de ma visite?

– Pourquoi n'avoue-t-on pas ses crimes? Par honte de ce que j'avais fait, par lâcheté aussi. Moi je me disais que ce n'était qu'un sursis. Oui, durant des heures et des jours, j'ai vécu dans l'angoisse d'un coup de sonnette : vous aviez témoigné, on venait me réclamer des explications.

– Je n'ai rien dit, Marie-Marthe. Moi aussi, j'avais mes raisons. »

Il y a eu un court silence, et elle a dit d'une voix timide, sans me regarder :

« Djamel n'a été votre amant que cette nuit-là?

– Oui. »

Je suivais sa réflexion, les humbles consolations à quoi elle se raccrochait. Et j'ai été remplie de pitié.

« Marie-Marthe, je crois qu'il vous aimait bien tous les deux. Je me rappelle, la seule fois où j'ai voulu le revoir, en bas, sur la place, comment il me parlait de vous et de Samy... »

Elle a enfin tourné la tête vers moi, elle a dit :

« Ah? »

Et aussitôt :

« Aude, qu'est-ce qui s'est passé? Pourquoi est-il allé à ce rendez-vous? »

J'ai écarté les bras en signe d'ignorance.

« Est-ce que nous devons le savoir? Ç'a si peu d'importance maintenant... Il a d'abord été une victime, Marie-Marthe. »

Elle a dit :

« Oui, vous avez raison. »

Elle s'est mise debout, m'a priée de l'excuser et a disparu quelques instants. Elle est revenue dans la salle, habillée pour sortir. Moi je n'avais pas bougé.

« Où allez-vous, Marie-Marthe?

– A la police.

– La déclaration de vol, ça peut attendre, non?

– Il ne s'agit pas de cela, Aude, vous le savez bien. »

Je me suis levée.

« Vous allez faire une bêtise, une de plus! Je préfère que vous restiez ici. »

Elle a eu un mouvement de révolte.

« Qu'est-ce qui vous prend?

– Marie-Marthe! »

J'avais presque crié et elle m'a considérée avec stupeur.

« Vous ne direz rien aux flics. »

Elle a protesté, assez piteusement.

« Mais je le dois!

– Allons donc! Vous ne devez rien à personne! »

J'ai monté le bébé à la peau dorée qui souriait comme un angelot.

« Si! A lui vous devez quelque chose : le silence. Lui seul compte. Jurez-moi que vous ne direz rien. Jurez, Marie-Marthe! »

Elle a lutté quelque temps avec elle-même. Et elle a incliné la tête, pour me signifier qu'elle ne parlerait pas.

« Et vous, Aude? Qu'est-ce que vous allez faire? Vous allez donner le nom de votre père?

– Je ne sais pas. C'est affreux, n'est-ce pas, de livrer son père ? Alors je ne sais pas. Je vais d'abord rentrer et dormir, oui, beaucoup dormir. Après... »

J'ai eu un petit geste fataliste. Et j'ai ajouté, durement :

« Je ne serai jamais la femme de Davila. Adieu, Marie-Marthe. »

J'ai coupé court à d'autres questions, je suis sortie, j'ai regagné le cours Dajot.

17 heures 35. Nonchalante douceur de cette fin d'après-midi, les hirondelles qui rient au ras des fenêtres et la rade laiteuse sur laquelle un grand cargo gris argent glisse lentement, comme englué.

J'allume la chaîne, je place Jimmy Cliff sur la platine.

Many rivers to cro-o-oss
But I can't seem to find my way over
Wandering I am lost
As I travel along the white cliffs of Dover.

Je m'allonge sur le kirman du salon, mes muscles se dénouent, comme après un patient massage, torpeur, brumes dans ma tête, ce vide en moi, ce manque, cette faim sans espérance...

I'm playing for time
Ther've been times I find myself
Thinking of committing some terrible crime.

Fermer les paupières, recréer goutte à goutte chacune des secondes de cette nuit chaude de juin, quand nous marchions sur la grève de Lanildut, dans les parfums de menthe sauvage et les appels de courlis. Toutes ces heures de bonheur arrogant qui irradie et fait chanter mes fibres et je voudrais clamer le miracle et mon visage n'est qu'un cri d'amour impudique. Djamel présent en moi, même durant l'attente insensée, Djamel vivant dans cette chose en mes entrailles qui s'étire, Djamel de ma douleur et de mes révoltes, Djamel martyr qu'on a tué deux autres fois, dans son enfant et dans son frère, et moi aussi je suis morte.

Puis la morte se remet debout, elle fait les gestes de la survie, des gestes de noyée qui s'accroche à de misérables bouées – la bouteille de bourbon que je tète longuement.

Many rivers to cro-o-oss
And it's only my will that keeps me alive.

La voix de Jimmy Cliff meurt. 6 heures moins dix. Le téléphone a sonné. Je suis allée décrocher l'appareil. C'était gouvernante qui appelait à l'arrêt de Rennes, et qui disait :

« Vous pensez au dîner, chère? Votre père a une envie de quiche, vous pourriez passer chez De Cadenet, oui, le traiteur de la rue Yves-Collet? Ils la font très bien. Nous avons bien hâte de vous revoir, chère! Nous avons tant de choses à nous dire! »

Une quiche! C'était tellement énorme que le récepteur reposé j'ai été saisie d'une crise de fou rire. Et puis le dégoût m'a submergée et la peur. Peur de les retrouver dans moins de trois heures, lui, sa pompe et ses œuvres! Non, ce n'est plus imaginable, la page a été tournée, j'ai choisi mon camp, définitivement.

Je suis montée dans la chambre de Père, j'ai essayé d'ouvrir le secrétaire Empire en palissandre. Il était fermé à clef. Je suis descendue au sous-sol et j'ai dégoté dans la réserve un fort tournevis. En m'en servant comme levier, j'ai fini par faire céder la serrure du couvercle. De l'un des tiroirs j'ai extrait une grande boîte noire toilée, je l'ai ouverte.

Père y conserve ses trophées, trois pistolets « en état de marche », la précision vient de lui. Combien de fois il nous a fait l'article sur ses trésors! Celui-ci remonte à la campagne de France, celui-là il l'a rapporté de Syrie en 41, ce dernier, son chouchou, se rattache à la glorieuse épopée algérienne. Pas seulement une relique grossière, mais une arme efficace, entretenue comme une maîtresse, habillée de linge moelleux, graissée, régulièrement visitée, chargeur en place et tout. Père aime à dire que si un malfrat s'avisait de forcer la villa, il trouverait à qui parler :

« Les mains en l'air, mon gaillard! Et au premier geste, pan! pan! Le carton! Ah! mais! »

Je prends le bijou, je le démaillote, je range la boîte, je referme le couvercle. Je passe dans ma chambre, j'attrape le grand sac de cuir que je porte en bandoulière, j'y loge l'arme.

Munie du viatique je réintègre le séjour, sur lequel l'ombre commence à se faire les dents. Je regarde, je flaire, une dernière fois. Odeurs tenaces, les siennes, pipe et cigare, odeurs de vieille peau. Brutale tentation de descendre au local où je gare la mobylette et de remonter avec un bidon d'essence, et que flambe la bauge!

Non, j'ai mieux à faire. J'hésite un peu et je retire du bahut le coffret-correspondance rose tilleul de gouvernante. Je m'assois à la table; je tartine quelques lignes. Je ne cherche pas les mots, ils sont là, ils viennent tout seuls. Je ne relis pas, je glisse le feuillet dans l'enveloppe, sur laquelle j'écris : « Pour Père. »

Je colle, je pose la lettre bien en vue au milieu de la table. Je sors sans me retourner, j'enfourche la bécane à moteur et je repars. Il est 6 heures 5.

KARIM
18 heures 5

Il n'avait aucune idée de l'heure : sa montre-bracelet dans le choc s'était bloquée sur 16 heures 35. Depuis, beaucoup de temps avait dû passer. Il se rappelait qu'après être sorti de l'inconscience il était demeuré un très long moment inerte, trop groggy pour réagir. Même une fois sa lucidité recouvrée, il avait préféré se tenir coi dans son refuge au bas du talus, à l'abri de la haie, et attendre.

Le remue-ménage sur la route s'apaisait. A plat ventre il escalada le tertre. Il rampa dans les ronciers, épia la zone du sinistre. La voiture de Marie-Marthe n'était plus qu'une espèce d'énorme sauterelle noire, collée au tronc calciné d'un acacia. Le feu avait fait rage : sur vingt mètres de part et d'autre les broussailles de l'accotement étaient tondues et roussies et des fumerolles s'en échappaient encore. Les éclairs d'un gyroscope trouaient le feuillage d'un taillis. La fièvre était bien retombée, mais la maréchaussée officiait toujours, des gendarmes déployaient un décamètre en pataugeant dans la neige carbonique, un autre, adossé à l'estafette de service, écrivait, l'air sombre, un autre du sifflet et de la gueule pilotait dans la passe le double flux motorisé.

Karim abandonna l'affût et se redressa prudemment. Son épaule gauche était très douloureuse, mais il n'avait en apparence rien de cassé et ses articulations fonctionnaient. Il se secoua pour faire tomber la terre qui souillait ses vêtements. Son pantalon était ouvert au genou et taché de sang; la blessure pourtant semblait superficielle, la plaie ne suintait plus.

Il courba le dos, remonta le champ en longeant le

talus, dont les fourrés le protégeaient de la départementale. Il passa un fossé bourbeux, une haie, traversa une autre jachère. Il fit halte, observa de nouveau la route. De nombreuses autos stationnaient sur les bas-côtés, sans leurs chauffeurs partis aux nouvelles vers le lieu de l'accident, plus bas.

Il franchit le talus, déboucha sur la berme, remonta la file. Il releva les regards intrigués des passagers, qui attendaient le retour des conducteurs, et se dit qu'avec ses habits souillés et déchirés il n'avait pas intérêt à s'exhiber longtemps dans le secteur. Il repéra une Giulietta bleue inoccupée, s'assura que le trousseau pendait à la serrure de contact. Il la contourna, s'y engouffra, mit aussitôt en route. D'une détente il se dégagea du créneau et lança l'Alfa. Un contrôle au rétroviseur ne lui révéla aucune agitation anormale derrière.

Il accéléra. Le moulin répondait à la demande avec des grognements d'aise et il put sauter comme en se jouant bon nombre des voitures qui le précédaient. Puis il dut lever le pied, le profil tourmenté de la voie lui interdisant toute fantaisie. 18 heures 15, indiquait la montre de pavillon.

Il rongea son frein durant plusieurs kilomètres. Après les lacets de Porsmilin, il put se libérer et pousser son pur-sang. Il stoppait un peu avant 19 heures devant la bicoque de Le Vigan. Son ami n'était pas rentré de son reportage écologique. Karim gravit l'escalier en trombe, bondit sur le téléphone, forma le numéro d'Aude. Personne. Il appela alors Marie-Marthe. L'exclamation de la jeune femme fit vibrer l'écouteur :

« Karim! Tu es vivant! Oh! mon Dieu! Mais comment... Karim, où es-tu?

– Chez Le Vigan. Ecoute, je n'ai pas le temps de t'expliquer, mais... est-ce que tu as vu Aude?

– Oui. Elle m'a quittée il y a une heure et demie environ. Elle aussi te croit mort!

– Ah! bon... Elle se trouve où actuellement?

– Elle a dû rentrer chez elle. Oui, ça me revient, elle a dit qu'elle allait dormir.

– J'ai téléphoné, elle ne répond pas. Dormir... J'espère que... Je vais voir. A bientôt. »

Il coupa, dévala les marches branlantes, se jeta dans l'Alfa, une nouvelle inquiétude au cœur. Il traversa la ville pied au plancher, brûla des feux rouges, prit des risques insensés.

Il était 19 heures 15 lorsqu'il arrêta la Giulietta rue de Denver. La porte n'était pas fermée à clef. Dès le hall il cria :

« Aude? Vous êtes là? »

Il n'obtint pas de réponse, continua d'avancer en répétant son appel. Au moment où il passait la double porte du séjour, il aperçut l'enveloppe rose posée au centre de la table. Il bondit, eut une grimace accablée : ses pressentiments étaient donc fondés? La suscription ne comportait que deux mots : « Pour Père. » Sans hésiter, il décacheta le pli, lut les quelques lignes qu'elle y avait jetées à la diable :

« Sur le point de commettre ce geste grave, je veux vous dire... Père qui avez saccagé ma vie, je vous hais. Je vous hais d'être sortie de vous et d'avoir porté votre nom. Je vous hais pour vos méfaits d'armes, vos médailles de cirques, vos crimes de guerre. Je vous hais pour le sang du Juste et pour les trente deniers, pour le massacre de l'Innocent, pour sa sueur d'agonie. Je vous hais pour ma lâcheté, pour tout ce que j'ai accepté et cautionné, pour cette mascarade immonde que vous avez voulue. Je m'en vais. Mais vous pouvez trembler, je ne vous quitterai plus. Jamais. Adieu, Père. »

Convaincu qu'elle avait mis fin à ses jours, Karim

se rua dans l'escalier de marbre, se précipita dans la chambre d'Aude. Vide. Il visita les autres chambres de l'étage, la salle de bain, il redescendit et inspecta toutes les pièces du rez-de-chaussée. Aude n'était pas là.

Il retourna dans la salle, découragé. Il ne disposait d'aucun indice susceptible de l'orienter sur le lieu qu'elle avait retenu pour mettre à exécution son funeste projet. Il relut la lettre. « ... ce geste grave... » Un brutal soupçon lui vint. Il pénétra dans le bureau, ouvrit l'annuaire, releva le numéro de la boutique de Davila et le forma en se disant qu'il était au moins 7 heures et quart et qu'il n'y aurait plus personne au magasin. Pourtant on décrochait, une dame très aimable :

« Etablissements Squash, à votre service.

– Est-ce qu'Aude est chez vous? Je suis un parent.

– Aude... Ah! non, monsieur. Un instant. »

Il l'entendit qui appelait et discutait avec une autre femme. Puis :

« Mlle Aude doit se trouver à la propriété de son fiancé. Oui, on m'a dit qu'elle a téléphoné tout à l'heure. M. Davila en tout cas est déjà parti pour *La Rascasse,* plus tôt que d'habitude.

– Merci, madame. »

Il raccrocha, quitta le séjour au pas de course, cueillant au passage l'enveloppe rose qui traînait sur la table.

Il retrouva sa Giulietta d'emprunt et partit comme une fusée.

5

AUDE

Je suis arrivée à la grève de Porsmilin et j'ai fait halte. La fin d'après-midi était tiède. J'ai regardé un moment les familles en vacances qui oubliaient l'heure sur le sable, la voltige des planchistes en travers des vagues, les grandes voiles majestueuses rasant l'eau lustrée. En face, là-bas, les maisons blanches du Trez-Hir étincelaient parmi les pins et le rocher de Bertheaume était tout barbouillé d'or roux.

Je ne bougeais pas. L'aveu âpre de Jimmy Cliff entendu quelques instants plus tôt continuait de retentir dans ma tête :

> *... I find myself*
> *Thinking of committing some terrible crime.*

Je sentais le joujou de Père dans le sac contre ma hanche et j'ai songé que ce serait bien de mourir ici, dans le soleil tendre du soir, au milieu de ces gens heureux. Oui, j'y ai pensé quelques minutes. Ou alors partir sur une de ces ailes vers l'effervescence du couchant et ne plus jamais revenir.

Et puis j'ai évoqué Djamel très fort, j'ai revu son visage de Christ et ses bras écartés comme à Gethsémani, et je me suis dit que je n'avais pas le droit de déserter, maintenant que Karim était mort.

Je suis entrée dans la cabine téléphonique de la plage, j'ai appelé Augusto à Squash, je lui ai dit que j'aimerais bien qu'on passe la soirée ensemble à la propriété. Ça n'était pas au programme car Père et sa pompe rappliquant, il était entendu que je restais « at home » pour le comité d'accueil.

« Ça me fait vraiment chier, Augusto! Tu veux bien de moi? »

Ça l'a mis en liesse cette nouvelle occasion de faire la nique au paternel.

« Sympa à toi, Aude, de me donner la priorité sur le général! O.K., ma poule, installe-toi. Deux ou trois trucs à régler au magasin et je suis là. »

J'ai grimpé l'escalier au bout de la grève et pris le sentier des douaniers en poussant la mobylette. Dès que l'état du chemin l'a permis, j'ai mis en route. J'ai atteint assez vite *La Rascasse*.

Binette au poing, en tablier de toile bleue et galurin mexicain, Candéla désherbait les bordures de la grande allée. Je lui ai dit gaiement :

« Ça va, Alexandre?

– Ça va, mademoiselle Aude. »

Il avait ôté son sombrero et s'épongeait le front du dos de la main, sa bonne gueule de dogue tout éclairée.

« Je vous sers quelque chose, mademoiselle Aude? »

J'ai dit non, pas pour l'instant, que j'allais faire un brin de promenade dans le parc.

« Comme vous voudrez, mademoiselle Aude. »

Il a revissé le chapeau de paille sur son crâne chauve et s'est remis à manœuvrer la binette.

J'ai suivi l'allée sans me presser, puis je suis sortie du chemin, je me suis glissée entre les arbres. J'étais très calme, j'ai fait ce que je devais faire, comme je l'avais décidé tandis que je ralliais *La Rascasse* sur la mobylette, mais non, il y avait une éternité que la chose était arrêtée dans ma tête, jusqu'au moindre détail. *Some terrible crime,* disait Jimmy Cliff tout à l'heure.

Je suis revenue vers la maison, je me suis assise à la table du jardin et j'ai dit à Candéla que, tout compte fait, j'accepterais un scotch-Perrier bien glacé, avec des bretzels. Il m'a servie, je me suis renversée contre le dossier de bois du fauteuil et j'ai dégusté mon apéritif en croquant les bâtonnets salés. J'étais bien. Le crépuscule s'annonçait en soufflant des bouffées qui sentaient l'algue et le pain brûlé, il y avait encore quelque chiffons de soleil accrochés à la cime des arbres.

Candéla claudiquait autour de la table et, à plusieurs reprises, j'ai surpris dans son regard une expression que je ne comprenais pas. Deux ou trois fois, il a toussoté, je me suis demandé s'il n'avait pas quelque chose à me dire.

L'arrivée d'Augusto a réglé le problème. Candéla a eu une mine vraiment contrariée, je l'ai noté, puis j'ai oublié l'incident.

Donc voilà Augusto qui se pointe vers les 7 heures 5, la BMW poussée à fond la caisse comme toujours, klaxon glorieux, freinage délirant et dérapage artistique au ras de la terrasse.

Je me suis levée, je lui ai sauté au colback et je l'ai embrassé avec transport, comme si je ne l'avais pas vu depuis Hérode. Il a dû apprécier cette ardeur boulimique, un peu surpris quand même, mais pas trop : c'est mon charme, il se disait, ah! ma petite folle d'amoureuse, il se disait tout fiérot, bien planté sur ses ergots et dans ses yeux de fer cette brillance grasse que je connais par cœur.

Il a éclusé un godet à côté de moi. Il avait l'air décontracté et heureux, et je savais bien pourquoi la vie ce soir lui semblait si chouette. Du bout de son mocassin, il me taquinait le mollet, pareil à un collégien frénétique.

Je lui ai dit, mutine, que notre duo j'aimerais bien qu'on se le chante dans l'intimité :

« Parce que tu comprends, Augusto, j'ai pas largué mes vieux pour me farcir en échange le Candéla ! »

Ça l'a fait rigoler. Promesse émoustillante lue dans mes propos d'un océan de voluptés et plaisir exquis de moucher son souffre-douleur. Il l'a donc expédié séance tenante et manu militari :

« File.

– Mais, patron, j'ai pas terminé le récurage de...

– Discute pas, tu t'y remettras demain, et pour la bouffe on se démerde. Allez, du vent, je te dis ! Casse-toi. »

Candéla a quitté ses vêtements de peine, est allé chercher son vélo dans l'appentis. En l'enfourchant il a dit :

« A demain, monsieur. Bonne soirée, mademoiselle Aude. »

Il m'a semblé qu'il me regardait, moi, avec une insistance inhabituelle, mais je ne voyais pas pourquoi, je me suis dit que je me faisais des idées. D'ailleurs, il était trop éloigné pour que je distingue les traits de son visage. Le crissement de la bécane a décru, a fondu derrière les arbres dans le silence du soir.

J'ai poussé un gros soupir d'aise. Enfin seuls ! Parés pour la sérénade en rut majeur ! Je suis venue m'asseoir sur les genoux d'Augusto, très câline, et j'ai ronronné contre sa poitrine, amoureuse. Il s'est mis à me peloter farouchement, le souffle râpeux, et bandant comme un carme. Je l'ai laissé bien s'échauffer et je me suis dégagée.

« Je m'offrirais bien une petite trempette ! »

Il a fait la moue.

« Ça risque de ne pas être très chaud : Candéla a vidé le bassin cet après-midi. »

Je ne l'écoutais pas, je me déshabillais. J'ai plongé nue dans la piscine. Oui, l'eau était plutôt fraîche, mais quelle importance? Augusto m'a imitée en maugréant. On a nagé, on a fait cent folies. Augusto n'arrêtait pas de me tripoter quand je passais à sa portée, et moi je me tortillais et lui filais entre les doigts comme une anguille.

J'ai remonté l'échelle, j'ai passé un peignoir court et des mules-sabots en éponge, et j'ai exécuté sur la margelle un tamouré lascif, comme dans les machins de Hollywood.

Ça l'a achevé, l'Augusto, il s'est hissé dehors et il a foncé sur moi. Je ne l'ai pas attendu, j'ai commencé à courir en direction du parc et il a pris mon sillage, tout nu et sabre au clair en s'étouffant de rire. J'ai vite quitté l'allée principale, je me suis infiltrée entre les arbres et les massifs. L'obscurité était presque venue, mais on distinguait encore nettement le contour des troncs et nos deux formes pâles qui sinuaient. De temps à autre, pour corser le plaisir, je me dissimulais derrière un fût et je l'appelais, espiègle :

« Au-gus-to! »

Le cri sur trois notes résonnait dans le silence. Il arrivait, le souffle court, sans trop se presser, ravi : il adorait cette chasse libertine.

« Au-gus-to! »

Et je repartais.

Le jeu a duré un petit moment, folâtre, imprévisible : l'allée, le moelleux du sous-bois, le sentier capricieux longeant la haute muraille crénelée de tessons. Je commençais à être épuisée, la sueur collait mes cheveux, ma salive avait la saveur piquante du sang. Je me mordais les lèvres, je m'acharnais, je me disais : lui aussi a senti ce goût de sang dans sa bouche, ma sueur est la sienne, celle qui brûlait ses pupilles, celle qui glaçait son visage exténué dans la lueur sauvage des phares. Je continuais, je voulais continuer jusqu'à mes dernières forces, comme lui, planter mes pas dans les siens, vivre son agonie.

Comme Djamel, je suis tombée, plusieurs fois et je me suis relevée. Derrière, Augusto riait, criait des mots orduriers, et je ne les écoutais pas, j'écoutais le mugissement carnassier des deux motos invisibles et sous les lanternes démoniaques les arbres autour de moi jaillissaient du fond de la nuit rouge, les feuillages luisants de pluie s'illuminaient dans des trouées et la mer de novembre se lamentait contre les brisants de la crique.

J'ai discerné la satue antique devant moi, je me suis arrêtée, je me suis retournée.

Il s'amenait, béat, la respiration rauque, il stoppait à quelques mètres pour reprendre ses esprits et jouir de l'instant sublime : le terme de la chasse aux bois, la curée gaillarde, la biche forcée, rendue, à sa merci.

J'ai gravi le piédestal, de dos, lentement, très lentement. Mon bras gauche s'est détaché de mon corps, s'est élevé. Il a cru que le jeu se poursuivait, que je mimais une sorte d'imploration cocasse avant de me livrer à sa discrétion, et il a eu son affreux rire de crécelle. Malgré l'ombre, je distinguais chaque détail de son visage épanoui : la moustache grasse de transpiration, le retroussis des narines, les yeux métalliques chavirés de désir.

Son rire se fige dans une grimace incrédule. Parce qu'au bout de ma main droite une arme vient d'éclore, le pistolet de Père que j'ai coincé tout à l'heure entre les pieds d'Artémis et que je pointe sur la forme blanche toute proche.

Il en est encore à chercher son souffle, bavotant comme un vieillard gâteux. Il essaie grotesquement de se protéger de son avant-bras, il piaule :

« Non, Aude! Mais t'es malade? Qu'est-ce qui te... »

Le fracas du tonnerre, la première balle qui l'atteint en pleine face, une deuxième, plus bas, qui le casse en deux, une troisième, une quatrième, au cœur, au ventre... pour toi, mon amour, mon pauvre amour crucifié!

Et je pleurais et je riais et je continuais de peser sur la détente, de saccager le corps obscène étendu sur la mousse, qui s'arquait, rebondissait, s'immobilisait.

KARIM

Il s'extrayait de la Giulietta, mécontent de tout ce temps perdu (la crainte d'un éventuel contrôle routier à la sortie de la ville l'avait incité à éviter la départementale en serrant la côte au plus près jusqu'au bourg de La Trinité), lorsqu'il entendit les coups de feu. Il jura, se mit à galoper, franchit le portail grand ouvert et courut quelques mètres dans le parc, en s'orientant au jugé sur le bruit. Il s'arrêta, écouta, paralysé par le silence de nécropole que rompaient seuls les vrombissements, parmi les feuilles, d'oiseaux réveillés par les détonations.

« Aude? »

Il crut percevoir un soupir sur sa droite, vers la muraille. Il s'y porta vivement, aperçut la silhouette immobile. Aude était là, tête baissée, bras pendant le long du corps. Il remarqua dans le même temps l'arme au bout de sa main et la forme claire étendue devant elle. Il se courba, reçut une empreinte molle et gluante, palpa la poitrine, le visage. Il comprit qu'Augusto Davila était mort.

Il se redressa, lui enleva le pistolet, sans qu'elle opposât de résistance. Elle grelottait sous la légère sortie de bain, qui dévoilait sa gorge blanche.

« Aude, qu'avez-vous fait? »

Elle ne répondit pas, elle regardait comme hypnotisée le cadavre nu à ses pieds.

« Il était au centre de tout, dit-il. Il avait la réponse à toutes nos questions. »

Elle s'arracha à sa prostration :

« Mon père rentre ce soir, au train de 9 heures. Faites-le parler. S'il nie, tuez-le. »

Il la considéra avec pitié. Si menue, dix-huit ans tout juste, l'âge des jeux sentimentaux, des candeurs, des rêves, et déjà pour Aude de Malestroit le bout de l'horreur, le parcours terminé. Oui, de toute façon, une vie fichue.

« Venez. Il ne faut pas rester ici. »

Il lui prit le bras, suspendit son geste. Un grincement rythmé, une lueur pâlote qui vacillait dans les feuillages. Des branches craquèrent. Il reconnut le serviteur taciturne. Candéla appuya sa bicyclette contre un tronc et alluma une pile, qu'il promena sur le sol. Le filet jaune encadra le corps dévêtu et sanglant, la face révulsée. Karim sentit sous ses doigts le tressaillement. Il ordonna :

« Eteignez! »

Candéla s'exécuta.

« Je suis désolé, mademoiselle Aude, dit-il. Je savais que vous alliez faire une bêtise, j'aurais dû vous mettre en garde, j'ai pas osé...

– Vous saviez? releva Karim.

– J'ai tout de suite compris, quand elle est arrivée ce soir, quelque chose dans son air, je peux pas dire quoi, mais j'ai compris. Je l'ai suivie, je l'ai vue planquer le flingue derrière la statue. J'aurais dû cent fois intervenir, lui dire... J'ai pas pu. Sûr que ce salaud n'a eu que ce qu'il méritait. Mais fallait pas que ça soit elle, j'aurais dû l'empêcher. Et maintenant, les problèmes ça va être pour cette pauvre môme! »

Il expulsa un jet de salive sur le cadavre, répéta :

« Pardonnez-moi, mademoiselle Aude. »

Il récupéra son vélo, disparut derrière les frondaisons.

« Allons-nous-en », dit Karim.

Il la soutint, fit quelques mètres, elle abandonnée contre son bras, brûlante de fièvre. Il s'arrêta :

« Où sont vos vêtements? »

Elle tendit vaguement la main en direction de la maison.

« Non, partons, partons tout de suite. »

Karim ôta sa saharienne – la saharienne de Djamel – la lui passa et elle se laissa faire. Ils se remirent en marche. Alors qu'ils atteignaient la Giulietta, elle s'agita soudain :

« Ne m'emmenez pas à la police! Je ne veux pas! »

Elle n'était plus qu'une gosse terrorisée.

« Ayez confiance, dit Karim. Entrez. »

Il la fit asseoir à côté de lui, démarra. Il rallia la départementale, prit de la vitesse. Aude était retombée dans son abattement et ne réagissait pas. Sa tête ballottait, elle claquait des dents. Il accéléra encore, atteignit en un temps record la petite place Allende, à Bellevue. Il l'aida à sortir, la souleva, l'emporta, oubliant les élancements de son épaule meurtrie. Il gravit ainsi les quatre étages.

Marie-Marthe, qui avait ouvert, écarquilla les yeux sans un mot devant le tableau étrange. Il entra, coucha Aude dans un des fauteuils du séjour, après avoir récupéré la saharienne, il disposa sur ses genoux des coussins, réclama une couverture.

« Occupe-toi d'elle, Marie-Marthe, soigne-la. Elle le mérite. Je te retrouve dans un instant. »

Il tourna les talons. Il était à la porte du séjour lorsqu'il l'entendit prononcer son nom, faiblement :

« Karim... »

Il revint vers le fauteuil. Les lèvres d'Aude battirent, lâchèrent en un souffle :

« C'est mon père... »

Il crut lire une prière dans son regard noyé de fièvre et en même temps c'était comme si elle s'excusait. Elle referma les yeux. Karim quitta l'appartement.

21 heures 30

Ils venaient de rentrer et le général était furax : personne à la réception, Aude était sortie, négligeant, cette tête de linotte, de refermer la porte de la maison. Qu'est-ce qu'elle fichait, celle-là? Elle n'ignorait pourtant pas l'heure de leur retour, on la lui avait rappelée à l'arrêt de Rennes. Et la mijaurée au téléphone qui faisait la doucette, qui disait oui, oui! Rien n'était préparé; ni quiche, ni la moindre trace de repas, rien. Et pas un mot d'explication! Elle avait même oublié d'éteindre la chaîne stéréo, le 45 tours était encore en place, qu'elle avait écouté avant de partir, une de ces atroces musiques de sauvages pleines de tintamarre et de vociférations dont elle était friande.

Gouvernante poussait des cris d'orfraie en dressant l'inventaire de ces journées de gabegie : la maison était dans un état épouvantable, des monceaux de vaisselle sale, des boîtes de conserve vides empilées au petit bonheur, un demi-centimètre de poussière sur les meubles et des mégots noirs puants traînant partout. « Education loupée, ronchonnait le général, amer. Bon, bientôt je la fourgue à Davila, qu'il se dépatouille, ça ne sera plus mon problème. » En prenant sur lui, il avait essayé de joindre Augusto à *La Rascasse*, pensant qu'Aude y serait peut-être et y aurait oublié l'horloge. Personne. Pas de réponse non plus à l'appartement de la place Wilson, que Davila occupait du reste très rarement l'été.

Il avait raccroché, irrité et blessé par tant de désinvolture. Il avait des choses importantes à dire à sa fille, concernant la décoration que le ministre lui décernerait en grande pompe lors du départ de la *Jeanne*. Dans le Corail en venant tout à l'heure il avait eu une inspiration : si on groupait les deux cérémonies, le mariage et la remise de médaille? Il souhaitait entendre l'avis d'Aude, et elle n'était pas là!

Il soupira, se sentit des aigreurs à l'épigastre, se dit qu'à la réflexion une diète ce soir lui serait bénéfique. Il monta à la salle de bain et jeta dans un verre d'eau deux cachets effervescents, qu'il regarda se désagréger, tout en méditant sur ces soucis de tous ordres qui l'assaillaient depuis des semaines. Dieu merci, le ciel s'éclaircissait. Le matin même, avant son départ de Paris, Davila l'avait rappelé. Sans doute affolé, le Marocain avait préféré prendre la tangente. Pas de preuve absolue, notait prudemment Augusto, qui avait maintenu en place, disait-il, son dispositif d'alerte, mais de bonnes raisons de penser que l'homme avait quitté Brest pour la capitale. Le fiancé d'Aude au téléphone était manifestement soulagé.

« Et moi donc! songeait le général. Qu'il aille au diable, ce Karim de malheur, et qu'on puisse à nouveau s'occuper de choses sérieuses! »

Il absorba sa potion, redescendit dans le séjour, plaça sur la platine de la chaîne *Boléro* de Ravel, régla l'appareil, s'assit, écouta un moment en battant du pied la mesure. Il se lassa, éteignit.

Gouvernante cinglait vers lui, l'œil humide :

« Voulez-vous, Gonzague, que je vous prépare quelque chose?

– Non, dit-il, je n'ai pas faim. »

Elle hésita :

« J'aurais une faveur à vous demander, mon ami. Puisqu'on est seuls... Vous... vous la mettez? »

Il eut un haut-le-corps, car il avait cru entendre une invite friponne, qui l'étonnait tombant d'une bouche si distinguée (hormis dans la nuit défoulante de l'alcôve).

« Vous la mettre? dit-il, incrédule et réprobateur. Tudieu, ma belle, vos hardiesses de langage me surprennent! »

Elle rosit de simili-pudeur :

« Mais non, mais non, mon ami, vous vous méprenez! Votre médaille, je ne l'ai pas encore admirée sur votre bel uniforme! O Gonzague, j'aimerais tant! »

Il bougonna :

« Enfantillages! »

Réfléchit, le front couturé de ravines. Pas banale, la requête, mais au fait pourquoi pas? L'idée à la vérité ne lui déplaisait pas.

« Pour vous être agréable, mamie », dit-il.

Et il se cassa en deux, talons joints à la prussienne, pour baiser les deux phalanges qu'on lui abandonnait.

« Asseyez-vous, je me prépare. »

Il remonta à l'étage.

Elle prit place sur le canapé de cuir blanc, se ravisa et s'en fut chercher une grande boîte de Chocoletti, qu'elle avait planquée dans un des placards de la cuisine. Elle se rassit et commença à croquer sa friandise préférée.

Elle entendit le pas martial qui résonnait contre le marbre de l'escalier, et il apparut au bas des marches en grand arroi de général de brigade, képi à feuille d'or et gants de fil blanc, le gland de la fourragère lui battant l'aisselle, une constellation de médailles caparaçonnant la poitrine bombée, et l'ultime, la plus belle, la croix du Devoir avec palmes, nettement séparée, flambant à la pointe du téton gauche.

Elle dit :

« Oh! »

Ou plutôt :

« O-on! »

Un son déformé par la pâte pralinée qui lui emplissait la bouche. Il eut un petit geste énergique, se dirigea vers la chaîne, choisit dans le rayonnage le disque adéquat, l'inséra sur la platine, arma l'appareil, se redressa.

Les premières cadences de *Sidi-Brahim* éclatèrent, clairons vibrants et caisses claires. Le général prit la pose, marqua le temps, jeta la jambe et se lança. Elle n'y put résister, elle lâcha la boîte de chocolats, claqua des mains :

« Bravo! »

Il continuait, impavide, à travers la vaste pièce, soutenu par le rythme guerrier, torse altier, jarret tendu, et au passage devant le public il tournait la tête, saluait noblement la goulue qui trépignait d'enthousiasme, s'exclamait la bouche pleine :

« Vous jêtes chuperbe! »

Deux fois, trois fois, il arpenta la salle dans sa longueur, opérant aux extrémités un demi-tour réglementaire et parfait, dévoré par son rôle, tout au souvenir exaltant des parades d'autrefois, transcendant les maigres applaudissements de la bâfreuse en l'ovation immense d'une foule déchaînée, oublieux de sa méchante sciatique, de ses articulations grippées, de son postérieur à la remorque, la jeunesse revenue, vingt-cinq ans, le panache et le punch.

A ce moment, on sonna. Secondes de flottement. Le général, perturbé, bouffa une mesure et cala. Gouvernante se leva avec ennui en essuyant ses babines chocolatées.

« Je n'y suis pour personne, dit fermement le décoré. Econduisez, mamie. »

Elle sortit de la pièce. Il l'entendit ouvrir la porte extérieure et aussitôt jeter un cri, suivi de protestations furibondes. Avant qu'il ne songeât à intervenir, le battant de la porte, repoussé avec violence, claqua contre la cloison. Une galopade effrénée, et gouvernante fusa dans le séjour, catapultée par une bourrade vigoureuse. L'intrus était sur ses talons, l'arme au poing, une espèce de métèque hirsute et débraillé.

Bravement, le général lui barra la route :

« Que signifie, monsieur? Et qui êtes-vous pour vous permettre...

– Karim Bougataya, dit le type. Le frère de Djamel que vous avez fait assassiner! »

Malestroit eut un hoquet. Et voilà qu'inopinément gouvernante se mettait à glapir. Karim se pencha et apaisa l'hystérique d'une baffe solide à la tempe gauche. Elle arrêta ses youyous, elle dit : « Aïe! » et puis : « Pff! », roula des pupilles et tomba sur le cul entre deux fauteuils, y resta coincée, inconsciente, cependant que la fanfare, après une pause, attaquait un nouveau pas redoublé.

« Mécréant! s'indigna le général. Vous osez porter la main sur une femme! »

Il libéra un chapelet de vents pleins d'impertinence, ponctués d'un « Tonnerre de Brest! » résolu. Et courageusement il courut sus à l'Infidèle, stoppa à quelques centimètres du pistolet braqué :

« Qu'est-ce que vous voulez?
– Vous tuer », dit Karim.
Le général eut un court frisson, qui fit se répandre une risée chatoyante sur la quincaillerie de son plastron. Scrongneugneu, mais c'est qu'il en serait capable, le bougre! Le frère, hein, le digne frère du bougnoule qui avait déshonoré Aude! Aucune morale chez ces gens-là! Race de violeurs et d'égorgeurs!
Il se ressaisit. Dans un regain de fierté, il se souvint de Charles, Xavier, Marie de Malestroit, son ancêtre croisé, il gonfla la poitrine, il plissa des yeux méchants :
« Vous ne me faites pas peur, allez! J'en ai vu d'autres, mon gaillard! »
L'allégro héroïque de *Sambre et Meuse* le galvanisait, lui faisait négliger l'évidence qu'il était au bord de s'oublier dans ses caleçons molletonnés.
« J'étais avec Massu, confia-t-il. La bataille d'Alger, en avez entendu parler? Les biques de votre acabit, on s'en est farci quelques-unes, bonhomme! Non, vous ne me faites pas peur! »
Alors Karim le cogna de la crosse au menton et en retour foudroyant à la mâchoire supérieure. Ça craqua et ça gémit. Beau de Malestroit porta sa main gantée de fil immaculé à ses lèvres qui pissaient le sang :
« Vous n'avez pas le droit! » protesta-t-il.
Et il eut comme un gémissement d'enfant. Il avait perdu toute morgue, il reniflait, il lorgnait par en dessous l'agresseur dont la face impassible et dure lui sapait le moral.
Du pistolet Karim lui désigna la table. Il obéit, s'assit, sur un nouveau signe de son tourmenteur. Karim chercha, aperçut le coffret à correspondance tilleul posé sur le bahut. Il détacha du bloc un

feuillet, sortit une pointe feutre de la boîte, jeta le tout devant le général :

« Allez-y. »

Malestroit lui adressa un regard effaré :

« Qu'est-ce que je dois faire?

– Rédiger vos aveux. Ecrivez. »

Ravalant un sanglot mouillé, le père d'Aude se pencha, essuya une goutte de sang qui venait de s'étoiler à la lisière du papier :

« Ça ne vaudra rien, plaida-t-il. Une déclaration obtenue sous la contrainte n'a, en droit strict...

– Ecrivez : " Moi, général de Malestroit... "

Imperturbable, Karim dicta, lui fit signer le texte et lui arracha la confession.

« Davila est mort, annonça-t-il. Mais votre fille témoignera contre vous : elle a tout vu, elle parlera. »

Et il lui flanqua sous le nez la lettre d'adieu rédigée par Aude.

Le général lut, accusa le coup. Cette suprême avanie l'achevait. Il se mit à ballotter du menton en silence comme un demeuré. Tout près, la femme se dégageait péniblement des brumes et exhalait une plainte ténue. Les clairons martelaient le refrain de la 2e DB.

Karim posa l'automatique sur la table :

« Pendant que je vais à la police, je vous laisse une chance. Il y a une balle dans le canon. Pour l'honneur. Enfin ce qui vous en reste! »

Malestroit considérait l'arme avec ahurissement. Comment son propre MAS Parabellum se trouvait-il là? La folie dansait dans ses pupilles dilatées. Il se leva en s'appuyant contre le plateau marqueté, il loucha sournoisement vers le pistolet, fit mine de se cambrer. Une goutte rose miroitait sous sa narine.

Et soudain il fléchit, croula sur les genoux, commença à chialer, lamentablement :

« Ayez pitié, monsieur! Tout ce qui est arrivé, c'est la fatalité! Je ne voulais pas, je vous assure que je ne voulais pas! »

Karim reprit l'arme et le matraqua à nouveau de toutes ses forces. Il entendit le craquement, vit l'homme qui ouvrait le gosier désespérément, aspirait l'air avec un bruit de pompe, et dans la béance rouge l'étrave d'un râtelier brisé. Le général s'était renversé sur le dos. Karim s'accroupi et le frappa encore en pleine face à poings nus, plusieurs fois, avec une rage froide, une rage de mort.

Il s'arrêta pourtant. Une image traversait son esprit : Aude grelottant de fièvre dans le fauteuil de Marie-Marthe et qui implorait :

« C'est mon père... »

Il se releva, il alla décrocher le téléphone dans le bureau, appela l'hôtel de police, demanda à parler d'urgence à l'inspecteur Chabert. On le lui passa.

« Je suis Karim, le Marocain, vous vous souvenez?

– Parfaitement. Eh bien?

– Tout est en ordre. Allez à la villa *La Rascasse*, à Locmaria. Vous y trouverez à l'entrée du parc le cadavre d'Augusto Davila, l'assassin de mon frère, de son oncle Julio et de Kef.

– Diable! Vous l'avez tué?

– J'aurais aimé. Quand vous aurez une minute, passez aussi rue de Denver chez le général de Malestroit, le complice de Davila.

– Quoi? » hurla Chabert.

La foudre venait de tomber dans le bureau du brave Jef, qui s'inquiéta pourtant aussitôt.

« Mort lui aussi? »

Karim vint jusqu'à la porte du bureau et regarda dans le séjour la forme geignante au sol, les lèvres enflées, ouvertes sur une bouillie sanglante.

« Pas encore. Mais ne tardez pas trop : je crois bien qu'il a avalé son dentier! »

Il raccrocha, remonta le hall sans se retourner, sortit.

Derrière lui, les clairons reprenaient au refrain.

Lettre de l'inspecteur stagiaire Filoche à ses parents dans la Somme.

« Jeudi, 2 septembre

« Chers père et mère,

« Je ne vous apprendrai sûrement pas la nouvelle au sujet de Davila et du général de Malestroit : ça a paru dans tous les journaux et à la télé aussi on en parlé plusieurs fois. Dans la ville, vous pensez, ça a fait de sacrées vagues, car le général ici c'est quelqu'un et le mort lui non plus n'était pas le dernier venu. Un qui a bonne mine, entre nous, c'est le ministre! Il devait en personne décorer Malestroit à l'occasion du départ de la *Jeanne* : imaginez si ça jase! Ici à la boîte on est tous sur le pied de guerre. Pour arranger le tout, voilà le patron obligé de s'aliter. Il a des varices mal placées, comme on dit, et il paraît que c'est pareil aux ulcères, ça évolue avec l'état général. Jef Chabert dit que la crise au grand chef a rien d'étonnant, vu que Bodart on sait où vont ses sympathies. Vous voyez qu'entre les deux hommes le torchon continue à brûler. Moi, naturellement, je ne m'en mêle pas, vu que j'aime bien Jef, mais que le patron c'est le patron, et que je ne suis encore que stagiaire. Comme me le faisait remarquer le collègue Guichaoua pour ma première affectation je suis gâté! C'est moi en novembre que j'ai établi le constat quand on a trouvé le cadavre du Marocain au bas du pont Malchance. C'est encore moi (parlez d'une coïncidence!) que j'ai reçu l'appel depuis l'hypermarché Le Globe. On pense à présent qu'il s'agissait de Davila en personne. Quel tordu ce type! Et vous avez lu comment, avec la complicité de son oncle Julio, il a torturé le Marocain dans le parc de leur propriété avant de venir le balancer du pont. Un fou, je vous dis. A propos de fou, le général aussi a dû être enfermé. Complètement maboul, il paraît, ce qui ne fait pas notre affaire : il a des choses à dire, par exemple, par quel moyen Davila avait réussi à attirer le jeune Marocain à *La Rascasse*. Jef Chabert pense qu'on ne le saura jamais et c'est bien dommage.

« Chers parents, j'arrête là ma plume. Avec cette affaire, j'ai un boulot, vous pouvez pas vous imaginer! Faites la bise pour moi à Francine. Dites-lui que j'espère toujours être à Saint-Léger pour la ducasse, mais vu le contexte c'est pas encore gagné. En attendant, je vous embrasse comme je vous aime.

« Votre fils attentionné,

« LUDOVIC. »

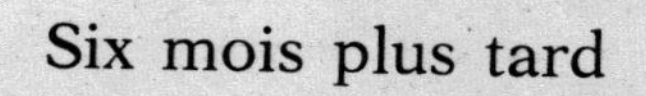

Six mois plus tard

KARIM

J'ai arrêté la voiture très loin. Je voulais marcher, être le pèlerin qui revient, tranquille, après la longue absence. La placette Salvador-Allende. Les mamans sont toujours là, escortées de leurs poussins et les gamins continuent de dévaler sur le toboggan avec des cris heureux. Un soleil alangui filtre à travers le treillis des nuages. L'air charrie des parfums de gazon coupé. En cette fin de février, le printemps à l'horizon cligne de l'œil, il y a des touffes de primevères et des jacinthes dans les plates-bandes et les deux forsythias du massif font déjà éclater leurs bourgeons sur leurs pétales d'or.

Je suis monté. Marie-Marthe est accourue m'ouvrir. Une seconde de gêne et nous tombons dans les bras l'un de l'autre. Elle m'entraîne vers la fenêtre de la salle, nous échangeons les mots rituels :

« Tu as l'air en pleine forme.

– Merci. Toi aussi tu as une mine superbe. »

Mélancoliquement, nous confrontons nos deux vies dissociées depuis l'été, la mienne à Bordeaux où j'ai recommencé des études de droit, celle de Marie-Marthe ici, inchangée.

« Tu vois, je suis venu. Pourquoi m'as-tu appelé? »

Elle me prend la main et me conduit à la chambre près du berceau où Samy fait sa sieste. Il ne dort pas. Il me décortique de ses yeux immenses, me reconnaît peut-être, sourit, se met à sucer son pouce.

Nous revenons dans la salle. Marie-Marthe emplit deux verres d'orangeade, nous trinquons debout aux retrouvailles.

« Regarde. Notre amie Gertrude. »

La porte de la cuisine est ouverte. Sur le rebord de la fenêtre, la mouette déjeune, l'œil en alerte. Elle nous considère un moment avec perplexité en claquetant du bec, et elle s'enlève dans le bel azur clair. Nous échangeons un regard complice. Puis le visage de Marie-Marthe devient grave :

« Karim, je vais partir.

– Partir ? »

Je m'assois, très inquiet :

« Comment cela partir? Où est-ce que tu comptes aller?

– Je ne sais pas encore, le Salvador, peut-être, ou la Thaïlande. J'ai pris plusieurs contacts, j'attends des réponses.

– Voyons, Marie-Marthe, c'est un coup de tête?

– Non, j'ai bien réfléchi. »

Elle a eu un sourire voilé.

« Seule avec le petit, les soirées et les nuits sont longues, tu sais, j'ai eu tout mon temps pour examiner le problème avant de me décider.

– Mais pourquoi, ai-je insisté, pourquoi est-ce que tu désires t'expatrier?

– Pour aider. J'ai mon brevet de secourisme, tu te rappelles? Je peux enseigner, être utile.

– Pour aider et pour... pour oublier? »

Je voulais dire : pour te punir, pour expier.

Elle ne me répond pas, elle regarde fixement son verre.

« Et le gosse? Tu as songé à Samy?
– Samy, justement. Je me suis dit... Si je t'ai écrit... »
Elle hésite, très embarrassée :
« Il est le fils de ton frère, Karim, il n'a plus que toi. Si tu voulais... Il marche déjà bien, tu sais. Il a dix-huit mois, c'est un enfant très facile. »
Il n'est pas nécessaire qu'elle poursuive, j'ai compris et je sais que je vais accepter, quoi qu'il m'en coûte. La gorge un peu serrée, je dis :
« Tu reviendras, Marie-Marthe? Pour le petit? Pour nous? »
Elle détourne les yeux.
« Oui, bien sûr, un jour, Karim, un jour... »
On a parlé longuement tous les deux, en copains fraternels, de nous, de l'affaire aussi, de ce scandale énorme qui a secoué la cité durant plusieurs semaines. Six mois ont passé et déjà le drame s'estompe. Les soucis du quotidien ont repoussé dans les limbes les tragiques événements de cette fin d'été. Mais l'instruction souterrainement chemine, non sans difficultés, car le maillon essentiel, le général de Malestroit, n'a pu être entendu. On dit qu'il est irrécupérable, qu'il ne sortira jamais de son asile.
Aude va mieux, mais demeure bien fragile. La pauvre petite! Ghesquière, le magistrat instructeur, m'a reçu plusieurs fois avant mon départ pour Bordeaux. A travers ses propos j'ai senti que lui non plus ne juge pas coupable la fiancée de Davila.
A aucun moment, le nom de Marie-Marthe n'a été cité : Aude est fidèle, elle ne parlera pas. Moi-même je sais ce que je lui dois. Elle m'a devancé, elle s'est chargée de tout le fardeau, elle a permis que ma vie reprenne son cours studieux, en accord avec la loi. Un jour, quand mon pays aura réappris le goût de la liberté, je retournerai au Maroc, nous y retournerons, Djamel et moi, je le lui ai promis encore tout à

l'heure sur sa tombe, ma première halte en arrivant à Brest.

J'ai quitté Marie-Marthe, tenant d'une main le bagage où elle a rassemblé le trousseau de Samy, de l'autre le lit de voyage au fond duquel le bébé s'est endormi. Mon cœur est lourd, je serre très fort la double anse de nylon. Samy, tout ce qui me reste des deux êtres que j'ai le plus aimés et dont le destin torturé a traversé mon existence.

Sur le pliant de toile à raies rouges et blanches à la porte, le Noir Nathanaël chauffe sa vieille carcasse au soleil. Pour la première fois depuis longtemps je ne l'ai pas évité, je lui ai dit au revoir.

L'aveugle a gardé ma main dans la sienne.

« Tu t'en vas, Karim?

– Oui, grand-père. Mon travail m'appelle à Bordeaux. »

Il a posé sur moi ses pupilles mortes sans lâcher ma main.

« Karim, ta voix est comme l'eau de la source. Pourquoi, mon fils? Est-ce que tu es guéri? »

Je n'ai pas répondu. Je contemple au creux du couffin rose le fin visage hâlé qui sourit en dormant. J'ai étreint la main osseuse.

« Adieu, grand-père. »

J'ai repris le berceau léger qui abrite l'enfant de mon frère, et sans un regard en arrière je suis parti sur la route.

31 août 1983.

DU MÊME AUTEUR

A la Librairie des Champs-Élysées
(Collection Le Masque) :

CHANTAGE SUR UNE OMBRE.

Aux Éditions Denoël :

LES SIRÈNES DE MINUIT
(Grand Prix de Littérature policière).
NOCTURNE POUR MOURIR.
ALIÉNA.
BABY-FOOT.
J'AI TUÉ UNE OMBRE.
LA VOIX DANS RAMA.
LE SQUALE.
LE MASCARET.
ON L'APPELAIT JOHNNY...
LA BAVURE
(Prix Mystère de la Critique)
MORTE FONTAINE.

Aux Éditions Albin Michel :

YESTERDAY

Thrillers

Parmi les titres parus

ALEXANDER (Karl)
C'était demain..., 7461/4*****
BAR-ZOHAR (Michel)
Enigma, 7474/7***
BORCHGRAVE (Arnaud de) et **MOSS (Robert)**
L'Iceberg, 7493/7******
CONNERS (Bernard F.)
La Dernière Danse, 7491/1****
COOK (Robin)
Vertiges, 7468/9***
Fièvre, 7479/6*****
CRUZ SMITH (Martin)
Gorky Park, 7470/5******
DALEY (Robert)
L'Année du dragon, 7480/4******
FOLLETT (Ken)
L'Arme à l'œil, 7445/7****
Triangle, 7465/5******
Le Code Rebecca, 7473/9*****
GOLDMAN (William)
Marathon Man, 7419/2***
GRISOLIA (Michel)
Barbarie Coast, 7463/0****
Haute mer, 7471/3******
Les Guetteurs, 7482/0*****
HIGGINS (Jack)
L'aigle s'est envolé..., 5030/9****
Solo, 7464/8***
Le Jour du jugement, 7472/1***
Luciano, 7477/0***
HIGGINS CLARK (Mary)
La Nuit du renard, 7441/6***
La Clinique du docteur H., 7456/4****
HIGHSMITH (Patricia)
L'Amateur d'escargots, 7400/2***
Mr. Ripley (Plein soleil), 7420/0***
Le Meurtrier, 7421/8***
La Cellule de verre, 7424/2***
Le Rat de Venise, 7426/7***
L'Inconnu du Nord-Express, 7432/5****
Eaux profondes, 7439/0****
Le Cri du hibou, 7443/2****
Ripley s'amuse (L'Ami américain), 7446/5****
La Rançon du chien, 7447/3****
L'homme qui racontait des histoires, 7448/1**
Sur les pas de Ripley, 7467/1*****
La Proie du chat, 7476/2***
Le Jardin des disparus, 7483/8***

Ces gens qui frappent à la porte, 7492/9
IRISH (William)
Du crépuscule à l'aube, 7475/4**
La Toile de l'araignée, 7487/9***
KING (Stephen)
Dead Zone, 7488/7*****
KŒNIG (Laird)
La Petite Fille au bout du chemin, 7405/1***
KŒNIG (Laird) et **DIXON (Peter L.)**
Attention, les enfants regardent, 7417/6***
LENTERIC (Bernard)
La Gagne, 7478/8****
LUDLUM (Robert)
La Mémoire dans la peau, 7469/7******
Le Cercle bleu des Matarèse, t. 1, 7484/6**** ; t. 2, 7485/3****
Osterman week-end, 7486/1****
MARKHAM (Nancy)
L'Argent des autres, 7436/6***
ORIOL (Laurence)
Le tueur est parmi nous, 7489/1***
RYCK (Francis)
Le Piège, 7466/3***
Le Nuage et la Foudre, 7481/2***
STANWOOD (Brooks)
Jogging, 7452/3***
TOPOL (Edward) et **NEZNANSKY (Fridrich)**
Une disparition de haute importance, 7490/3****

IMPRIMÉ EN FRANCE PAR BRODARD ET TAUPIN
58, rue Jean Bleuzen - Vanves - Usine de La Flèche.
LIBRAIRIE GÉNÉRALE FRANÇAISE - 14, rue de l'Ancienne-Comédie - Paris.
ISBN : 2 - 253 - 03916 - 0

30/7506/6